マネーの正体

Debunk the Money

Shigeharu Yoshida

金融資産を守るために
われわれが知っておくべきこと

吉田繁治

ビジネス社

はじめに

マネーの発行は秘密ではありません。その意味が教えられず、経済と金融取引の背後に、隠れているだけです。本書は、「お金」…つまり信用貨幣についての話です。信用貨幣の意味はわかりにくいと思います。本書は、これから書いています。

２００８年の米国を起点とした金融危機と、南欧の債務危機を経て、世界のマネーがはげしく動いています。あからさまに日常で、あたり前すぎるのがお金です。たぶん５歳には、生活にお金が必要なことは知っています。しかしふと、「日銀券って何だ?」と考えるとわからなくなる不思議さをもつ信用貨幣の根源から、中央銀行が独占する発行、経済成長、所得増、インフレやデフレとの関連、そして、それと知らないうちに21世紀の新しいお金になったデリバティブまでの意味、証券の構造、そして今後の展開にも見通しをつけ、個人、企業、政府は何をどうすればいいのかを明らかにする目的で、書きおろしたものです。

金融の原資産（世界で1京５０００兆円）から派生しているデリバティブは、リスク率を想定した権利の証券ですが、これは、２０００年代に対象資産が5京円（1兆円の5万倍）にも達した、新しいしかし内容が不明なマネーです。これをいれない限り、21世紀のマネーも国債も通貨も見えません。

事例を言います。ご記憶の方も多いと思います。５大投資銀行の一角、リーマン・ブラザーズのＣＥＯリチャード・ファルド氏は、08年9月15日の破産の2週間前、「史上最大の利益をあげた」

と発表していました。実際は9月にわかった損失だけで6130億ドル（49兆円）であり、米国金融史上、最大の倒産でした。AIGの巨大損失にも連鎖し、欧州（BNPパリバ等）と日本に波及したのは周知です。

わずか1ヵ月で、なぜこうなるのか？　調べると、デリバティブのひとつであるCDS（Credit Default Swaps：債務の回収を保証する保険）やその複合証券を売れば、受取保険料で利益を出すことができ、リスク（エクスポジャー）はオフ・バランスとされ貸借対照表にはのっていないことがわかります。清算日まで、損失を計上しなくてもいい。投資銀行やヘッジ・ファンドだけで取引しているデリバティブの時価は、08年以降4年も当局によって停止された状態が続いています。理由は評価が困難だということです。唯一の統計であるBIS（国際決済銀行）の公開データからCDSを調べると、対象となる原資産が$28・6兆（2288兆円）、その流通価値は$1・6兆です。（128兆円：対象資産の5・6％：11年12月末）。

CDSの価値は、支払われた保険料に相当するものです。この$1・6兆も時価ではなく、契約時のものでしょう。CDSやMBS（不動産ローン担保証券）は、リスク率に比例し流通価格が上下します。他方では、CDSをかけた債券は保証がある安全資産とされています。ところが実際はリーマンやAIGのように保証できない。このため突然の破産が起こったのです。

約400兆円の南欧債に関しては、100兆円分を米銀がCDSを売って保証していると言われます。保証は、米銀にとって連帯保証と同じ債務です。このCDSの発動をおさえるためECBとFRBがマネーを増発し貸し続けています。

外為売買、長短の金利交換、株式、商品相場、そしてＣＤＳとその他複合証券での原資産は、天文学的な金額の＄６４７兆（５京１７６０兆円：11年12月：世界の金融原資産の３・５倍）です。このデリバティブの流通価値は、前述のように＄27兆（２１６０兆円）です。このなかに米欧の大手銀行（自己資本２００兆円）を５回はふきとばす１０００兆円くらいの潜在損がかくれているでしょう。全部が、金融の原資産（世界で１京５０００兆円：世界のＧＤＰの３倍）から派生した証券です。

デリテバイブの意味、構造、証券の作成上でのまちがいと潜在損、行くすえを含まないかぎり、経済と金融は予測できません。ほとんどの金融・経済予測は、わからないからという理由でデリバティブの潜在損を無視したものです。このため、危機が起こったあと「なぜだ」としかならない。どこかの雑誌で「藁《わら》の上の回復だった」と言っていました。中央銀行の印刷マネーの下は、08年以降もずっと変わらず、不良債権の巨大な洞穴があいたままだったからです。現在も、です。

各章は、独立しても読めるように配慮しています。章をまたがる大切な事項や考えでは、繁雑さをいとわず、繰り返している記述もあります。見通しを与えるため、各章を、短く要約します。

第１章は、「お金」の実質と名目の価値です。

普通の人が金融資産をつくる方法は積立預金です。問題は、ずいぶん先の名目金利と、インフレ率を引いた（またはデフレ率を加えた）実質金利で、どう変わるかです。１９９０年までと、90年代以降の20年間（少なくとも今後15年）は、過去の常識を変えねばなりません。端的に言えば、国家財政が破産しないかぎりは、名目金利では、３％以下の低金利が続かざるを得ないからです。歴史上、はじめてのことです。

１０９９兆円の政府債務をかかえ、毎年40兆円から50兆円増える日本の場合は、国債の長期金利が約2ポイント上がって、３％になると政府財政は破産に向かいます。同時に、ほぼ全銀行は国債価格の、13％の下落のため、自己資本（１００兆円）を失い、事実上、破産します。これを防ぐには、政府は40兆円から50兆円の新規債を発行しながらも、金利を１％台におさえるため、日銀による国債買い切り（マネタイゼーション）という円の増発を続けなければなりません。

（注）マネタイゼーションは、日銀による国債の売買でベースマネー量の調節を行う普通のものではなく、買い切ってマネーを増発する最後の策です。

第2章は、マネーの発行は、なぜ「秘密」と思われてきたのか？　です。

古代は物品貨幣、中世は信用通貨、近代は紙幣、19世紀からは中央銀行制度に変化しています。近代以降の通貨の発行には、国家または中央銀行が関与します。理由は、見えない税収になるからです。通貨の歴史では封印されているベネチアの金細工師が発行した金証券が信用通貨のはじまりです。

その発行の構造はどんなものだったか。ここに現代の信用貨幣に転化したマネーの本質、本性があります。歴史を示す途中で、現代のマネー発行との関連を示しています。この章で、信用貨幣がもつ「金融資産＝別の人の金融負債」という構造を明確にします。

第3章は、中央銀行の通貨発行と、銀行システムによる信用乗数の効果がもたらすものです。

中央銀行が発行するマネタリー・ベース（あるいは基礎マネー）が通貨発行額ですが、これは、銀行システムのなかの「預金→貸付（債券）→預金→貸付…」という連鎖のなかで、10倍以上に膨らみます。銀行システムも株式のシステムも、今はまだ意味がわかりにくい負債性のマネー（信用貨幣）を創造することができます。

ジョン・ローがフランス王立銀行を使い、過大だった国債と振り替え得るために発明した政府紙幣が、どういった展開と結果をもたらしたかも示しています。日銀の設立と、それ以降の展開も示します。なぜ日銀が通貨発行の利益を否定するのか。紙幣が信用される根源はどこにあるのか。

そして２００８年以降、現在までの米国ＦＲＢ、欧州ＥＣＢ、日銀による約５００兆円の紙幣印刷が、どういった結果をもたらすのか。米国ドルが国際機軸通貨であることの意味とその巨大な特権、そして、中央銀行の上の中央銀行とされているＢＩＳ（国際決済銀行）の、バーゼルⅢによる銀行の資本規制の強化（８％→10・５％）における、不可解な目的までを示します。

これからの長期の経済予測には、ＢＩＳによる銀行の資本規制の強化の方向が欠かせないからです。バーゼルⅢの実行期限は２０１９年です。実行されると日本を含む世界は、米国の１９２９年から33年の大恐慌とまったくおなじ、30％程度の信用乗数の低下が生じ、結果はマネー不足からデフレ型の恐慌になります。可能性ではなく１００％の確率での恐慌です。バーゼルⅢはわれわれの生活のために阻止せねばなりません。

第4章は、信用乗数と経済成長、つまり人々の所得が増えるのはなぜか？　です。

中央銀行が発行する紙幣が、銀行システム内の信用乗数で10倍以上に膨らんで、それが企業の資本になって、企業経営による技術革新（生産性の上昇）と新商品の開発の実行によって経済が成長するプロセスです。この章では日本の1990年代から22年の、資本供給の問題を示します。

この間、公共事業に使われた資本（マネー）は、650兆円です。これが現在の政府の総債務1099兆円です。650兆円（GDPの1・4倍）もの公共投資と政府事業の結果は、22年間の経済成長のなさと世帯所得の減少でした。なぜこうなったのか？　原因を解き、今後、世帯所得を増やすために実行せねばならないことを示します。世帯所得が増えないかぎり経済は成長しません。所得増と消費増には、99％の相関関係があるからです。2000年代の規制緩和、政府の関与の減少、構造改革を言う新古典派風の経済論には、世帯所得の増加と失業率の低下という視点が、すっかり消えていました。

公共事業は、GDPの低下をおさえる点では有効でしたが、乗数効果は1年目で1・1倍でしかない。経済の成長をうながす点では誤りでした。公共投資のケインズ策は、どんなとき、どうすれば有効か？　そして日本政府の、22年間の650兆円の使い方が、経済成長のためには有効でなかった理由も示します。

1099兆円に膨らみ、毎年40兆円から50兆円増える政府の債務は、今後、名目GDPの成長がないと税収が増えないため、向こう数年でデフォルト（返済と利払いができないこと）に向かいます。結果は、ギリシャやスペインのような状態です。迫ってきた財政の破産を防ぐには、消費税の増税ではなく、経済成長でなければならない。今後の経済を成長させるには、言い換えれば世帯所得を増やすには、何が必要か？　経済論で消えてしまった成長論を喚起するためです。後半は政府への提言です。

第5章は、ゴールドとFRBの40年戦争と最終勝者です。

第二次世界大戦後の基軸通貨は米ドルです。１９４４年から１９７１年までドルは金準備の通貨でした。不換紙幣では信用されないという恐れから金準備と固定相場制をとったのです。１９７１年に大統領令で一方的に金・ドルが交換停止されます。その後は各国の通貨価値が、日々変動する変動相場制になっています。

米ドルが金準備をはなれた途端、金は高騰にはいります。米国FRBは、ドルの金に対する価格が下がると基軸通貨の信用を失うことを恐れ、集めていた世界の金の価格を下げるために市場に放出します。

１９７１年からの30年の金価格とFRBの戦いは、現代のマネーの歴史では封印されています。本章では、金価格をめぐる歴史を、FRBの創設（１９１３年）にさかのぼり年表としてまとめます。なぜ２０００年代の金価格が5倍に上がったのか？　２０１２年以降の金価格はどう向かうかを、根拠とともに見通します。なお、原油の高騰と金価格はほぼ比例しています。

第6章は、21世紀の新しいマネー巨大デリバティブはどこへ向かうのか？　です。

デリバティブ（対象となる金融資産5京円）の85％は無税・無規制の法域であるオフショア（世界で60ヵ所）で製造されています。世界の銀行資産（約1京円）の50％は、オフショアを本拠とするものに2000年代で変わっていると推計されています。シャドー・バンキングとも呼んでいます。

実際の取引は、ウォール街、シティ、スイス、シンガポール、香港、東京の、オフィスのコンピュータ画面で行われています。サーバーのアーカイブがオフショアにあるとイメージしたらいいでしょう。ヘッジ・ファンド（預かり元本160兆円：レバレッジ運用で推計4800兆円）も、本拠地はオフショアです。先物、オプション、スワップ、CDS、CDOなどのデリバティブを使い、裁定売買を組み合わせ、各種の相場のポート・フォリオで預かり資産を運用し、高い利益率をあげていると思われています。

これは幻想です。ヘッジ・ファンドは手数料として預かり元本の2％と運用利益額の20％（2&20原理）を報酬として受け取る私的運用組合です。各国の規制や課税を逃れたいマネーが集まっています。運用成績は、2％の手数料を引くと2・1％にすぎません（11年12月末から12年7月までの7ヵ月間：HFRX指数）。株価の平均指数にも劣る運用成績は、2011年だけではない。過去からおなじです。

同じ期間のMSCI（全世界の株価指数）は7・9％の上昇です。米国のS&P500種も、11・5％の上昇です。ドル・ベースの日経225種平均（同期間＋0・5％）やS&P500（＋11・5％）、また欧州のFTSE300種（＋4・2％）は、先物取引の証拠金をおけば、だれでも何の工夫もなく、買うことができます。日経225種は個人のミニなら、証券会社が指定する数十万円からの証拠金で取引ができます。知識もなく、何も考えず、だれでもできる平均指数に勝てないのが、ヘッジ・ファンドの運用です。ヘッジ・ファンドの運用結果の平均は、ほとんどの時期で、株価の平均指数より劣ります。

（注）3ヵ月内の短期では勝つことも負けることもあります。ここで言うのは、半年以上の中長期です。

キャピタル・ゲイン（売買差の利益）を目的にした金融資産の投機では、高度な運用も平均指数でしかないということを立証します。高い利益をあげる運用方法があるという期待をもつのは愚です。ただしヘッジ・ファンドは、損失ヘッジをした運用をします。平均指数の下落のとき、金融資産を守るという点では効果はあるでしょう。なぜ、ヘッジ・ファンドが増えたのか？　目的は、規制逃れです。

デリバティブの全体は、過去の価格変動幅（ボラティリティ：ＶＩＸ等）をもとにして、証券をつくるしか方法がないため、証券作成の根本部分で誤りがあるものです。確率は過去のものです。それを、経済的な条件が日々変わる未来に延長はできない。現在のＶＩＸは、明日のＶＩＸではないからです。銀行間取引のデリバティブ（原資産5京円）は、時間をかけて解きほぐして、ボルカーが言うよう禁止すべきものです。金融業に向けた本書の提案です。過去のデフォルト確率が続くと前提したから、サブプライム・ローン証券での誤りが生じ、金融危機を招いたのです。第6章の要約が長くなりすぎました。今後の金融・経済にとって、デリバティブは肝心な事項です。

第7章は、われわれのお金はどこへ、どう流れているのか、です。

わが国の個人の金融資産は、個人と世代で大きな偏りがありますが、合計は1513兆円（12年3月）とされます。2000年代の10年間、ほとんど増えず、株価で変化しているだけです。金融資産＝金融負債です。1513兆円は、別のだれかの負債です。借りている側は個人が13％（197兆円）、企業が39％（590兆円）、政府が39％（590兆円）、海外が9％（136兆円）です。

本来は、国内企業の部門（250万社）が1000兆円（66％：1社当たり4億円）を借りて設備投資をせねばならなかったものです。これがないため、1990年以降の経済成長がなかったのです。

こうした負債構造のため、今後、政府の財政破産がないと仮定すれば、金利は2％以上に上がることはできません。金利が上がることができないのは、米欧と日本に共通です。長期国債の金利が、3％上がると政府財政は破産に向かうからです。

（注）実際に財政破産になると、金利は、5％、10％、30％へと数ヵ月で上がります。

この章では、日本の名目GDP（実質GDP＋物価上昇率）の増加が2％台以下と低いときに起こる日本政府の財政破産、つまり国債のデフォルトがあると、金融資産の実質価値の減少、金利の高騰、円の海外脱出による円安、世帯所得がどうなるかという仮想風景を描いています。年金、医療費、公務員報酬も30％は下げざるを得なくなります。政府が、「支払えないものは、支払うべきものでも支払えない」となるのが財政破産です。

現在の傾向で言えば、政府が準備しつつある「国土強靱《きょうじん》化計画（200兆円：10年間）」を実行し始めた年度（2015年）に、債券市場で国債の引受け難のきざしがあらわれ、それを機会と見たヘッジ・ファンドによる国債の先物売り、オプション売りを起点に、損を恐れた国内金融機関による国債売りに向かい、金利が３％台かそれ以上に高騰する可能性があります。政府債務が１０９９兆円もあるため、国債金利では、前述のように３％が財政破産の臨界点です。

ジョン・ローのフランス王立銀行が行ったように、利払いが必要な国債を吸収する無金利の「政府紙幣発行」という手段はあります。しかし、これもほぼ２年以内のしのぎにしかなりません。政府紙幣の発行が実際に行われると、円安を恐れるマネーが、大量に国外（あるいはオフショア）に流出し、日銀によるマネー量の増加が無効になって、金利が上がる（国債価格は下がる）からです。

国家の財政破産を避けるには、名目ＧＤＰ（実質ＧＤＰ＋２％＋物価上昇率＋１％）の増加で、３％から４％台が必要です。実質の経済成長がなく、物価が上がるだけでは、それは円の価値の減少ですから、やはり海外に円のエクソダス（マネー脱出）が起こり、日本の金利は３％をめざして上がり、国債価格が下がって、財政は破産に向かいます。日銀が、円の売りを招かずに国債を増加買いできる限度は１年に10兆円でしょう。このため30兆円は、民間の金融機関が買わねばならないのです。


【財政破産について】

財政破産は、官僚経済の破産です。街と命を一瞬で消した３・11の津波のようには恐れる必要はない。財政破産は、徳川幕府が明治維新に、敗戦が戦後になったような変化です。

明治維新では、廃藩置県で幕府（中央政府）、大名（地方自治体）と、武士（官僚）が領土を失いました。ただし現代では、年金、医療の福祉の、ほぼ30％の必要削減額になるのが、痛いことです。

しかし純金融資産をもたず、現在の社会福祉制度が続けば1人あたり1200万円の損をする30歳代、1660万円が損になる20歳代、4580万円がマイナスになる19歳以下、つまり合計5581万人の人たちにとって、現在の福祉と金融資産が約30％ご破算になるのは希望を与えることかもしれません。

財政破産の結果は、政府が、払える範囲でしか払えなくなるということです。少なくとも30兆円くらいの支出を減らす必要があり、これが、年金と医療の福祉の30％削減と公務員人件費の30％カットです。財政破産になると、1513兆円の個人金融資産も、その実質額が30％は減る方向に向かいます。

終章は、金融資産の防衛です。

前記のように、国家財政の破産がないとすれば、世界の金利は、2％台以上に上がることは想定できません。今後は、一時的、短期的（半年内）には、3％になることがあっても、それ以上になると、日米欧同時の、財政破産だからです。財政破産の可能性が100％ないのはドイツとスイスだけです。世界は、平均でGDPの3倍の負債（1京5000兆円）をかかえているからです。しかしドイツ債はユーロを解体しないかぎり、PIIGS債に引きずられたユーロ安があるため、選択肢にはなりません。

今後の、個人金融資産の運用では、増やすのではなく、防衛を目的とすべきです。計る指標は、実質実効金利、つまり「名目金利％±通貨の変動率％±物価の変動率％」です。

たとえば名目金利は1％と低くても、通貨が5％上がり、物価が1％下がるなら、実質実効金利は5％と高い。逆に、名目金利が4％と高くても、通貨が5％下がり、物価が3％上がると、実質実効金利はマイナス4％です。

この新しい運用の指標で推奨できるのは、名目長期金利が日本より低い0・65％で、物価上昇がマイナス0・7％（12年6月）のスイス・フラン債です。ドル、ユーロ、円は、リスク要因はそれぞれ異なりますが下落リスクが高い。

現在の円高の水準（1ドル80円付近）は、おそらく史上最高のレベルです。2013年に向かい、30年間もなかった経常収支の減少という基礎要因から、世界の通貨平均に対する実効レートで、円安の傾向がでるでしょう。今後、2011年から顕著に減り始めた日本の経常収支の黒字が増える傾向に戻ることはありません。ドル、ユーロ、円のそれぞれの事情と予測の根拠は、この章に端的に示しています。わが国の国債の危険は、2010年、2011年の、目的がわからない英国ヘッジ・ファンドの、円の短期債の買い越しです。これが円高と国債金利が0・8％に下がった（国債価格は上がった）主因です。ヘッジ・ファンドは、円国債の安定した保有を目的にはしません。今後の推移はどうなるか？

ドルの反通貨と認識されてきたゴールドという選択肢もあります。この場合も、短期での売買は行わず、長期で持ち続けることです。持ち続け、毎日の相場を忘れることです。ゴールドが1990年までの日本の、上昇神話のなかにあった土地のような感じになってきました。

２０１２年の7月末から8月にかけ、ロンドン・オリンピックを興奮して見ながら書きました。集めることができたマクロの数値に基づき、論理の明晰《めいせき》を意識して述べました。括弧《かっこ》書きでの数値の（注）が多くなっています。ドルやユーロでは現実感が薄れるので、＄１＝80円、１ユーロ＝１００円換算で金額のイメージを示しています。小見出しも理解の助けのため、あえて多用しました。「経済、それは統計数値だ」というミルトン・フリードマンの警句を意識しました。インターネットは実にありがたい。入手に手間がかかっていた冊子や報告書を集めることなく数値が参照できるからです。用意した図表は多いのですが、本書のなかでは最小限にとどめました。解釈しながら文章として示すことが、論理性が伝わると考えたからです。参照先のサイトを示しています。原データに当たりたい方は、インターネットで見てください。

本書の考えのもとになった論考は、『ビジネス知識源プレミアム』として、毎週の木曜日早朝に、「まぐまぐ」のサイトから送っています。http://www.mag2.com/

昨年の8月に書いた『国家破産：これから世界で起こること、ただちに日本がすべきこと』の続編として、信用貨幣つまりお金についての論に発展させたのが本書です。

天候不順な２０１２年10月

著者　吉田繁治

目　次

はじめに……1

第1章　「お金」の実質と名目の価値

1．「お金」とは何か……20
2．将来への期待という不安定なものが、資産価格を決めてきた
今後もおなじである……42
3．金融危機後の世界は同時にマネタイゼーションだが、今はインフレはない……50

第2章　マネーの発行は、なぜ「秘密」と思われてきたのか

1．金属貨幣の発行と、国家が得るシーニョレッジ……58
2．「準備銀行制度」の発祥は、ベネチアの金細工師から……76
3．持ち手にとっての金融資産、つまり金融機関にとってマネー・ストックが
ＧＤＰの3倍と大きくなっていることが生む問題……99
4．世界の総負債は1京5０００兆円（ＧＤＰの3倍）だから、
金融危機は連続する……105

第3章　中央銀行のマネー発行と、銀行システムによる信用乗数の効果がもたらすもの

1. 現金性があるマネーの範囲と経済成長……114
2. 中央銀行という紙幣の発行システムのはじまり……123
3. 日銀の設立と紙幣の発行……133
4. 紙幣の発行と、日銀と各国の中央銀行が得ているシーニョレッジ……142
5. 日銀券は、日銀の負債というパズルを解く……150
6. シーニョレッジの発生を否定する日銀と学者たち　理由は何か?……161
7. 世界のGDPの3倍の金融資産という、新しい要素を考える……174
8. 基軸通貨を増発するFRB　当惑するパズルを解く……180
9. BIS（国際決済銀行）　各国の中央銀行に君臨するスーパー・パワー……187

第4章　信用乗数と経済成長、人々の所得が増えるのはなぜか?

1. 信用乗数とは何か、経済と個人所得に何をもたらすのか?……200
2. 90年代以降のわが国の銀行融資の問題　有効な投資への貸付がファイナンス……214
3. バブル経済崩壊後22年…日本経済の問題の根底にあること……222

4．所得が増える経済成長は創造的破壊がないと、いつまでも生まれない……242
5．知識産業化とともに個人化する企業　今後の日本経済のために……248

第5章　ゴールドとＦＲＢの40年戦争と最終勝者

1．基軸通貨ドルの成立から……267
2．ドルと金の戦争の歴史……274
3．ワシントン条約での金の売却制限……290

第6章　21世紀の新しいマネー　巨大デリバティブはどこへ向かうのか？

1．5京円に膨らんだデリバティブの問題と行く末……298
2．金融資産の未来価値を確定しようとする試みがデリバティブであるが……303
3．デリバティブ証券の作成方法
事例ＭＢＳ（不動産ローンの、返済金と金利を担保にした証券）……329
4．ヘッジ・ファンドの運用結果を考える　この結果は、なんとしたことだ！……340

第7章　われわれのお金はどこへ、どう流れているのか

1. 世帯の金融資産、1513兆円とは言うが…　……354
2. わが国の資金循環表で見る、マネー全体の流れ……357
3. 日本は対外純債権を263兆円もつから、ドル債を売れば国家財政は支えることができるという論について……368
4. 国家の財政を破産させないための、政府紙幣の発行はどうか?……377

終　章　金融資産の防衛

1. 運用の前提になること……382
2. 今後の運用で肝心になる「実質実効利回り（金利）」という視点……386
3. 各国の通貨は各国のマクロ経済と、マネーの動きから見てどうなるか……387
4. 株式という選択肢……406
5. 資源とゴールドの価格……410

おわりに……417

第1章

「お金」の実質と名目の価値

1.「お金」とは何か

●1万円札の話題から

お金は、あまりに明々白々だから、不思議なのか。目の前に1万円札があります。日本銀行券とあり、「壱万円」と漢数字で書かれています。われわれは「1万円札とは？」という疑念をいだかず、給料としてもらい、必要な支払いをし、ローンを払い、残りを貯めています。新しいマネーであるクレジットカードも使う。紙幣は、どんなメッセージを発しているのか？　1万円の価値を認めるのは国民です。各国で、100種以上のお金があります。

財務省の造幣局で印刷された紙を、日銀が仕入原価約22円で買い取り、1万円の価値として、民間銀行に貸しつけられ（または古い1万円札と交換され）、いったんは銀行で保管される紙幣になり、われわれの仕事の対価、あるいは売ったものの代金として、預金口座に振りこまれたものを引き出したものです。

日銀による銀行券の発行は81兆円（81億枚：12年7月）です。この量は毎日変化しています。10年前は、64兆円でした（「営業毎旬《じゅん》報告」：日銀）。1億2700万人の1人当たりでは63万円です。平均世帯で200万円。そんなに現金をもっている人は少ない。しかし世帯、企業、銀行の合計ではそうなるのです。

（注）具体化するために兆の数字を多く使いますが、「1兆円は国民1人あたりで1万円」とおぼえておけば

イメージがわくでしょう。繁雑さを恐れず、括弧内には数値の出典や、用語や概念の短い説明を入れています。いずれも理解を助けるためです。段落を下げたところは、関連する時事的な、あるいは理解を深めるためのものです。

　発行高は、最近の10年間で17兆円（25％：年平均で２・２％）増えています。22年前、つまり、現金にあふれていたバブル経済の１９９０年は、34兆円でした。その２・４倍です。じゃあ、２・４倍、財布が豊かになったのか？　バブル経済の２・４倍、買い物が活性化したのか？

　増えた分は、高齢者（65歳以上の世帯）のタンス預金（推計27兆円と巨額：第一生命経済研究所：06年）にねむっています。これは、銀行や投資信託への不信の指数であり、ゼロ％の金利では預金しても意味がない、下がる投資信託では預託ができないと考える人が多いからです。３％の預金金利なら、絶対にこうしたことは起こりません。

　買物に使わないタンス預金は、日本経済のここ15年の、特殊な事情です。経済を不活発にしている問題のひとつです。１９９５年は、個人が財布にもつのは３兆円（１人当たり３万円）でした。これが実感に合う数字です。特に１９９８年の銀行危機のあと、現金を自宅に退蔵する人たちが増えたのです。

　５０００万の世帯が保有する金融資産（現金＋預金＋年金基金＋生命保険＋株式＋投資信託＋国債＝マネー・ストック）は、実体経済（名目ＧＤＰ４７５兆円：12年３月期：内閣府）の３倍である１５１３兆円と大きい。

なお名目ＧＤＰ４７５兆円は、個人と政府の消費と、政府と企業の投資に、貿易黒字を加えたものと考えてください。消費財と投資財の商品の生産量としてもおなじです。企業と世帯の合計所得に、国債による公共事業を加えたものとみてもいい。

（注）「名目」とは、本書全体を通じ、消費者物価の上昇・下落を反映させない金額です。企業の売上、利益、負債、そして世帯の所得額は名目です。物価上昇や下落率を加えたものが、「実質」です。つまり実質金額は、商品の購買力に換算したものです。マネーでは名目と実質を区分することが肝心です。

１５００兆円余（世帯の単純平均で３０００万円）の金融資産と新聞で見て、自分の預金額の実感より2倍や3倍くらい多い理由は、①金融資産の多い自営業がはいっていること、②預金だけではないこと、③そして生命保険の積立金、④株や投資信託、⑤政府が管理する年金準備金がはいっているからです。

この個人金融資産が使われる速度、言い換えれば、①世帯の商品購買と、②企業の投資に使われる速さ（回転率）は、1年に3分1回転と、低下し続けています。

世帯の合計金融資産（１５１３兆円）は、もっとも正確な日銀の資金循環表からとったものです。内訳は、現金・預金８３５兆円、証券１９４兆円、保険・年金準備金４２２兆円、その他63兆円です（12年3月）。この所有では、退職金をもらって住宅ローンが支払済になった60歳世帯以上が約6割（９００兆円）です。そして…実は、住宅ローンをかかえる30代、40代の平均世帯では、純金融資産（金融資産−ローン負債）はほとんどありません。

本書は、社会のなかで「お金」とされているものがどんな本質をもつものか、お金は、どこに向かっているのか、支払うべきお金に困ることからの、他人の命令や借入契約への隷属《れいぞく》を避けることができるかを、考えるものです。意外なことに、マネーそのものについては、類書が少ない。

なぜ人はお金を貯めるのか？ お金は、人々に「生きる自由」を与えてくれるからです。自由は、他人に拠らず自分の意思で行動することです。十分なお金があれば、買う物には困らず趣味にも没頭できます。好きに旅行もでき、気に入らないことを強いられることがある仕事もやめることができます。好ましい例ではありませんが、鳩山元首相が、国民の神経を逆撫《さかな》でする言動もするのは、相続資産が百億円はあるからです。落選すれば、収入が途絶える他の多くの議員は、情けないことですが、政党助成金や選挙資金を配る党幹部の意向に従属し、官僚に動かされて、選挙民に媚《こ》びています。お金がないと、あらゆるときにお金が必要になった現代生活の自由は、激しく制限されます。米国では自由主義を言う。その自由は、お金の上に立ったものです。不自由とは、お金がないことです。

収入は多く、金融資産は大きいほうがいい。だれでもそう思っています。15万円の月収の人は、失業やリストラがなく30万円や50万円が望みであり、50万円の人は70万円や100万円を希望にしているかもしれません。100万円の預金の人は300万円を目標にし、1000万円の預金がある人は、3000万円や5000万円が願望かもしれない。仕事がある間はまだいい。大企業も襲うリストラに遭《あ》い、年金に期待できない定年後はどうなるか。いやどうすべきかと思う人が増えています。


【政府見解の意図的な誤り】 12年7月末の国会答弁（野田首相）では、社会福祉（特に年金）に将来不安をいだいているから消費が増えない。消費税を10%に上げれば、社会保障に安心して、消費は増える（貯蓄率は下がる）。これが日本経済のためになるということでした（答弁録に残ります）。消費税を上げるためにする、ウソの答弁です。こんないいかげんな答弁を、なぜ野党も許すのか。

世帯所得に占める貯蓄率は、80年代18〜14％、90年代14〜8％、00年代8〜3％と、年を追って減っています。世帯の貯蓄率が高く、所得に占める消費（消費性向）が低いという通説は、20年も前のことです。

世帯（所得は538万円：2010年）の貯蓄率が下がった原因は3つです。①世帯年収で約60万円が減ったこと、②金融資産が多い自営業の赤字と閉鎖が増えたこと、③年収200万円以下の非正規雇用が急速に増えたこと（男性00年11％→11年20％、女性00年46％→11年55％）。このため必要なものを安く買うのに手いっぱいになったのが平均的世帯の実相です。1998年から、世帯の所得は下方に変化しています。世帯所得のピークは、16年も前の1996年（664万円：厚労省）です。その後、126万円（19％）も減っています。
（注）単身世帯の増加があるので、おなじ人数の世帯基準では60万円くらいの減少でしょう。
2010年の世帯の純貯蓄率（所有する住宅の減価償却費を引いたもの）は、ドイツが高くまだ11％ですが、日本と米国は5％です（OECD）。2000年代の12年間、日本の世帯の合計金融資産は、1450〜1500兆円台から増えていません。世帯の金融資産の増減では、変動する株価が最大の要素になっています。世帯合計の金融資産が増えないという新しい事態は、今後の経済の、重要な、しかも変わらない要素です。

そして…将来のことです。65歳以降、月20万円（現在1名の年金平均額は14万円）くらいの年金で、現役時代の月50万円の生活レベルを85歳まで続けるには、「30万円×12ヵ月×20年＝７２００万円」の、個人の金融資産が必要です。70％の人の予想のように、年金が減らされるか支給開始が65歳より繰り上げられれば、もっと必要になります。50代や60代の人には切迫したことでしょう。40代以下の人にとって、20年以上先は、はるか霞《かすみ》の彼方か。

近年、食品スーパーでは、年金の支給日（厚生年金は偶数月の15日に２ヵ月分）に、売上が増えます。支給が53兆６０００億円（11年度）に増え、受給者は３７０３万人（ほぼ３人に１人：平均支給額１４０万円／人）になったからです。さらに、団塊の世代（５年で１０００万人）が65歳になり、つぎつぎに年金をもらいはじめる２０１２年以降、１年に１００万の受給世帯が増え続けます。政府から払われる年金は、全部の世帯所得（２５５兆円）の21％も占めています。年金について、将来とも、大丈夫と感じている人は少ない。しかし年金は、総所得の２割に増えたのです。65歳以上の世帯にとって、１人１４０万円が年金です。

１億円を夢に見て、当たらないと分かっている宝くじを買うという、数学的な確率から言えば非合理な行動をとる人もいます。宝くじの還元率（配当率）は、税をとるため、50％を超えてはならないと決められています。期待配当は、ほぼ45％しかありません。宝くじを1万円買ったとき、確率的な還元率（期待価値）は４５００円です。１万円買うたびに５５００円は損の可能性がある非合理な投資に過ぎません。亡くなった母は、「これが当たれば…」と宝くじを買っていましたが、聞いたとき哀しかった。44％が税金だからです。

非合理ではないとすれば、損をする55％の対価で空しい夢を買っているのか。販売高は１兆１０

００億円（05年）です。宝くじの売上のうち４４００億円は、自治体の収入です。保険会社による資金運用後の金融資産の50％くらいの保険金しかおりない生命保険に似ています（還元率約50％）。保険は、予期できない損害が生じたときの損をおぎなうものです。満期配当を期待する貯蓄としては多くの場合、損です。わが国で貯蓄型の生命保険分が大きいのは、他国にない特徴です。

●お金への需要とその総額：全体ではマネーがあふれているが…

経済学では、消費を商品需要といい、お金を欲することを貨幣需要と言っています。貨幣は、もとは金属通貨でしたが、現代では紙幣です。紙幣の他に、預金・株・国債・社債・債券などの有価証券も、現金に換えやすいためマネーに含めます。これらの総合計（日本で約１５００兆円；世界で１京５０００兆円）が、マネーの総量であり、マネー・ストックとも言われれるものです。計算すれば、世界の総所得（企業と世帯の合計所得）の３年分ものマネーがあふれています。あふれている実感がないのは、金融資産の金額が、最上位３％（１００世帯に3世帯）に偏っているからです。とくに、金融が自由化され、経済成長がほとんどない１９９０年代以降の22年、この格差は拡大の一途です。

【巨大な、見えない金融派生商品】

これらの他に、21世紀に増えたのは、債券（貸付証書）から得られるキャッシュ・フロー（元本の償還金、金利、配当）を、リスクの確率と期待金利で割り引いて現在価値（ＮＰＶ：Net Present Value）にした複雑な構造をもつデリバティブ《金融派生商品》（対象となる原資産で約5京円）です。これも新しいマネーです。

２０００年代に、対象となる原資産が、＄６４７兆（5京１７６０兆円：11年12月：ＢＩＳ）と、天文学的な金額に増えているデリバティブについても、証券の構造、意味、行くすえを想定し述べねばなりません。１兆円の５万倍である５京円は想像を絶しますが、世界の金融資産１・５京円の３・３倍です。

（注）本書を通じて、特に断らないかぎり、日々変わる1ドルは80円、1ユーロは１００円として金額のイメージを円で示します。念のために言えば1ドルは79・5円、ユーロは98円です：12年8月19日時点）

われわれの金融資産には、それと知られず、金融機関の間での取引のとき、３重にデリバティブがかかっているとイメージして間違いではない。なんとまぁ、すごい金額です。２０００年代の銀行間金融の本流はこのデリバティブです。これらは全部、金融機関の相対《あいたい》取引（ＯＴＣ：Over The Counter と言う）です。一般が参加する公開市場はない。このため、本当の損益の中身がわかりません（後述）。

銀行間デリバティブの種別と金額は、①外為の先物やオプション《売買の選択権》（＄63兆：５１２０兆円）、②金利の先物、交換、オプション（＄５０４兆：４京円）、③株の先物とオプション（＄6兆：４８０兆円）、④商品先物契約とオプション（＄3兆：２４０兆円）、⑤債権の回収を保証する保険（ＣＤＳ：＄28兆：２４０兆円）、⑥その他（＄42兆：３３６０兆円）です（11年12月）。公開市場で行われる先物やオプション取引もデリバティブですが、この銀行間の店頭デリバティブにははいっていません。

http://www.bis.org/statistics/otcder/dt1920a.pdf

対象となる元本総額5京円、つまり世界の、現物の金融資産の３・３倍ものデリバティブのほとんどは、日米欧の政府によって、金融機関のバランス・シートにのせなくてもいい簿外資産・簿外負債とされています（オフ・バランス）。このため世界のマネー・ストック《お金の総量》の統計（推計1京5000兆円）には、はいっていないのです。

［見えない取引］　銀行間の相対であるという中身の見えない取引構造であるため、あるとき相手銀行から、飛ばし分を含む決済を迫られて突然、つぶれる巨大損が出ます。08年のリーマン・ブラザーズ、保険会社のAIGがこれでした。2社に限らず、特に米英欧の銀行と証券会社にはデリバティブが多い。

最近（12年7月）、米国のJPモルガンで、最初$20億（1800億円）の損、あとで$90億（7200億円）の損と修正された、CDS（債権の回収保険）で生じた損もこれです。損が表面化しても、金融機関から発表されるときは一部でしかなく、5倍から10倍の潜在損や飛ばしがあると見るのは、デリバティブ金融の常識でしょう。お互いの清算日をずらしたり、潜在損を繰り延べできるデリバティブも多いからです。

資本主義で必要な信用を表す会計は、第6章で述べるオフショア金融とデリバティブ取引が巨大になった銀行・証券について言えば、激しく遅れています。世界の銀行の、本当の時価資産と負債の内容が見えない。金融危機の損害の真実がわからないため、政府・中央銀行の対策が、上滑りして長引きます。08年のリーマン・ショックと米銀、10年からのPIIGS危機と欧州の銀行がこれです。

わが国で500～700万人（世帯数の10～14％）くらいの人が、自分のお金を経済成長率（GDP

の名目成長率）や低い金利以上に増やす目的で、株を売買し、ＦＸ（外為投資）も行って、ゴールドも買っているかもしれません。経済学ではこれを「投機的な貨幣需要」と言っています。

【富裕者】

わが国では、負債を引いた純金融資産で、老後も十分豊かにお金を使える1億円以上をもつのは、90万3000世帯です（世帯の1・8％：野村総研：07年）。世界では純金融資産で100万ドル以上は、1120万世帯（世帯の0・7％）です。なお、世帯がもっと集計された世界の金融資産は111兆ドルです（09年末：ボストン・コンサルティング・グループ）。

（注）世界の個人金融資産は、為替レート、その対象、内容、金融資産の範囲（各国の年金と生命保険の基金を含むかどうか）、株の時価、欧米に多い個人事業主をどう含むかによって、ちがいがあります。完全な統計はありません。10％や20％は、短期で上下する株価の要素だけでも変わるからです。本書では世界の個人金融資産（名目額）を、マネー・ストック額から1京5000兆円（日本の個人金融資産の10倍）と推計します。正確度は±20％でしょう。

●世帯の積立預金の、損得計算

簡単な計算をしてみます。目前の消費や必要な商品を我慢し1ヵ月に5万円を貯めるとします。金利（利回り）は、日米欧の現状からすると、とても高い3％と仮定します。30年間、5万円を貯め続けると、3％の複利でいくらになるか？　複利は、金利として得られる3％も、引き出さずに元本に組みこむことです。積立預金は、名目金額なら単純なものです。しかし将来の実質価値の計算は、①将来金利、②税、③インフレ予想という3つの不確定な要素をいれねばならず、実は複雑です。

〔現在の金利〕　10年満期の国債の、市場での利回りである長期金利は、2000年代の平均で1・25%くらいです（日本）。この国債の金利が基礎になって、その国の長短の銀行金利が、慣習的に決められています。輸出と国内投資がともに回復していた06年の6月が少し高く、2・0%でした。最低は、銀行の不良債権危機のため、日銀によってゼロ金利が敷かれた03年6月の0・43%です。12年7月から8月現在は、0・7〜0・8%です。預金金利は、ほぼゼロです。

〔国債と金利〕　日本国債が、金融機関と海外のヘッジ・ファンド《私的な預託運用業》から、円高の可能性もある「安全資産」と見られ、2010年から急に多く買われているため（投資家別売買）、日本の金利はスイス（0・65%：12年6月）とならび、世界最低です。安全資産とは、満期には国債額面の償還があると信頼されている金融資産という意味です。約400兆円の国債と400兆円の民間負債をかかえて、実体経済と金融の危機のなかにある、スペインやイタリアでは、国債が売り越しになっているため金利は6〜7%と高く、ギリシャは30〜40%であることは、TVニュースでも繰り返し言いますからご存知でしょう（12年7月）。中央銀行は、短期金利は誘導はできます。しかし実際は、内外の投資家が参加した国債の売買市場で決まるのです。これが1980年代からの金融の自由化であり、金利は市場で決まります。

預金の金利に対しては、どんなに金利が低くてもわが国では20%が源泉税として徴収されます。

実際の受取金利は３％のときも、［３％×80％＝２・４％］です。つまり２・４％の複利です。

［金利にかかる税］　一般に、金融資産の利益にかかる分離の源泉課税は、20％です。給与なら会社が、預金金利なら銀行が、税務署の代わりをして強制的にとり、国家におさめるものです。わが国の源泉税は、戦費を求めたナチス・ドイツの制度を見て、これはいいと財務省がまね、第二次世界大戦の１９４０年に始まっています。巨大な戦費が必要だったからです。財務省は一度とれるようになった税金は、よほどのことがないと手ばなすことはありません。経済対策のためなら減税をする米国とはちがいます。

商品やサービスの消費税（５％で約12兆円：10％なら24兆円）のように、税はあらゆる経済取引に、はりめぐらされています。いろんな税との、合法的な範囲での戦略（節税）は、金融資産を、世間の平均以上に貯めるとき、あるいは増やすとき、大切な要素になります。

【積立預金という手段】

毎月５万円を、税引き後の年利率２・４％の複利で、30年間続けて積み立てたときどうなるか。金利分は元本に組みいれるとします。［積立元本の合計は１８００万円＋累積した金利が１１００万円＝２９００万円］です。２・４％ではなく７％で毎月５万円で30年なら、元利合計６０００万円です。比較計算すれば、改めて、過去の７％の利回りはすごかったと思えます。

（注）積立預金の計算式は、http://www.rimawari.com/calaccfd.html など。

30歳で月５万円の積立をはじめれば、60歳の元利合計で２９００万円です。３％（税引き後は２・

4%）の半年複利の金利分が、1100万円です。60歳から仮に1ヵ月で10万円の預金取崩しで生活をおぎなったとすると、2900÷10万円＝290ヵ月…24年後、84歳のときほぼゼロになる金額が、2900万円です。

（注）毎月10万円の積立なら、2倍の5800万円です。

税引き後の金利が0・8%（預金金利1%）なら、1ヵ月に同じ5万円を積み立てても、30年後には、預金元本は1800万円で同じですが、金利分は298万円にしかならず、合計は2098万円です。

しかし…2012年現在、銀行の1年もの定期預金の金利は、0・025（都市銀行）～0・4%（インターネット銀行）程度です。ほぼゼロと見ていい。0・3%なら30年貯めても、ほぼ元本分だけの1840万円にしかならない。30年間の金利はたった40万円です。

●インフレや、その反対デフレと金利の関係

以上は、向こう30年間のインフレ率（CPI：消費者物価の上昇率）をゼロと仮定したときの、名目、金額です。当面や1年は、インフレ率がゼロやマイナスでも、5年後、10年後となるとどうか。10年後のインフレ率は、いつの時代も、だれも見通せません。起こってから慌てる。しかし消費者物価のインフレにはほぼ6ヵ月くらいの助走がありますから、わかります。

【物価指数と金利の、経済学的な関係】

経済学では、物価のインフレ率は金利に比例するとされますが、それはとても長期のことです。5年内では、政府と中央銀行の政策で動かすことができる金利と、物価のインフレ率には、大きな違いがあります。

ただし、長期金利は、物価の上昇率をあと追いして上がり、または下がることはほぼ事実です。中立的な金利の理論値は、［実質GDPの上昇率＋期待物価上昇率＝名目GDP成長率］です。お金を貸すとき、実質経済成長が2％、物価上昇が3％なら、5％の金利を要求するからです。

（注）12年7月現在は、米国の長期金利1・41％、物価上昇1・7％。欧州の長期金利1・26％、物価上昇2・4％。日本の長期金利0・73％、物価上昇0・2％。中国の長期金利2・75％、物価上昇2・2％です。

長期金利は、各国の10年もの国債の、今日の売買価格で決まる市場の金利です。物価は資産価格（不動産と株の価格変化）を入れない消費者物価（店頭の商品物価）です。

中央銀行が銀行に貸す公定歩合は、短期金利です。長期金利は、中央銀行が誘導する短期金利の影響は受けますが、債券市場で決まる自由金利です。

【金利の予測】

10年とは言わずとも、将来金利が見通せる人がいれば、金融資産の運用では、長短の金利と、通貨のスワップ（等価交換の取引）、あるいは長期金利を反映する国債の先物売買によって、莫大な利益を得ることができます。いずれもデリバティブです。

ヘッジ・ファンド大手（ピムコ等：預託資金推計1兆円）は、日本長期国債の金利が０・８％、短期で０・３％と低すぎることから２０１３年ころに機会を見定め、レバレッジ《信用借り》がかかる先物売り（金利の上昇で大きな利益が出る）もねらっているようです。ただし、２００７年からのサブプライム・ローンのＣＤＳ（回収を保証する保険）の高騰で１・５兆円の利益をあげたピムコも、現状はねらいがはずれ、大きな損をしています。デリバティブの取引は、合計損益はゼロサムの、まさにカジノです。

【穏やかな2・5%のインフレと預金価値】

米欧の、約20年間の長期での消費者物価（ＣＰＩ）のインフレ率は、１年に２〜３％くらいの幅です。今後30年間の平均で、年２・５％のインフレがあると仮定します。３％の名目預金金利があっても、実質金利では、物価の予想インフレ率（期待インフレ率と言う）の２・５％を引いた０・５％にすぎません。

［長期の計算］　30年間、１年平均で２・５％の消費者物価の上昇があるとすれば、現在30歳の人が60歳になる30年後の商品の平均物価は、［(１＋０・０２５）の30乗＝２・１倍］に上がっているからです。

（注）70という数字をおぼえておくと、暗算に役に立ちます。掛ければ70になる数字が、毎月積み立てではなく元本が10年複利で２倍になります。７％なら10年で２倍、５％なら14年で２倍、３％なら23年で２倍、２％なら35年かかって２倍、１％なら70年かかってもやっと２倍です。２％の平均インフレなら、35年で物価も２

倍になります。

【預金は名目額であり、実質額ではない】

毎月5万円の積立をかかさず行い、現状では高いと思える3%の利回りがあり、30年後に元利で2900万円（元本1800万円：金利1100万円：税引き後）になると思える預金も、名目額です。実質の価値（＝30年後の商品購買力）は、［2900万円÷上昇した物価2・1倍＝1381万円］に減ってしまいます。60歳になって、あれ、まぁどうしたことだという感じでしょう。マネーでは、名目額と実質額を区分することが肝心です。1年では大きな差はない。10年以上だと、大きな差になるからです。

【100年の長い期間ですが…】

明治以降の、ほぼ1世紀の物価で言えば、第二次世界大戦のときの戦時国債償還（金利＋元本）のために、日銀によってマネーが刷られて（マネー・サプライ《国のマネーの総量》が急増して）、それに対応して物価が一挙に3000倍に上がったハイパー・インフレを含んで、物価は約3000倍です。明治時代に10円だったものが3万円になっているということです。

ゴールドで言えば、日銀が、日清戦争の賠償金として得た金塊をもとに、金本位制を採用した明治30年（1897年）は、金0・75グラムが1円でした（『日本銀行100年史』）。戦後のハイパー・インフレ（物価は戦前の300倍）と2000年代の金の高騰で、現在は0・75グラムは3200円くらい

――ですから（12年7月）、ほぼ3200倍です。

金価格では115年で、平均するなら1年に7・2%の高いインフレ（円の価値の下落）があったことになります。明治30年に1万円で金を買っていれば（7・5kgが買えました）、ほぼ3200万円の価値になっていたということです。ただし人はだれも100年もの長期は見通せません。向こう3年、いや意識にあるのはせいぜい5年でしょうか。

ゼロから金融資産を増やすとき、定期積立預金のように長期がかかるため、だれも見通せない10年先や20年先のインフレ率が肝心です。困ってしまうことですが、事実です。ずいぶん昔、母が「100万円積み立てると、あとは自動的に増えますよ」と言っていましたが、それは、GDPが二桁《けた》成長し、預金金利が7%の時代です。100万円が、10年後には元利で200万円に増えていました。

●デフレやインフレと、国債金利および預金金利の関係

本項では、金利理論を含んで、国債金利、インフレ、デフレそして預金金利の関係を示します。

【国債の金利とデフォルト確率】

国債の利回りは、財政危機のPIIGS《南欧5カ国》のようにデフォルトのリスク率のために高くなり、消費者物価とは別の動きをするときがあります。しかし、一般に、どの国もどの時期も、預金金利はインフレ率をカバーするくらいの高さはない。これは長期で見ると、預金の利回りでは金融資産はつ

くれないという、哀しい事実を示すものですが、株や土地が下がっている現在、普通、預金以外に方法がない。

［国債金利の理論値］ 国債の利回りは、「実質経済の期待成長率＋物価上昇率と財政危機からのデフォルト・リスク予想率」を足したものに、ほぼ等しくなるように収束します。

デリバティブであるＣＤＳ（債権を回収する保険）の料率は、金融市場が予想しているデフォルト（債務の不履行）のリスク率を示します。

２０１２年６月では、スペインの、ＧＤＰの実質経済成長はマイナス１・７％です。物価上昇は１・９％です。他方で、長期国債の利回りは６～７％付近です。スペイン長期債の利回りである６～７％は、ほぼ、ＣＤＳの保険料率と同じです。ところが、ＥＣＢ（欧州中央銀行）が誘導するユーロの長期金利は１・55％（12年８月）と低い。

このように、国家の財政危機のときは、国債価格が下がるために国債の利回りが上がりますが、中央銀行が利下げとマネー増発をするため、銀行の預金金利の上昇はないのです。

【デフレとマネーの実質価値】

他方、物価が毎年１％下がるデフレが仮に30年続けば、預金の金利がゼロでも、物価との関係では、１年に１％金利が複利でついたのとおなじことになります。30年後の積立預金（元本１８００万円）は、金利ゼロでも［１・01の30乗＝１・35倍］の購買力に増えて、２４００万円相当になります。日本は、１９９０年からバブル崩壊後のほぼ22年、物価、資産、株価が下がるデフレを続けています。特に、設備投資の対象になる資産（不動産）の下落率が大きい。

【ほぼ15年のデフレ経済ではマネーの実質価値は増えるが、所得が増えない】

日本の現在のようなデフレ経済のなかでは、将来の商品価格と、資産（特に不動産）の下落を予想しますから、投資の将来利益が見込めない企業の設備投資が減ります。デフレでは、名目金利は2％と低くても、物価と資産の下落率を加えた実質金利は、物価と資産の下落分（例えば3％）高くなるからです。

ところがデフレでは、金融資産の実質価値は増えても、他方では負債の実質負担が重くなるため、この22年の日本のように企業が設備投資を増やさないので、100％の確率で経済は成長せず、縮小します。つまり所得が減ってしまいます。後述する信用貨幣では［金融資産＝別の人の負債］だからです。

経済の成長を予測した民間企業による新しい設備投資がないと、GDP《国内総生産》と、平均の個人所得は成長しません（有効需要と、設備投資の乗数効果）。GDPが増えないと、250万社の企業と、5000万世帯の合計所得も増えません。GDPでは、**［生産＝需要＝所得］**だからです。デフレの長期化では、ゼロ金利の預金の実質価値（商品の購買力）は増えても、名目所得（つまり給料）が増えないという裏腹の事実があります。

【金利の下限は、名目でのゼロ金利】

物価と資産が同時に下がるデフレ期待の経済であっても、預金の金利をゼロ以下にすることはできません。仮にマイナス１％にすれば、預金するのは損です。借金で銀行に義理がある人を除き８００兆円近い日本の預金が引き出され、銀行は破産し、タンス預金になってしまいます。金利をゼロ以下に下げることができないことが、デフレ対策のむずかしさです。

デフレに対し、１ヵ月ごとに１％の価値が下がるスタンプつきの「自由貨幣」（シルビオ・ゲゼル『自然的経済秩序』）を主張する人もいます。しかしそれはすぐ、価値を守る金と外貨に換えられるため、まるで無理です。スタンプ通貨が有効なのは、外為市場がごく小さい時代です。

商品が需要に対してつくられすぎ、限界効用（後述）が低下するため需要が飽和し、または、企業と世帯の所得低下から、平均物価と資産価格が下がるデフレが長期化すると予想されるときは、ゼロ金利の預金かタンス預金のまま持っていることが、正しい資産選択になっていたのです。

１９９０年以降、22年間の日本経済は、ほぼ一貫して物価と資産の価格が下がるデフレです。このためタンス預金を含んで現金やペイオフのない銀行預金を選択することが、受け身ではあっても、「正しい投資行動」でした。高齢者の27兆円のタンス預金は正しい貯蓄行動だったのです。

●幻想にまみれた高度な運用の実態

デリバティブと金融工学を使って、世界の通貨、株、国債、商品相場へ投資技術を駆使するヘッジ・ファンド（元本＄２兆：１６０兆円：世界で８０００本）であっても、２０１１年12月末から12年７

月までの7ヵ月間の運用利益は2・1％にすぎません（ドルベース：英エコノミスト誌巻末統計のHFRX指数：後述）。

2％の金利くらいの米国長期債を買ってじっともっていたことと、いろんな戦略（運用対象）を混ぜて短時間に数千回の売買もするヘッジ・ファンドの運用成績はほとんど変わりません。なお円は2011年から約20％の円高だったので、何の運用もせず、円紙幣と預金をもっていることが、もっとも運用成績がよかったと言えます。

本当のことを言えば、今後もファンドや投資信託での運用の合計利益が、日経平均、TOPIX、ダウ、ナスダック等の平均株価指数を上回ることは、ほとんど期待できません（『敗者のゲーム』：チャールズ・エリス）。これを実証するのが、ヘッジ・ファンドの、現在のHFRX指数（世界の代表的なファンド69本の運用結果）です。ヘッジ・ファンドは、専門家が高度な運用をしているから、素人よりも利益率が高いというのは幻想にまみれた嘘です（第6章）。

●資産としての不動産と株が、毎年、大きく上がっていた時期もあった

わが国では1990年からの資産バブルの崩壊（全国の地価合計で1200兆円の減少：上場株の総時価で300兆円の減少）の前は、預金金利はインフレ率より低いことがあっても、持ち家の地価上昇と、世帯の14％（700万人）が売買している株価の上昇によって、世帯や企業が資産をつくることができていました。日本の不動産価格を決める地価は、1968年を100としたとき、バブル前の1983年が400でした。25年間で4倍ですから毎年の平均にならすと、5・7％の上昇でし

た。

1984年からの6年間のバブル《資産高騰》期には6大都市圏の地価は、400から1300（1990年）まで3・25倍に急騰しています。1984年は1坪200万円だった商業地が、1990年には650万円に上がったということです。1年に21％もの、都市部の地価上昇があったのです。おなじ時期の全国平均では、400から600に50％上がっています。1年で7％の上昇率でした。

上がる前に買って（あるいは保有していて）、下がる前の1990年までに売り抜けたごく少数の人は大変な資産を残しています。しかし、ねらって売り抜けたのではない。たまたま売った、あるいは相続したという人がほとんどでしょう。

【共同体の集団心理が、資産価格を決める】

普通は金融の専門家も含み、遅れてはならじ、不動産や株が上がるとあせって買いに向かい、下がると、一斉に売ります。このため最終的には破産にいたる損をした会社、世帯、銀行が多かったのです。投資では、上がったあとは、だれでも買いたくなります。

情報がいつも遅れるマスコミも、ほぼ100％上がるとあおります。しかし多くの場合、遅すぎます。相場の転換点は、上がったから生じます。ところがわれわれの判断は、上がっているときは、今後もまだ上がると思いやすい。不動産業は下がったあとは、いつも底値と言って買いをすすめます。証券会社もおなじです。これらは、売るための営業です。

2．将来への期待という不安定なものが、資産価格を決めてきた今後もおなじである

●共同幻想が資産価格を決める

22年前、1990年のわが国の総地価は、現在の約2倍、2500兆円でした。その20年前の1970年が250兆円ですから、1990年の価格は10倍（年平均12％上昇）に上がっています。なぜ上がったのか？「日本の地価は上がるという期待（土地神話とも言う）」を、おそらくは99％くらいの人が共有していたからです。50歳以上の人には、はっきりとした記憶があるはずです。30代以下の人は「日本に、そんな時代があったの？」という感じでしょう。日本のバブル経済は、1990年1月からの、ヘッジ・ファンドによる、PER60倍という異常な高値の日本株の空売りを起点に崩れました。

神話は、同じ話を繰り返し、論理的な根拠を言わない。コトバで伝わる人々の意識が共鳴し合って共同幻想をつくります。集団心理では異常なことも普通に見えるときがあります。集団心理はやっかいなものです。集団の共通心理を抜けることができると、反対売買で、資産運用の機会が生じます。1990年までは、地価は毎年平均で12％も上がり続け、ローン金利（6～7％程度）よりはるかに高かったのです。

（注）2012年の総地価は1300兆円くらいで、1200兆円（48％：平均年率で3・3％）も下がって

います。住宅地の不動産の平均価値は約半分になったということです。都市部の商業地では3分の1から5分の1以下です。不動産価格は、つぎに買う人が、ローンが払える妥当な価格に下がります。株価も含む資産価格は、現在世代ではなく、それをつぎに買う未来の世代からの借金という本質をもちます。

【地価とローン】

地価の上昇が1年に7％期待されるなら、7％のローン金利で借りて買えば、実質金利はゼロになります。このため買い手が増えて、売り手は減るため地価は上がります。カギは、人々の集合的な資産の期待上昇率です。この期待は、未来への観念的な予想であるため、ある時期は高揚し、別の時期は、ひどく弱気になるように不安定です。

【人の観念の性質】

観念は、人間が現実を見るときの考えです。われわれは、現実を観念で見ています。観念には、過去・現在・未来が含まれています。事物（コトとモノ）は現在、目の前にあるものでしょう。しかしわれわれは、外界を、①過去の記憶、②目の前にあるもの、③未来はどうなるかという3つの考えの混合で、同時に見ます。

薔薇《ばら》を見たとき、明日は花びらがしおれると思うようなことです。そのため、水をやる。農業や仕事も行う。動物は、現在だけを見ているのでしょう。植物を育てるため、水をやる猿はいない。社会および買う人と売る人が「地価は上がる、株価は上がる」という共同幻想に支配されているときは、未来予想の価格を先取りした高い価格がつき続けて、資産は高騰します。下がるときはその逆です。共同幻想は、多数の人が、現在価格をどう認識しているかというものです。

経済合理的（理性的）に言えば、不動産価格と株価は、マクロ経済のＧＤＰ、言い換えれば企業と世帯の所得の上昇率に、ほぼ比例せねばならない。

しかし、現実の価格は、比例していません。つまり資産価格は、高い時期も安い時期も、集団的な観念（期待）からの非合理性を含むものです。

期待から投機が起こる資本主義の市場経済では、資産価格の非合理性が宿命でしょう。問題は非合理の程度です。前記の金融資産（マネー・ストック）は、日本と同じく世界で、70億人のＧＤＰ（５０００兆円）の３倍の、１京５０００兆円（世帯＋企業）にも達しています。いくらあるか不明な、不良債権の空洞を潜在的に含みつつも、です。

●金融資産額が増えると投機が増える

金融資産の額が増えれば、商品の購買（消費）より、投機が増える傾向があります。このため、資産価格と資源価格は、非合理の部分を増やします。世界のＧＤＰ５０００兆円は、商品生産額であり、所得額でもあって、それは有効需要額（＝消費額＋投資額）です。

世界のＧＤＰは日本（名目で４７５兆円）の約10倍です。世界の金融資産（１京５０００兆円）も日本の10倍です。なお、投機とは投資とは違い、価格差（キャピタル・ゲイン）の利益を目的にした買いや売りです。投資は買った資産（たとえば土地）を使って利益《ROI》をあげることです。

このため、下落する資産を買ってマネーを失う人と、上昇する資産を買って、マネーを獲得する人が、常に出ます。これからもです。このため、所得より、資産の格差がはるかに大きい。

地価（および不動産）の下落が1年に３～５％と予想（期待）される時期は、ローンの金利が２％と低くても、不動産に対する実質金利は５～７％です。平均の世帯所得や企業所得が増えないなかで、５％や７％の実質金利の負担は大きい。このため買い手は減って、不動産価格は下がります。これが日本の１９９０年以降の22年です。今後も向こう数十年、確定した人口の少子高齢化を原因にして、住宅需要が減るため、人口が増える地域以外では、日本の不動産価格が上がることはありません。


【株価の性質】


株価（東証一部・二部）は上昇や下落が、不動産の2倍、ときには3倍くらい大きいという性格をもちます。理由は、株式市場で売れば、すぐ現金化できるからです。一方、不動産は売るときに時間がかかり、売り急げば予想価格の10～20％は下がるからです。しかも不動産の価格は、多数の人が同時に値決めに参加する市場ではなく、個別の取引で決まるからです。

株価は、不動産とともにどう変化していたか？

23年前の１９８９年12末の日経平均は、３万８９００円に高騰し、ＰＥＲ（株価÷１株当たり純益）では60倍、東証の総時価（株価３・９万円×発行済株数は１５０億株）では約６００兆円でした。１９６８年を、１株１００円としたとき平均価格が２５００円にもなり、21年間で25倍でした。根拠が、まるで説明できないくらい高くなっていたのです。これが、バブル価格を生む集団的な熱狂です。

逆に、23年後の2012年8月時点の日経平均は、9000円（PER12倍）付近であり、株価はほぼ5分の1です。企業の期待利益を元にした株価は、上がるにせよ下がるにせよ、不動産価格のほぼ2倍の変動率であると見ておいていいでしょう。

【PERの意味するところ】

株価の水準を計るPERは、株価が、その企業の経営活動によって生まれる純益（税後利益）の何年分を、集合的な期待として含んでいるかを見る指標です。バブル期の日本の平均株価は、将来60年分の純益を含むという異常さでした。他方、現在水準の12倍は、12年分です。

PER（株価÷1株当たり予想税引き後純益：Price/Earning Ratio）：現在の日経平均株価9000円付近では、次期予想純益に対しPERで12倍くらい（前期の利益実績に対しては20倍）であり、将来12年分の期待純益です。

わが国の株価総時価は、270兆円付近で、23年前の600兆円の45％に過ぎません。この意味は、日本の上場会社（東証で2288社：12年8月）の、将来利益を生む期待価値が、1990年の45％に下がっているということです。なお、PERの逆数（1÷PER12倍＝8・3％）を株の益回りと言います。株の期待利回りです。益回り8・3％が銀行金利よりはるかに高いのは、将来株価には8％くらいのリスク率が見込まれているからです。現在価格より8％は下がる可能性があるという意味です。

関連して直近の海外を言えば、PER（3ヵ月の実績PER）での株価水準は、米国が15倍付近、ドイツが12・５倍、英国10倍、フランス14倍、中国６・９倍、インド17倍、タイ16倍、イタリア16倍、スペイン14倍、ギリシャ13倍です（Financial Times紙：12年9月14日）。米国FRBの量的緩和第３弾（QE3）と、欧州ECBによる、南欧債の無制限買い取りの発表直後なので、米国と南欧はほぼPER10～12倍が、３倍分くらい高くなっています。３ヵ月後には、また下がって12倍付近に向かうでしょう。この相場を上げた先物買いは、３ヵ月後が多い限月《げんげつ》に、反対の売りになるからです。

世界の株価は、ヘッジ・ファンドの裁定売買（高い先物を売って、安い先物を買う取引）が増えているため、カントリーリスクを除けば、２０１２年現在は、日経平均を含みPER12倍（益回り８％）付近に、平均化して収束する傾向を示します。

【簡単な時代があった】

１９６３年から89年までの23年間で25倍に上がった株価での、１年の平均上昇は15％でした。15％上昇が23年続くと25倍にもなります。地価の期待上昇（約７％）の約2倍の、株価の期待上昇があったことがわかります。

１９９０年までは、ローンで住宅を買い、株を買った人は、大きな不動産と金融の資産をつくることができていたのです。会社経営と世帯にとっても、資産作りは90年までは容易でした。土地や住宅を買い、倒産の恐れのない会社の株を、上がっても下がっても、定額で毎月欠かさず買っておけばよかったからです。

企業経営でも７％の金利が払えるなら、不動産を買って工場、店舗、オフィスビルに、設備投資しておけばよかったのです。日本が、再び、地価と株価が、10年以上にわたるように長期で上昇する経済に戻ることはありません（確定的に言います）。ただし資源や食糧のようにインフレ的、間歇《かんけつ》的な価格上昇をするものはあるでしょう。ゴールドについては、普遍的なマネーとして特殊な要件があるので、第5章で述べます。

●2000年代からはヘッジ・ファンドと、オフショア金融という新しい要素

2000年代に増えたのは、ヘッジ・ファンドによる投機金融です。国際商品《コモディティ》である資源価格や金も、激しく価格が動くのは、預かり投資元本で$2兆（160兆円：8000本）のヘッジ・ファンドが、10倍〜30倍のレバレッジ（信用借りで1600〜4800兆円）をかけた、短期投機の売買をするからです。短期とは、ヘッジ・ファンドが四半期決算をせねばならない3ヵ月サイクルです。

おおざっぱに言って、ゴールドを含む資源や穀物の価格上昇と下落の50％部分くらいを決めるのは、2000年代は、常にヘッジ・ファンドよる短期の、先行した投機でした。新聞が海外投機筋の売買というのがこれです。

また、このヘッジ・ファンドは、ほとんどが、中身がわからないタックス・ヘイブン（世界の租税回避地約60ヵ所：オフショアとも言う：第6章）からの売買です。

事実、2000年代の日本株の売買の60〜70％は、ヘッジ・ファンドが占めています。個人投資家は、過去の損のために減り、銀行と保険会社は、価格が大きく変動するリスク資産である株の持ち合いを、解消しているからです。2011年からは、PIIGS（南欧5ヵ国）危機でユーロ債を

売った資金で、ヘッジ・ファンドが日本の短期国債（満期までの期間３ヵ月）を買うようになっています。この買い越しが、２０１０年からの円高と国債金利の低下の主因になっています。

国内が92％をもつ日本の国債の売買でも、短期債ではヘッジ・ファンドが40％くらいを占めるように変わったのです。円国債の売買で、ヘッジ・ファンドのシェアが増えたことは、今後の日本国債が、南欧債のように売り込まれたとき、暴落の可能性が増えたこととして重要です。とりわけユーロ危機の２０１０年から、円国債も安定所有者（国内の金融機関）だけのものではなくなっています（日本証券業協会：投資家別公社債の売買：重要なデータが、あまり参照されていません：http://www.jsda.or.jp/shiryo/toukei/toushika/index.html）

【今後の国債発行と日銀引き受け】

円国債の新規発行では、ほぼ1年に30兆円を超えると、世帯の預金の増加が減っている金融機関は、引き受け難を起こします。50兆円の国債を新規発行すると、約20兆円は日銀による引き受けにならざるを得ないということです。この場合、20兆円の円紙幣が増発されます。この国債買い切りの、短期そして長期にわたる問題は重要なので、後述します（第7章）。結論を短く言えば、今後の日本の名目ＧＤＰの成長率（実質経済成長＋物価上昇率）が、２％以下であることが続けば、数年内に日本は、政府の財政が破産に向かいます。

【現在株価】

12年8月初旬では、日経平均は9000円付近です。8000円から9000円の間を、波動しています。1989年末のピーク価格（3・9万円）の約5分の1です。バブル崩壊のときの底値と、格言で言われてきた「半値・八掛け・二割引き（0・5×0・8×0・8＝32％）」より低い。大都市部の商業地の地価も、この株価と同じく、30〜20％の価格です（住宅地はほぼ50〜40％）。

（注）08年9月以降の世界の株価（時価総額で4500兆円くらい）は、日米欧の中央銀行が、マネーを50兆円から100兆円は増刷する発表で上がり、ほぼ3ヵ月でピークを付けてまた下落し、つぎのマネー増刷に向かうということを繰り返すだけです。

3．金融危機後の世界は同時にマネタイゼーションだが、今はインフレはない

【マネタイゼーションという通貨の増発】

日銀による、直接の国債買い切りは、マネタリー・ベース（現金＋日銀当座預金：基礎となるマネー）の増加になるため、マネタイゼーションとも言います。国債を日銀が買い切って、国債の買い受け額に相当する紙幣を発行することです。金融の規律では、普通、行ってはならないとされてきたことです。

――2012年7月20日現在、日銀によるマネー発行量は、日銀券が80兆円、銀行が日銀に預ける当座

預金37兆円で、合計は117兆円です。マクロ経済でマネタリー・ベースと言い、マネー供給のもとになるものです。

「日銀によって、マネーはじゃぶじゃぶに供給されている」と言われることがあります。しかし金融危機の1988年以降に増えたのは、日銀のマネタリー・ベース（日銀券発行と日銀当座預金）と、政府の負債である国債です。企業と世帯の金融資産は、さほど増えていません。その国のマネーのもとである世帯の金融資産の2000年代の増加は、ほぼ株の増減分だけです。貯蓄率は低下して、預金は増えていないのです。

以上の理由は250万の企業が、①ひとつは利益のなさと赤字から（70％の会社が赤字を続けています）、②もうひとつは将来のGDPの伸びを期待できないと想定し、③設備投資は比較コストの低い海外で行い（海外投資）、国内の設備投資を増やしていないからです。このため雇用者の所得が増えていません。所得が増えなければ、世帯は貯蓄を増やすことができないのです。

（注）日米欧ともに、世帯の平均所得は増えず、インフレ率を引いた（日本ではデフレ率を加えた）実質所得は減っています。

日銀が発行した117兆円のマネタリー・ベースがもとになって、

①銀行システムのなかで、預金が貸付金になり、

②それが預金になって、別の銀行に戻ってきて、

③再び貸し付けられるという信用乗数の効果によって総体のマネー量、つまり、世帯や企業のマネー・ストックになります。前述のように、経済取引に使われるマネー・ス

トックは増加していません。２０００年代は、金融機関に国債保有が増えただけです。

（注）マネー・ストック（いわば、その国のマネーの、企業と世帯の貯蓄額＝金融機関の資産額）は、かつてのマネー・サプライとおなじものを言い、12年６月現在で１４６５兆円（日銀統計）です。日銀は、これを「広義の流動性」と呼んでいます。

【経済成長と、世帯の所得の増加にとって肝心なのが信用乗数】

日銀が発行するマネタリー・ベースは１１７兆円に増えても、銀行の信用乗数効果（後述）が、①不良債権と、②企業の設備投資の減少によって、こわれているため、実体経済で使われるマネー・ストックは、金融危機の１９９８年以降、増えていません。銀行が、借り手の担保不足のため貸付金を増やせず、増えた預金ではもっぱら国債を買っている現象がこれです（２０００年代）。

08年の金融危機後の米欧も、金融危機の１９９８年以降の日本にそっくりです。米欧は、同時に、デフレ型不況に向かっています。事実、過去３％くらいはあった米国のインフレ率は２０１２年７月は１・７％に低下しています。ＥＣＢが２０１０年以降、盛んに現金を増発している（約２００兆円）ユーロも、大きなインフレにはならず２・４％（12年６月）の物価上昇です。

●金融危機対策としてのマネタイゼーションは、銀行の不良債権に蓋《ふた》をする効果しかない

【日銀の国債買いとインフレ】

２００７年から起こり、２００８年９月に大規模化した米国発の金融危機から、世界で、同時に急に増えてきた中央銀行による国債の購入、つまりマネタイゼーションが、物価と資産のインフレを起こすかどうか？　日銀と米欧および中国の、中央銀行によるマネー発行量の急増（５００兆円）については、その意味とともに後述します。今後のマネーの価値に大きくかかわるからです。マネーの価値は、繰り返して言えば、商品と資産、および労働の購買力です。

預金金利より高い率のインフレになると、せっかく積み立てた預金が、実質の価値を減らします。
インフレは、目に見える現象では商品や資産価格の上昇ですが、
①本質は、ＧＤＰの上昇率に対し、５ポイント以上多くマネー・ストック量が増えること、
②または、流通速度（マネー・ストックの回転率）が上がることによる、物価上昇です。資産運用や投資にとって肝心なインフレとデフレは何が原因で、どう起こるのか（後述）。

【消費者物価と資産価格の動きは異なる】

１９９０年代以降、消費者物価（店頭商品価格）はさほど上がっていないのに（日本では下落しています）、株、不動産、そして資源には、間歇的《かんけつてき》ですが、なぜ上がること、または上がる時期があるのか？　これを究めるには、最初にマネーがどんなものであり、どこから生まれ、金融仲介をする銀行と、実体経済の三主体（政府部門、２５０万社の企業部門、５０００万の世帯部門）のなかを、どう流

れるのかを見なければなりません。

お金にとって、価値（商品と資産の購買力）が下がるインフレと、価値（購買力）が上がるデフレは、その本性にとって肝心なことです。デフレやインフレは、世帯、企業、政府で使われる、合計のマネーの増減がもたらす結果だからです。

使うマネー量の増減を決めるのは、①未来の商品物価の予想、②資産の価格の予想、③そしてＧＤＰの成長予想という三者のうち、いずれかへの、あるいは全部への、人々の集合的な予測と期待だというのは、すでに明らかにされています。

簡単に言えば、多くの人が「上がる」と期待して、買う物や投資を増やすと、日銀がマネタリー・ベースを絞ってもまたは金利を上げても、マクロ経済での総マネー量（マネー・ストック）は増えて、本当に上がります。下がると期待すると、この逆です。ただしこのときは、経済対策を行うので政府の負債と、中央銀行による国債買い切りのマネタイゼーションが増えます。これが１９９８年以降の日本、08年以降の米国、10年以降の欧州です。

マクロ経済は、政府部門を含む、一国の全体経済と金融です。ミクロ経済は、世帯や企業が行う、販売と購買活動です。経済の三主体は、５０００万の世帯、２５０万の企業、そして世帯と企業の所得と買い物から税をとり、赤字のときは国債を発行して公共事業を行う政府です。

【企業の設備投資の増加が必要】

経済の不況やその逆に、２５０万社の企業と、われわれ５０００万世帯の合計所得を増やすＧＤ

Ｐ（名目で４７５兆円：２０１２年３月）の成長も、企業と世帯によって貯蓄されたマネーがどう使われるか、にかかっています。

民間企業の有効な設備投資に使われれば、商品の増加と、労働の生産性の上昇によって国民の所得は増えます。しかし、政府の国債発行による公共事業に行くだけでは、ＧＤＰの低下はおぎなえても、国民所得の実質的な増加になりません。

政府事業の、公共投資が生むＧＤＰの増加の乗数効果は、１年に１・１倍でしかないからです（内閣府）。なお、マネーの信用乗数と、投資の乗数効果については、経済を成長させ、国民所得を増やす重要な考えなので（ケインズが、『雇用、利子、貨幣の一般理論』で理論モデルにしています）、本書で後述します。次章は、将来の金融資産に大きく関係する、マネーと言われる信用貨幣の、発行の秘密を解き明かします。秘密ではないのですが、秘密に見えていることです。

第2章

マネーの発行は、なぜ「秘密」と思われてきたのか

マネーの発行は、根源から見れば謎ではありません。信用という形のないものが、国家と銀行によるマネー（銀行券）を生むため、形からは秘密に思えるだけです。信用は、目には見えない人々の脳内の観念だからです。古代と中世のマネーの発行を振り返りながら、現代のマネーまでを描きます。経済が小さく内容が単純だった時代は、信用貨幣の本質を露わに見せてくれます。現代のマネーと関連事項は、それぞれの項にからめて考えます。

1．金属貨幣の発行と、国家が得るシーニョレッジ

お金の本性を見抜くには、マネー発行の目的を知る必要があります。本質とは、「現象の背後」にあるものです。学生時代に拾い読んだフッサールの現象学は、19世紀まで現象（人の意識に現れたもの）の奥にあるとされてきた存在そのものの起源（神のようなもの）を問うても、「答えはない」としました。現在の紙幣には、１万円札や１００ドル紙幣の券面からは見えない本質があります。本書は、不遜《ふそん》にもお金の一般理論も目指しています。マネーの外的な形態と信用を、主要なトピックをとりあげて振り返る必要があります。

●物々交換から物品貨幣へ

古代は「物々交換」でした。穀物を、布や焼き物と交換するとき、それぞれの製造に費やされた労働量が、交換率の目安でした。１日にひとりが作る穀物量が、別のひとりが生産できる布や焼き

物と、川辺、山麓《さんろく》、野原に立つ市で交換されていました。『日本書紀』には記述があると言います（『日本古代市場の研究』：西村眞次：1931）。これが「使用価値をもつ物品貨幣の時代」です。経済学では使用価値は「効用」です。生活に役立つという意味です。

フリードマンは物々交換の発展型を「物品貨幣」と名付けます。米国の近代つまり18世紀、19世紀にも、金、銀のほか真鍮《しんちゅう》、すず、タバコ、ブランデーなどが物品貨幣でした（『資本主義と自由』）。一方、銀行がつくった、商品ではない貨幣は「信用貨幣」です。物品貨幣と信用貨幣は混在していました。金貨も、その価格が価値になっていたので物品貨幣に属します。

●金属貨幣、つまり信用貨幣の登場

【最初の政府貨幣】

わが国で最初に、奈良の朝廷が鋳造した信用貨幣は、和同開珎《わどうかいちん》（708年～：和銅元年）です。1文《もん》が、米2kg（現在価格で約1000円）と交換できていたという。1文は成人1人の、1日分の労働の費用でもあったとされます。1ヵ月働くと30文（3万円相当）の和同開珎、つまりほぼ2人を30日養える60kg（米俵1俵）の米です。1ヵ月の賃金が、米換算の現在価格では3万円付近と言えば、1300年前の、奈良時代の生活イメージもわくでしょう。

それ以前の物品貨幣（例えば穀物）は、それ自体が食べることができるという効用（商品価値）をもっていました。ところが信用貨幣ではその物質には商品価値がない。しかし、他の全部の商品と交換できる一般流通性のある信用貨幣によって、商品が含む労働価値が交換されます。

【商品価値の表象をするのがマネー】

「和同開珎が商品価値をあらわすという抽象」を人々が信用するから、商品と交換できる貨幣になります。信用貨幣の登場は、事物をあらわすコトバの発生に似ています。言語も事物（コトとモノ、つまり観念を含む世界）をあらわすものです。人間が発達させた抽象（事物を概念で表すこと）の能力は、商品の価値もお金で表す表象を発達させたのでしょう。コトバも事物を表すものです。マネーは、事物を指すのではなく、より抽象的に、商品価値（交換価値）を表したのです。

貨幣に必要な一般交換性（あらゆる商品と交換できること）という信用を得るため、和同開珎は、奈良の朝廷が、当時は金に似て産出が少ない貴金属だった銅でつくったものでした。７０８年に和銅と元号を変えたくらいです（女帝の元明天皇）から、重要な国家事業だったことがわかります。しかし全部の経済取引が、和同開珎で行われたわけではない。物々交換も、多くまじった時代でした。学説では、物々交換が不便だったからお金が発明されたとされています。しかし、事実はそうではない。

国家が信用貨幣の発行を行う目的は、和同開珎のように、奈良の都を建設する公共事業の資金を得ることです。つまり、みんなにわかる税とは違う、見えない課税でした。全世界の歴史でおなじです。国家（法を制定する政府）は、税と通貨発行で財政をまかない、王（古代の日本では朝廷）と貴族と行政官僚の報酬、そして公共事業費を得ます。国家は、おなじ言葉と価値観（ハードウエアの文明とソフトウエアの文化）の社会をつくります。信用貨幣は、コトバのように、その国家のなかの経済取引で信用があるものです。

なぜ人々は国家をつくるのか？　『構造と力』（浅田彰）から読み取ったことで言えば、象徴的な秩序の階層を求めるからだということでした。なるほどマネーも、商品価値を表す象徴（数字でのシンボル）です。国は法で「国民は日銀券の受け取りを拒否してはならない」と決めています。拒否はできませんが、現代は、無制限に別の通貨（ドルやスイス・フラン等）に交換できるので、事実上拒否する方法はあります。

【共同体を超える交易では、金がマネー】

他方、文化の共同体である国家を超える普遍的な価値をもつとされたのは、始原の時代から自然に（国家の権力に拠らず）重んじられてきたゴールドです。古代の貿易でも、金を共通の通貨としていました。和同開珎も国内でしか通用しません。現代では貿易に使われる基軸通貨はドルですが、これも、１９７１年まで金と交換できる金準備通貨でした。国際は国家の法と制度が及ばない「境」です。飛行機でとびたったとき、どの国にも属さない「際《さい》」が国際です。

［16・5万トン：７１０兆円］　金は、有史以来産出されていますが、世界で地上に残存するのは16・5万トン（50メートルプールで3杯分：時価では２０００年代の5倍への高騰で約７１０兆円と大きくなった）と言われるくらい量が少ない。錆《さ》びによる変質がなく、少量でも鉛のように重く加工が容易だったため、金属通貨の代表として用いられました。鉄や銅は、錆びるためと、産出量が多いため、価値ある金属ではなかったのです。金も産出量が多ければ、普通の金属になっていたでしょう。

【古代もインフレだった】

708年には、和同開珎1文で、米2kg（前述のように約1000円）を買うことができたと記録されています。銅は、当時は産出量が少ない稀少金属でした。しかし9世紀の中ごろ（平安時代：欧州ではローマ帝国の時代：中国では唐の時代）には、1文と交換できる米の量は、100〜200分の1に減っていました。米価が代表する物価は、150年で100〜200倍に（年平均3・4%で）上がるインフレでした。大化の改新（645年：大宝律令の制定は701年）以後の、唐の古代中国をまねた律令制の国家（7世紀から10世紀ごろまで）が改鋳を繰り返し、通貨（悪貨）が増発されたからです。

国家と通貨の本質は、現代に至るまで変わっていません。税収の不足が続くと、政府は通貨を増発します。増税は封建時代であっても、国民の反発からむずかしかったからです。

このため貨幣の価値（商品購買力）が下がるインフレは、常態でした。資本主義か否かを問わず、時折のデフレの時期を含んでも、数十年の長期では、結果的に年平均2%から3%くらいのインフレ（30年で約2倍）は続くものでしょう（米国の事例）。共産主義のソ連でもおなじでした。冷戦の末期には軍事費のためひどくルーブルを増発し、財政を破産させて、国債もデフォルトし、ハイパー・インフレで公務員報酬と年金を無効にしたために崩壊しています（1989年）。

●金属貨幣の鋳造と発行における、国家のシーニョレッジの利益

なぜ国家は、自分で通貨を発行しようとするか？

マネーの総量（マネー・サプライ）と、経済における原理は、古代も現代もおなじです。現代は、

銀行システムの発達があり、金融市場が増え、経済の主体数、金額、商品種類と量が増えているだけです。デリバティブは新しいマネーの増加です。原理を知るため、まずは古代と中世を事例とします。古代は、東洋は西欧より政府が発行する信用通貨で先行していたからです。西欧で、信用通貨が発行されたのは、14世紀のベネチアからです（後述）。

【政府貨幣の用途は、古代から公共事業だった】

和同開珎は、奈良の朝廷が、平城京をつくるための土木、寺院、貴族の館の建設の代金と労賃を払うためにつくったものです。経済学者が言う取引の利便性のためではない。公共投資用の政府マネーであり、発行は国民に税金を課す機能をもちます。国債のない時代は、財源が不足するとき貨幣が増発されていました。

中国の古代から、善政は、税を上げず貨幣を増発しないことでした。つまり国家が民から掠奪《りゃくだつ》しないことです。ところがいつの時代も、善政の期間は短かった。戦争は領土の略奪ですが、通貨の増発は、民の富の見えない掠奪です。増やした通貨分が課税でした。

現代の国家では、政府財政のうち、王宮の奢侈《しゃし》や戦費ではなく、国民の福祉、医療、年金（国民への税の還流）に使われる割合が増えたため、掠奪に見えないだけです。

当時は、現代のような国債はありません。国債（政府の借金の証券）は、フランスの18世紀（ルイ王朝の時代）、ジョン・ロー（１６７１〜１７２９）がオルレアン公フィリップに進言してつくった「フランス王立銀行」の設立からです（後述）。英国でも、ウィリアム３世が年利８％の英国債を発行しています（1692年）。これが、世界の国債の最初です（『国債の歴史』：富田俊基）。最初は王の私的な債務と国債の区分がなかったのです。議会ができたあと国債になっています。和同開珎は、奈良の朝廷の、金利のつかない国債と言えるものです。

【国家と国民は、区分すべきものである】

付記すれば、「国家＝国民」というのは、政府側から見るための誤りです。国家は、政府の体制です。ルイ王朝の財政破産も、政府の財政の破産であり、国民の破産ではありません。

国家の財政が破産しても、企業や国民が破産するのではない。ただし財政が破産することは、その国の通貨信用の下落になるため、金融機関の破産、インフレ、金融資産の価値下落と金利高騰になります。時代を経るにつれて、国家による改鋳、通貨の増発、民間の私《し》鋳《ちゅう》造銭《ぞうせん》の横行もまじり、貨幣の価値は低下しています。このため物価が上昇します。

708年以降の150年で、物価がほぼ150倍になったのは、商品生産力を同じとすれば、150倍の通貨が発行されたからです。金融資産の名目額は150倍になった。しかし物価も150倍なので、150文が1文の価値に下がったのです。

●シーニョレッジ：通貨発行の利益（紙幣の本質を知るのに重要）

通貨を増発するとき国家には課税とおなじ、貨幣の発行利益つまりシーニョレッジ（seigniorage：原義は領主特権：通貨発行益）が生じます。貨幣の発行によって発行元が得るシーニョレッジの利益と、マネー発行量はおなじです。シーニョレッジが大きいと、マネーが流通するときに、生産力に対する過剰な供給になるため、物価が上がるインフレを起こします。通貨の増発によるインフレが、新たな課税に相当します。通貨では名目価値はおなじで、1000円はいつまで経っても1000円であるため、変わらないように見えます。しかし物価上昇で、マネーの実質価値（購買力）が減ります。通貨増発によるインフレが、政府による新たな課税だと意識されないのは1000円がいつまでも1000円であるためです。

物価と生産力、およびマネー・サプライの関係については、米国の古典派経済学者、アービング・フィシャー（1867〜1947）が、［M（マネー・サプライ量）×V（流通速度）＝P（一般物価水準）×T（実質GDP）］という等式でまとめています。

1年の短期では成立しなくても（通貨が増発された直後には物価は変わらなくても）、5年くらいをとると、マネー・サプライ量に比例して物価が上がることは確認されています。後世のマネー・サプライは、貨幣（現金）のみではなく、金融機関がもつ預金・国債・社債等の証券を含む、国家単位での総マネー量です。

【改鋳と増発】

金《ゴールド》を事例に言います。生産量が増えた銅は、現代は価値が低くイメージがわきにくいからです。和同開珎ではありませんが、金貨に最初1グラム（現在時価では4200円くらい）の金が含まれていたとします。これを1ドルとします。国家がこれを税で集めてとかし、金が0・5グラムしかない貨幣に改鋳するとどうなるか？
［商品生産力は、すぐには増えない］　貨幣の発行量は、2倍になります。しかし2倍になった貨幣（2ドル）で買える商品の量は、前年とおなじです。商品の生産量は生産力に依存していて、貨幣を2倍に改鋳しても増えないからです。これを示すのが、前記の［マネー・サプライの量×流通速度＝物価水準×実質GDP］の等式です。マネー・サプライの量が2倍になった状態をイメージすれば、わかるでしょう。

ただし、ある国のマネー量が増やされて通貨の価値が下がっても（物価が上がっても）、増加分が貯蓄に回って滞留し、商品購入や投資（有効需要）に向かわない間は、物価の上昇も起こりません。

現代では、①中央銀行による貨幣の増発によってマネー量が増えたあと、②銀行を通じる企業や世帯の借入の増加が投資になり、③あるいは国家の公共事業になって使われるときまでは、一定の時間がかかります。この時間を表すのが貨幣の流通速度（回転率：使われる速さ）です。

【改鋳と通貨増発の利益が、国家の、税以外の収入になる】

通貨を改鋳した大蔵省の利益は、［改鋳後の貨幣2文－改鋳前の1文＝通貨発行益1文］です。

1枚の金額はおなじ1文ですから、改鋳された貨幣を受け取った国民も、最初は通貨の価値の減少を感じないかもしれません。しかし両替商で計ってもらうと、0・5グラム分の金しか含まれていないことがわかる。つまり0・5グラムの金を国家が改鋳によって掠奪したのです。それを国家が使う。

偽札づくりとまったくおなじ行為ですが、国家（朝廷、政府、現代は官僚組織）がこれを行えば、国家は自分を処罰しませんから犯罪ではない。古来、国家は国民を規制する法はつくります。自分の権限（領主権、現代では行政権）を制限する法はつくりません。本当は、中央銀行による紙幣発行には、経済規模に応じて国会が限度を設けなければならないのですが、歴史が始まってから現代に至るまで世界中の政府はそれを行ったことがありません。将来も制限することはありません。

室町時代には、銀行の始原である両替商が生まれ、金貨・銀貨・銅貨の交換をしています。中国との交易で受け取った宋銭《そうせん》が増えたからです。空港で、各国の通貨を売る銀行とおなじです。両替商が集まる町を金座や銀座と言っていました。銀座が多いのは、日本では金より、生産量の多い銀を通貨とすることが多かったからです。

［開放経済での通貨価値］　海外貿易と通貨の交換がある経済を、開放経済と言います。ある国の通貨が改鋳され、金の含有が減ると通貨価値が下がるため為替レートは下がって、輸入物価は上がり、輸出物価は下がるということが起こります。

その通貨で貯蓄を持っている国民にとっては、貯めた貨幣の価値が下がるのは、貧困化です。その貧困化の分、輸出をする商人にとっては売上の増加になります。これが現代で言う円安です。通貨の下落は、輸出する企業や商人を富ませますが、一方では金融資産と所得の価値が下がる国民が貧困になります。古代と現代も同じです。国民の金融資産が大きな国では通貨は上がるほうがいい。通貨の価値変動は、こうした所得の移転です。

●江戸時代の小判と物価の上昇

徳川時代には、1601年に幕府によって金の含有が多い慶長小判と、銀貨の慶長丁銀が発行されています。和同開珎を踏襲する銅銭もあって、銭と呼ばれます。金、銀、銭の三貨制度が確立したのが、江戸時代の初期（17世紀）です。国家（幕府）が発行するマネーを媒介とする商品経済では、日本は西欧よりは先行していたと言えます。

大阪の堂島（全国のコメが集まる商品取引所）に、米の先物取引（デリバティブ）も生まれています。9月の収穫の米を、9月の米がいくらの値段になっても、契約時（例えば6月）に合意した価格で買う権利を得るのが先物取引です。売る側と買う側で決めた期限が、限月《げんげつ》です。これが江戸時代の「先渡し契約」でした。

現代の先物取引では、限月には、買っていた先物を売り、反対に現物を時価で買うという清算取引をせねばなりません。なぜ、先物取引をするのか？　いくらになるか不明な将来（収穫期）のコメ価格を、前もって、決めたいという人間の本能からです。現代の、株価先物、国債先物、社債の先物売買と同じです。先物価格は、ほぼ「現在価格×（1＋金利率）」です。

［先物から生まれた、一定価格で買う権利や売る権利を売買するオプション取引］

先物売買の権利の価値は、現代の、巨大化したオプション料《売買権の売買》と同じです。ブラック・ショールズ方程式で計算するオプション料は、①将来の一定価格で買う権利（コール・オプション）、②または、一定価格で売る権利（プット・オプション）を買うものです。オプションは、買いや売りを選択する権利という意味です。ヘッジ・ファンドがこれを大量に行っているのはご存知でしょう（これもデリバティ

――ブに属します)。

【小判の価値とコメ】

小判(一両)は米の価格から逆算すれば、初期は、約10万円の価値でした。1両で、10万円分の米(1石=1000合=150kg)を買うことができました。1石150kgという米の量は、3食で3合(茶碗で6杯分)を食べるとして、成人1人が、1年間生きることができる食糧でした。大名の石高で30万石は、ほぼ30万人を養える領地という意味です。

――幕府は700万石、加賀藩は122万石で、全国の石高は3000万石でした。3000万人の食糧です。事実、徳川末期の人口は3300万人と記録されています。現代価格では、［10万円×3000万石=3兆円］の米生産であったことがわかります。

【官僚の割合も現代とおなじ】

現代の官僚である武士階級は、使用人と家族を含んで人口の10%(約300万人)です。10%の官僚が、食糧(富)の50%を支配していました。国民は収穫の50%の食糧でしたから、常に食うや食わず、です。ただし、田園の面積あたりの収穫高は、検地の1600年を基準としていたので、200年後の徳川末期には、おなじ五公五民の税も収穫の35%程度に低くなっていました。事実上の減税です。このため幕府は財政に困って、増税の代わりに通貨を改鋳して増発し、インフレを起こしたのです。

〔官僚345万人：人件費40兆円〕　現代の官僚は、国、地方、特別行政法人を含むと約345万人です（総務省）。家族を含むと約1100万人ですから、武士階級（人口の10％）と、奇妙におなじです。公務員数は江戸時代とおなじ割合と言えば、政府はどういう返答をするでしょうか。

公務員には、国と自治体の議員も含みます。公務員1人あたりの平均人件費は、給与、賞与、民間より高い年金、公務員住宅の補助等の福祉を含むと約1000万円です。

国と地方の総税収80兆円（2011年）のうち、約35兆円（44％）が公務員の人件費に使われています。民間給与との格差が大きくなりすぎたので、国家公務員（64万人）だけは課長以上が10％、係員は5％、2年間の時限立法でカットされます（2012年）。

90年代から、民間企業の平均人件費は下がっていますが、大企業の賃金を参考にしている公務員給与は下がらなかったため、中小企業と大企業を含む民間の平均年収（412万円：2010年）より、相当高くなっています。

民間の平均年収は、金融危機直前の1997年の467万円が頂点でした。13年間で、55万円（12％）も減っています。消費が増えず、デフレになっている理由のうち最大のものが消費額の減少ですが、原因は、世帯の給与の減少です。

〔消費は所得額に比例して増え、所得が減れば消費額も減る〕

国民経済において消費額の増減と所得には、99％の相関（相関係数：Rの2乗＝0・99）があります。平均年収が55万円減ると消費額も55万円減るということです。吉野家の牛丼が、生産原価の低減努力で270円に下がり、コンビニの弁当の最低価格が290〜390円に下がって、居酒屋でも、80

0円以上のメニューがほぼ消えたのは、顧客である世帯の所得の減少によるものです。2012年は食品スーパー（総売上30兆円）の商品の平均単価も3％は下がります。

【江戸時代のインフレ】

江戸時代の米1升（1・5キログラム：2人家族の1日分）の価格は、生産高の若干の増加はあっても、以下のように、継続して上がっています。江戸時代は、米本位の経済でした。

・慶長1600年頃　　25文
・100年後の元禄　　80文（3・2倍）
・さらに100年後の文化文政　　120文（4・8倍）
・江戸末期の慶応年間　　500～1000文（20～40倍：1両は約4000文）

初期は25文で買うことができた米一升（1・8リットル）は、最初の100年で3・2倍に上がり、つぎの100年では4・8倍になって、江戸時代末期の約50年で、20倍から40倍の価格に上がっています。財政難の幕府が、小判の金の含有を減らして改鋳し、銀貨や銅貨も増発したからです。

徳川時代（260年）の米価の上昇は20～40倍です。20倍として年平均では1・2％の、40倍として1・4％のインフレだったことがわかります。江戸時代の最初の200年はインフレ率が低かった。これが、徳川幕府の時代が長く続いた理由です。通貨増発でインフレが激しくなった慶応年間に、大政奉還が行われています。インフレが政府をこわすのは本当です。

【徳川幕府をこわしたのが、食糧のインフレ】

徳川幕府は末期（慶応年間：徳川家茂《いえもち》）に、財政が破産して税収では足りず、通貨の改鋳と増発によるシーニョレッジ《貨幣発行益》での収入を、求めています。通貨残高の全部の記録はありませんが、幕末50年の［マネー・サプライ（M）×流通速度（V）］は、4～8倍への米価上昇に比例し、4～8倍になっていたはずです。幕末には世が乱れ、「ええじゃないか」の大衆デモも起こっていました。

物価や資産が上がるインフレ期待が高い時期は、人々が、商品が上がる前に買うことを急ぐため、マネーの流通速度が上がります。デフレの時期は、半年後や来年の物価は下がることが期待され、商品購買を急がないため、流通速度は下がります。

江戸時代末期の1837年には、幕府による通貨の増発と、豪商の買占めからの米の高騰（インフレ）に対し、武装蜂起《ほうき》した大阪の儒学者、大塩平八郎の乱もありました。史実を重んじた森鴎外の雄文《ゆうぶん》で読むことができます。大塩平八郎の気分を知るために、掲載します。

「己《おれ》は王道の大体を学んで、功利の末技《まつし》を知らぬ。上《かみ》の驕奢《おごり》と、下の疲弊《ひへい》とがこれまでになったのを見ては、己にも、策の施《ほどこ》すべきものが無い。ただし、理をもって推《お》せば、これが人世必然の勢《いきおい》だとして旁看《ぼうかん》するか、町奉行以下、諸役人や市中の富豪に進んで、救済の法を講ぜさせるか、諸役人を誅《ちゅう》し、富豪を脅《おびや》かしてその私蓄《しちく》を散《さん》ずるかの、三つより外《ほか》あるまい。己はこの不平に甘んじて、旁看《ぼうかん》してはおられぬ。己は、諸役人や富豪が大坂のために謀《はか》ってくれようとも信ぜぬ。己は、とうとう誅伐《ちゅうばつ》と脅迫《きょうはく》とによって事を済《な》そうと思い立った。（『大塩平八郎』：森鴎外）

●国家財政の赤字からの、宿命的なインフレ

江戸幕府が倒れた原因にも、通貨の増発によるインフレによる庶民と下級武士の生活難が根にあったのです。坂本龍馬の倒幕への奔走は、庶民と下級武士の生活を苦しめる幕府の堕落を憤慨し、徳川幕府のままでは米欧の植民地になるという危惧《きぐ》からのものです。現代の政府も、高いインフレを起こすと、国債の金利が上がって、行政（つまり財政支出）が不能になり、政府（官僚組織）がこわれます。

【財政赤字を原因とする、通貨の増発の悪政と、インフレ】

革命家レーニンは「社会を破壊する、もっとも効果的な方法は、貨幣を破壊することだ」と述べています。社会とは、共同体内の秩序とルールです。江戸時代の末期の、貨幣の増発によるインフレ、つまり貨幣価値の破壊がこれでした。レーニンが武器をもってつくった共産国家ソ連も、1980年代には東西冷戦の軍事費をまかなうためのルーブルの増発による高いインフレ率によって、公務員報酬と年金の破壊が生じ、自己崩壊していきます（前述：1989年）。ソ連政府がシーニョレッジを得るためだった、通貨の増発（課税）によるインフレが共産国家もこわしたのです。

【世界は食糧危機】

大塩平八郎の乱を書いたので、テーマとはすこしはなれますが、世界人口が毎年1億人は増えて、70億人を超えたことから恒常的になっている食糧危機について記します。20世紀後半からの後

発国の世界（約30億人）は、日本と違い、『人口論』のマルサスが警告した、人口爆発の時代です。

共産圏が崩れた1990年からのグローバル化（後発国への投資）で、世界は、緊密に結びついています。われわれが食べるタコの輸入先を調べると、普通、どこにあるのかを知らないイスラム国モーリタニアでした。西アフリカにあり、人口330万人、1人あたり国民所得は20万円の小国です。イカの輸入先は、タイです。われわれが世界の産物、資源、食糧を安く買えるのは、通貨である円の力によります。円高は、輸出価格の比較優位はこわしますが、国民の富ではプラスになるものです。通貨が下落する国は、現代のギリシャのように、悲惨になります。

【現代の食糧不足の原因は肉食】

日本はダイエットが産業になる飽食です。世界では7人に1名（9億2500万人）が飢餓です。都市部は5～8％のGDPの成長（所得の増加）をしているインドでも、1日に3000人（1年に100万人）の乳児が飢えで亡くなっています。100万人は日本の赤ちゃんが1年間に生まれる数です。インドや、それより人口が多いアフリカの村と、骨にたるんだ皮膚が張りつくくらい痩《や》せて、頭蓋骨《ずがいこつ》だけが大きく目が澄んだ赤ちゃんに、出ない母乳を与える母を想像すれば痛恨です。

［穀物生産量は十分だが…］　ところが世界の穀物の生産は、年間20億トンあります。70億人で割ると1人当たりで1年に300kgです。1日のカロリーに換算すると2900キロカロリー分です。成人に必要な2100キロカロリーを、相当に超えています（佐藤洋一郎：総合地球環境学研究所）。

他に、自然の魚や、南の国に多い豊かな果実を加えれば、世界には、十二分に食糧はあります。

必要カロリーは、富裕者だから増えるということはない。なぜ、世界では年々深刻になる食糧不足が、続くのか？　３つの原因があると言う。

⑴精肉１kg分を育てるのに、平均で10kgの穀物がいる。牛肉では25kg。豚肉で４・５kg。人とおなじように穀物を家畜が食べ、体重の３０００倍の水がいる。経済成長によって人々の肉食が増えれば、家畜の餌になる分の穀物が不足する（餌はカロリーの高いトウモロコシが多い）。自然の草を食べる放牧の範囲なら、食糧不足は起こらない。肉食は放牧分くらいで、いいのではないか。肉の過剰消費を促進することが利益になる米国の食肉加工の４大メジャーも問題である。確かに、２０１２年7月現在、ほぼ40％が家畜の餌になり肉の価格になるトウモロコシが高騰しています。

⑵日本と米欧では十分にあるが、貧困なアジアとアフリカ全域では、不足している。

⑶先進国の食糧倫理の低下。統計では、たとえば日本では、年間２０００万トン（１人当たりで１６０kg）もの食糧が、食べられずに捨てられている。廃棄は日本の米生産量の２・５倍に相当する。賞味期限切れ（食べることはできるが味がおちる期間）になると、消費期限（食べることができる期間）はあっても捨てるからです。

こうしたことを、どう考えるか。「理（世のことわり）をもって推《お》せば、これが人世必然の勢《いきおい》だとして傍看《ぼうかん》するか…」のが大半の人でしょう。当方も、この例にもれませんが、写真で見る、子を抱く母を想うと心はいたみます。

人口15億人の中国と13億人のインドで、経済成長のため、今後も肉食が増えると、食糧は絶対的に不足し、長期トレンドでの食糧の価格は上がります。しかし金属資源、原油や天然ガス、穀物はよく言われるように有限ではありません。価格が上がれば、安いときは困難だった発掘や技術革新が進み、米国のＬＮＧ（発電に使う液化天然ガス：２ドルと安い）のように、新しいエネルギーも、発掘されます。

穀物価格も上がると、農地が上がり、世界の畑は増えます。事実、米国の農地が、２０１２年は上がっています。価格が上がることによって穀物の生産は増えますが、巨大人口のインド、アフリカ、中国の村のように賃金の低い国と地域では、ますます買えなくなって食糧危機が続きます。世界の食糧は、インフレです。日本からは、円高のおかげで食糧のインフレが見えないのです。

2.「準備銀行制度」の発祥は、ベネチアの金細工師から

金属貨幣、国際的な通貨、そして現代の紙幣はおなじ意味のものです。代表して「マネー」ということにします。マネーは国家だけではなく、銀行もその信用で増やすことができます。国家信用ではなく、銀行信用による発行です。前述の信用貨幣とも言いますが、銀行がマネーを発行するようになった原型《プロトタイプ》を、国際貿易で繁栄していた海上の都市国家、ベネチアで見ることにします。ベネチアは、海に囲まれ、１９８０年代の繁栄した日本のような国でした。日本の信用貨幣のあとは、西欧です。

●サンマルコ広場の回廊に密集した宝飾商

碧《あお》くよどむアドリア海のラグーナ《干潟》に浮かぶ、幻想的な、全部が美術のような都市ベネチアに観光で行ったとき、島の玄関にあるサンマルコ広場を囲む回廊に、貴金属も売る宝石商が並んでいました。お土産ではなく５００万円を超える高価なものが多い。なぜ高級な宝飾商だらけか。調べると、ベネチアは中世の13世紀くらいから、トルコや中東との地中海貿易で、金を集めていた商都でした。漠然と知ってはいたものの、現在も多い店舗を見て、調べたことと合わせ、信用通貨と複式簿記の資本主義のはじまりは、ベネチアやイタリアの都市国家にあることを了解したのです。とても面白いので２度訪れました。

［都市国家の時代と資本主義］　集めたゴールドによる権勢をもっていたメジチ家が支配する自治権をもつ都市（都市が国家）だったフィレンツェにも、街の中央のベッキオ橋に、金の宝飾店が並びます。イタリアは、現在もこの伝統から、婚礼で金を持参金にする風習のインドと並び、金の輸入が多い。国民が、伝統的に政府が関与する通貨を信用していないせいかもしれません。課税されないアングラ経済もＧＤＰの30％はあるとされます。

その始原に言及されることが少ない金と銀行制度、株式の資本主義の発祥は、不離不可分です。資本主義では株式が資本であり、会社の利益は、経営管理者と現場労働が上げるものですが、その利益の所有権は、出資していた株主にあるとする近代からの制度です。われわれは、この資本主義の制度を採用しています。

金細工師

中世は、強盗や戦乱が多かった。領主と貴族や豪商は集めていた金を、次第に、宝飾品の修理と安全（security）の目的で、金細工師に預けるようになっていきます。マネーは金貨でした。中世の美麗な都市、ブルージュがあるフランドル地方でも、刺繍《ししゅう》の手工業が発達し、金が集まっていました。

領主が作った城壁や、運河に囲まれた都市国家の金細工師は、宝飾品や金貨を預かると、預かり証を発行します。洗濯の預かり証のようなものです。イタリア、スペインにはこうした都市国家が多い。

当初、預かった金と預かり証の発行は、一対一でした。ところが、預かり証が、金貨とおなじマネーとして、通用するようになっていったのです。これが、近代の紙幣につながる「信用貨幣（銀行券）」のはじまりです。謎とされる信用貨幣も、ベネチアでの歴史から見るとわかりやすいものです。

株式の資本主義を作った複式簿記

金属貨幣から離脱した信用貨幣（紙幣）は、株として資本を集めて使う資本主義における（貸借関係を記録する）複式簿記のような大きな発明です。複式簿記も、14世紀から15世紀にベネチア商人の帳簿から生まれています。資本主義は信用による資本調達の制度と言っていいものです。信用貨幣と資本主義の複式簿記の発生は、ベネチアで同時でした。

【貿易と資本の利益：株式資本主義の発明】

海を渡る貿易には、船と船頭が必要です。海賊のリスクもあります。ベネチアの商人（いわば経営管理者）たちは、貴族から金貨を預かって船（資本財）を建造し、出資を示す株式証書（これも信用証券）として渡します。

航海が終わったあと貴金属、肉を美味しく食べるための香辛料、貴族が珍重した産物、織物、陶器、武器などありとあらゆる商品を売り、経費と利益を引いた利益（損益計算書の発祥）を、航海後に、出資株数の割合で、配当します。貿易船は、富を運ぶ宝船でした。

「商品交換は、共同体の果てるところで、共同体が、他の共同体またはその成員と接触する地点ではじまる」と、重商主義と古典派経済学を研究したマルクスは書いています。

原始的な部族国家の古代からこれだったのです。シェークスピアは、戯曲『ベニスの商人』で、富裕な貿易商だったアントニオーニを主人公として描いています。14世紀ですでに貿易は盛んでした。金を富とする重商主義です。

「彼の船は、一隻《いっせき》はトリポリに、もう一隻は西インドに向かっている。そして取引場で聞いた話では三隻目はメキシコにあり、四隻目はイギリスに向かい、なにしろありとあらゆる海外でやたら投資（商品購買）をしまわっているようだ。」（『ベニスの商人の資本論』：岩井克人）

ベニスの商人は、シェークスピアのイマジネーションだけで生まれた物語ではありません。14世紀ころからのベネチアの、発達していた貿易商（ユダヤの商人）を描いたものです。共同体（つまり都市国家）を超えた「国際」で普遍的に信用されたのはゴールドでした。

117の島と、風情のある小さな橋、人と商品を運ぶ運河（交通）からなるベネチアは、15世紀には、西欧のキリスト教世界では、最強の海軍力と経済力をもつ都市国家でした。現代で言えば、世界の銀行マネーの約50％を集めて投資・投機するオフショアに相当します。なお現代も、ベネチアは課税を免れるオフショアのひとつです（第6章）。

都市国家は、領主が絶対権（王権としての裁判権、立法権、行政権）をもち、他からは干渉されない自治権をもつ共同体です。封建時代には、近代からの民族国家（都市国家を統一したイタリア王国は幕末の1861年）という概念はなかった。日本の近代国家は、明治維新（1868年）からです。

海上交通と株式による資本主義がベネチアの富をつくります。日本では、金閣寺で政治をした足利義満の、室町時代前期のころでした。当時の日本でも貨幣経済が発達し、貿易は中国の明《みん》と行われています。

●銀行制度の発祥…預かり証が信用貨幣になった

さて…本項のテーマ、ベネチアの金細工師による銀行のはじまりです。預かった金に対し、一対一で預かり証（いわば金証券：Gold Security）を渡していた金細工師は、奇妙なことに気がつきます。金を預かって保管していても、現物の金を引き出す人は、いつも少ないことです。

仮に、引き出す人の割合を10％とします。金が引き出されなかった理由は、金細工師が発行した金証券は、金貨とおなじように共同体の人々に信用され、商品との交換で使われるマネーになっていたからです。この金証券は現代の金ETF（金価格連動型の上場投信）の証券と、おなじ構造のものです。（注）ただし金ＥＴＦの証券発行は、金と一対一とされます。

●証券（Security）の発明

金証券によって、信用という無から、金貨とおなじものを創造する錬金術が生まれたと言えます。人工ダイヤモンドは炭素でつくれても、金はつくれませんが、金証券に形を変える錬金術はあったのです。

【ベネチアの複式簿記の記録法によって証券と株が発生】

負債を示す証券と株式は複式簿記から生まれています。複式簿記は、会社が所有する資産を左側に、負債と資本を右側に書きます。実感からは変ですが「資産＝負債（簿記の基本）」という構造をもつものです。

資本主義をつくった株式は、出資した株主にとっては資本という資産です。発行した会社にとっては、株主に対し、事業を行った結果の利益を配当する義務がある負債です。資本は会社が預かってはいますが会社のものではありません。株主が所有権をもちます。株が譲渡可能になって、売買の株式市場ができた理由は、会社の、①資産・負債の対照構造（バランス・シート）と、②事業の結果（損益計算書）を真正に公開するということからです。

株主が、株券という証券を受け取って資本（マネー）を出すのは、銀行預金よりは高い利益配当があるだろうという会社への将来信用からです。こうした「信用」が資本主義をつくったものです。金細工師のバランス・シートに、信用（物的には空洞です）から生まれた株式資本主義の原型が見えます。金利は、貸付金の、未来の不確実性（リスク）をカバーするために生まれたものです。

●金証券の二重・三重発行によって、金細工師に生まれたシーニョレッジの利益

【準備率の発見】

伝統的にユダヤ人が多かった金細工師は、「金を引き出さない人が90％なら、自分がその90％分の金証券を二重・三重に発行して貸しつけても、あるいは貿易事業に出資してもいいのではないか？」と思いつきます。金庫に１００kgの金貨を預かっているとします。１００kg分の金証券は、金の持ち主に対してすでに発行しています。

長年の経験で言えば、預かり証をもつ90％の人は、現物の金貨を引き出さない。本当はニセではあるが、最大では８００kgの別の金証券をつくってサインをし、お金を求める人に貸しつけることができる。この証券は、金貨のかわりとして使われる。そして、金利も生む。金利をとる理由は、返済のリスクがあるからだ。１年に10％の金利をとっても、借りる人は多いに違いない…高価な晴れ着を預かる洗濯屋さんが、預かった衣装を貸す貸衣装屋を開業することとおなじです。

肝心なのは、いつでも金の引き出しに応じることができるという信用です。この信用は、物的には無です。たとえば、人々から「金証券を見せれば金を渡してくれる」と信用してもらえるなら、私も金証券を発行できるでしょう。その信用がないので発行できないだけです。

投資顧問業や、ヘッジ・ファンドの信用もおなじです。巧みな運用（ポートフォリオの投機）で、３

ヵ月後あるいは1年後に利益を生むだろうという未来への信用（観念上のものであり無形のもの）から、投資家がお金を預けます。投資顧問業やヘッジ・ファンドも利益信用がなくなると、解約されます。

【準備率による信用創造】

無から創造した金証券の貸付（８００kg分）によって、最大で9倍に膨らむ金細工師のバランス・シート（複式簿記）は、以下になります。信用で成り立つマネーを商品とする銀行のバランス・シートは、普通の会社とちがい特殊です。無形の信用が資産になるからです。

【通貨発行の利益】

金保有の裏付けがない８００kg分が、10%の金利を生む貸付金という金細工師の資産（債権）になります。これが、金細工師が得たシーニョレッジ（通貨発行）の利益です。金の準備額は１００kgです。この準備から信用乗数という銀行システムの根幹の原理も生まれます。信用という物的な無から、マネー（信用《クレジット》）が生まれたのです。金細工師は本当の帳簿を見せませんでした。ニセの金証券が知られてしまうからです。金庫に９００kgの金があると装っていたからです。

こここそが現代の「準備銀行」のはじまりです。人々が銀行に寄せる信用が、貸付金という資産を生んでいます。お金として使われる金証券（銀行券）を、既述したように「信用貨幣」と言います。金証券は、金細工師にとっては、金を引き渡すという負債です。「負債性の通貨」と言ってもいい。この金証券から、われわれが現在使っている1万円札、１ドル、１ユーロ、１００元という

資産	負債と資本
預かった現物の金　100kg 金証券の貸付債権　800kg 分	金証券 100 kg分を、持ち主に発行 創造されたシーニョレッジの利益800kg 分
総資産　金 900kg 分	負債は金証券 100kg 分： 800kg 分が金証券の発行利益

「不換紙幣」まであと1歩です。ベネチアの時代では、金匠《きんしょう》が金を準備する金本位の証券ですが、中央銀行がその信用で発行したものが、金とは交換できない現代の不換紙幣（1万円札：銀行券）です。

【マネー・サプライが増える】

金匠に高い信用があれば100kgしかない金庫の現物金に対し900kg分の金証券を発行することができます。800kg分は金準備のないニセの証券ですが、交換に来る人が10%しかいないとすれば、準備（reserve）すべき金は80kgでよかったのです。100kgをもともと預けていた人が交換に来ても10%だから準備すべきは10kgです。合計で90kgですから預かっている100kgで足ります。

金細工師は、自分のものではない金から800kg（8倍）の金証券を創造します。800kg分の富（貸付金という資産）は、金証券の貸付によって得られるシーニョレッジ《通貨発行》の利益ですが、この利益が人々に知られることはない。これが、信用貨幣の発行です。

人々は、金証券に対応する900kgの金が、金庫にあると思うにちがいない。金庫のなかの金は、一部は見せるが、全部を一度に見せることはしない。「信用」が、ファイア・ウォール（防火壁）になる…現代の不換紙幣を発行するFRBやECB、そして日銀も、保有金の全量を見せて成分検査させることはありません。代わりに、それは無意味だと言います。

●信用の危機

しかし…「あの金細工師の金庫には、金がない」とうわさが立つこともあります。不安にかられた人々が金証券をもって殺到する「取りつけ」です。一夜で破産した金細工師は、ニセ証券をつくった詐欺師として、ギロチン刑にあっていました。銀行がもっとも恐れる信用不安からの、預金の取りつけがこれです。

取りつけが起こって、金証券が裏付けのないニセの証券だったとわかると、証券は無価値になるため、不良債権の急増から「信用恐慌」になっていきます。貸衣装業を始めた洗濯屋さんの倒産です。

人々があると思っていたお金（金証券の価値）が急に減るのが信用恐慌です。経済の取引（消費と投資）で使える実質的なマネー量を減らすため、実体経済にも、恐慌を生みます。預金が引き出されて減っている現代のギリシャやスペインのように失業率は25％になって、国民は必要なものが買えず生活に困窮します。

【資産バブルの崩壊も信用危機とおなじ】

これが、近年の日本では1990年からの資産バブルの崩壊であり、米国の2008年9月のリーマン・ショック、および２０１０年のＰＩＩＧＳ債の下落による米欧の銀行の危機です。
米国の大手銀行は、４００兆円のＰＩＩＧＳ債のうち、約１００兆円分を、ＣＤＳ（国債の保証保険）を売って、保証しています。直接にＰＩＩＧＳ債をもつ欧州の銀行と、同時危機になります。ＰＩＩＧＳ債の保証による米銀の危機が言われない理由は、２０１１年から、ＥＵと米国当局の合意でＣＤＳの清算（保険金支払い）が先送りされているからです。

「報道はありませんが、南欧で預金取りつけが続いています」金融危機後の２００８年からは米国と英国で、２０１０年からはギリシャとスペインの銀行で、取りつけが起こっています。南欧（ＰＩＩＧＳ）で不足しているユーロ紙幣を、ＥＣＢ（欧州中央銀行）のフランクフルト本店が印刷して貸し付けて、振り込んでいます（２０１２年7月現在）。

歴史的に言えば１９２９年から30年代の米国発の大恐慌は、１９２９年10月24日の株価の突然の暴落を起点に、その株をもつ銀行の資産に不安を抱いた預金者の取りつけに対し、当時のＦＲＢ（連邦準備銀行）が十分なマネーを供給しなかったことから生じたものです。株価の下落は起点にはなっていますが、実体経済の恐慌は銀行の破産から起こったものです（『大収縮１９２９－１９３３』：フリードマン）。

【信用貨幣のはじまりは洗濯屋が密かにはじめた貸衣装屋とおなじ】

以上が、「信用貨幣（金証券）」貸付け、金を準備《リザーブ》する銀行制度のはじまりです。経済学は、ベネチアの金細工師や銀行のはじまりには、ふれたがりません。信用によってニセの証券を発行し、貸付けをするのが信用創造をする銀行だったと知られるとやはりまずいからでしょう。繰り返しますが、洗濯屋産さんがはじめる貸衣装屋とおなじです。これが、信用通貨の本質です。

マネーの創造と、その貸付けによって、膨大で非課税のシーニョレッジの富が、通貨を発行する銀行に生じていることを知られるのも、不都合です。このため単に、銀行の信用創造機能とするだけです。

金と交換できない不換紙幣の発行でも、中央銀行に金属貨幣や金証券とまったくおなじシーニョレッジの利益が生じています。しかし日銀を含め、世界の中央銀行は、学者ともども、躍起になって否定しています。マネーと信用の関係の原型を理解したあと、もう一歩進んで先を究めます。

シーニョレッジ（原義は領主特権）という利益は、「どこから生まれるのか？」です。利益があるなら、それに見合う損をする人がいるはずです。いったいだれが損をするのか。推理小説のような、しかし国全体を巻き込む論理です。

●通貨の発行によって、金細工師に生まれるシーニョレッジの源泉は何か？

「物的に見れば、信用（心理的・観念的なもの）という無から、金細工師に、金証券の発行で利益が生まれた」と述べましたが、実際は、無から生まれるものはない。物的な金の保有では、詐欺に見える金細工師の信用にも、何かの物的な資産や利益の裏付けがあるはずだからです。このためには金証券（信用貨幣）が、金貨とおなじ新たなマネーとして流通するようになった都市国家の、マクロ経済（都市国家の全体経済）を想定し、考える必要があります。ケインズがはじめて行ったように、マクロの経済（国全体の経済：ＧＤＰとマネー量と物価）を想定しないと、シーニョレッジの発生源もわかりません。

●15世紀のベネチアモデルでのシーニョレッジ

金証券が流通する前、ベネチアは金貨だけがマネーだったとします。その金貨の量が1億リラ分だったとします（仮定）。

この1億リラの金貨のうち、金細工師に預けられたものを、総量の30％の３０００万リラ分と仮定します。金細工師が金貨を預かって発行した金証券は、最初は３０００万リラになりますが、その分の金貨が金庫に眠ります。

ベネチアで流通する貨幣量（マネー・サプライ）は、金貨７０００万リラ、金証券３０００万リラ、合計1億リラで変わりません。ベネチアのＧＤＰ（＝商品生産高＝所得高）を1億リラとすれば、1億リラのマネーが1年に1回転して（流通速度）、商品購買と設備投資が行われていることになります。以降では、⑴から⑷の４つの、マネー増加のプロセスと物価を示します。

【二重に作った金証券を、貸しつけると、マネー・サプライが増える】

⑴［過程1：二重発行］　ここで、３０００万リラ分保有している金に対し、金細工師が３０００万リラの新たな金証券を二重につくって商人に貸し付けたとします。ベネチアのマネー・サプライは、金貨７０００万リラ、最初の証券３０００万リラ、そして秘密に発行した証券３０００万リ

ラで、合計1億３０００万リラへと30％増えます。この３０００万リラが、金証券によって新たに創造されたマネーです。

(2)［過程２：証券の貸付］　３０００万リラを資本金として借りた貿易商は、その金証券を、マネーとして使えます。借入には金利がつきますから、商品や船を買い船員を雇用して投資するでしょう。

［インフレと金利、および貸付けと投資の関係における基本原理］　金利の理論値は「期待インフレ率＋貸付金の回収のリスク率」です。物価が1年に5％上がることが期待され、回収のリスクが1年3％なら、貸付金利は8％です。これは資本投資をする貿易商の事業の期待ＲＯＩ（期待利益÷投資額）において、8％以上が想定できなければならないという意味です。

自分のお金を１００万円貸すとき、物価の期待上昇が5％（5万円）、予想する回収リスクが3％（３万円）なら、8％（8万円）の金利が取れないとだれも貸さないでしょう。これとおなじです。１００万円を投資する事業も、この支払金利とリスク（8万円）以上の利益が期待できないときは、投資をやめます。

以上を経済学風には「投資の期待利益は、期待インフレと予想金利を上回らねばならない」とむずかしく言いますが、具体的に言えば、簡単で、納得できる原理です。

［ＩＳ－ＬＭ分析］　ケインズの一般理論をヒックスがまとめた、直感的な理解がむずかしいＩＳ－ＬＭ分析（短期分析：１９３７年）は、以上のような投資と貯蓄の考えをもとに、国全体の経済が、財

政の緊縮（公共事業の減少）や拡張（公共事業の増加）と、中央銀行が金利を上げ下げする金融政策で、どう変わるかを示すものです。

ＩＳ－ＬＭ分析は、物価を短期ではおなじとして、国民所得と、政府財政と金利政策の関係を示します。物価の上昇は、マネー・サプライが、ＧＤＰ分回転するまで少し遅れるからです。ＩＳ－ＬＭ分析での金利を期待金利、期待投資利益率、期待国民所得というように、近い将来への「予想」を含めれば、現代のマクロ経済学です。

【商品生産力は、急には増えないため、商品物価と資産が上がる】

借入で３０００万リラ分増えた購買力によって、ベネチアのＧＤＰ（商品生産力）は、３０００万リラ分増えるでしょうか。商品の生産力は、１年で30％、急に増えることはありません。ベネチアの実質ＧＤＰ（商品数量）の増加力、言い換えれば生産力を、１年に３％の増加と仮定します。今年のＧＤＰは実質では、１億３０００万リラ分です。

（注）１年３％の成長でも１００年続けば19倍の、大きな成長です。

(3)［過程３：物価の上昇］　マネー・サプライは、金証券の商人への、新しい貸付（３０００万リラ）によって、１億３０００万リラに増えています。マネーが使われる速度は、以前とおなじように、年１回転とします。所得がおなじ割合（消費性向と言う）で使われ、貯蓄の割合（貯蓄性向＝１－消費性向）もおなじだったという意味です。商品価格の物価水準は、どうなるか？

［マネー・サプライの増加と物価の上昇］　新たに、金貨から派生した金証券が創造され、30％のマネー・サプライの増加によって、ベネチア国民の購買力が３０００万リラ分増えたため、物価も30％は上がって、１億３０００万リラ（名目）になるはずです。つまり、合計1億リラだった総商品価格が、１億３０００万リラに上がるインフレに向かいます。

使われるマネー量が増えたあとのインフレは、ほぼ半年から1年後に起こります。増えたマネーが、買い物や投資に使われるまでの回転率（マネーの流通速度）があるからです。ただし、物価の実際の上昇結果前に生じるインフレ期待は、使われるマネー量が増えたと感じる人が増えると高まります。

「株や不動産を買う人が増えた↓株価と不動産は上がる」という予想がこれです。なお、こうしたインフレのときは、生産量を増やせる商品の物価より、量が有限な不動産、株、資源の上昇のほうが大きくなります。

［名目ＧＤＰは物価の上昇分、増える］　ベネチアのＧＤＰは、確かに物価の上昇を入れた名目では1億３０００万リラに30％増えるでしょう。しかし物価が、［1億３０００万リラ（商品購買量）÷1億３０００万リラ（商品生産量）＝１・26］…つまり26％上昇しています。

３０００万リラを新たに借りた商人の設備投資と雇用によって、資産価格と賃金が26％上がるとしても、それは商品の価格上昇率と同じです。経済のなかでは、投資も商品であり、労働も価格がつく商品です。

（4）［過程4：物価上昇の意味］結果は26％の物価水準の上昇です。26％の物価上昇は、何を意味するか。前年は1リラだった商品、資産、賃金が1・26リラに上がることです。したがって、1リラ（名目貨幣価値）では、前年の［1÷1・26＝79％］しか買えなくなります。

前年は、金貨1枚で100個の商品や資産が買えていたとすれば、79個の商品や資産しか買えなくなるということです。

これが、金貨1枚の価値（購買力）が79％に減ったインフレです。インフレは物価の上昇に見えますが、本当は現金と預金の価値の下落です。このため、インフレが実際に起こると、今度は、インフレをおぎなうようにその国の金利も上がります。こうした物価と金利の上昇が、マネー量の急激な増加によって起こるのがハイパー・インフレです。

インフレの原因は、いつの時代もマネーの増発のしすぎ以外ではありません。ただし、①銀行に顕在（または潜在）の不良債権と損失が多い時期は、貸し付けを増やすことができないため、その国の流通する総マネー量（マネー・サプライ）が増えることができないため、経済の活性化と物価上昇は起こりません。

②また、将来の期待経済成長率が低いときも、多くの企業が売上の増加を予想しないため、設備投資は増えず（逆に減って）、雇用の増加と世帯所得の増加を含んだ経済成長はなくなります。この二点があるのが、1998年以後の日本、2008年以後の米国、2010年以降の欧州の先進国経済です。

【２７００万リラの通貨発行益が金細工師に生じたが…ここからが、不思議な謎】

金証券の二重発行によって、ベネチアのマネー・サプライ（＝金融資産＝金融負債）は、金貨の換算で１億３０００万枚に増えています。しかしその実質価値（商品、資産、労働の購買力）は、生産力の上昇３％（＝商品数量の増加３％）を含んでも、１億３００万リラ分（79％）に減っています。差額の、２７００万リラはどこに行ったのか？　不思議です。

［不思議さの正体］　この２７００万リラが、金証券３０００万リラを二重に発行した金細工師の「シーニョレッジ」の利益です。事実、金細工師の資産では、商人への貸付金（債権という資産）が３０００万リラ増えています。

金細工師は、１億３０００万リラのマネー・サプライ（ベネチアの全部の金融資産）から、実質で２７００万リラ分を、密かにかすめとったことになります。つまりベネチアのインフレに相当する分が、金細工師の利益になっています。

（注）通貨発行による債権の増加による利益は、［貸付債権３０００万リラ÷期待インフレ率１・１≒２７００万リラ］です。

【中央銀行の秘密】

金細工師が金証券の二重発行で得た「シーニョレッジの利益２７００万リラ」は、経済学者が言うように「無から生まれたもの」ではなく、ベネチアで１億３０００万リラに増えた金融資産（マネー・サプライ）の将来価値を下げることによって、つまり国民の金貨の価値を、知られることなく下げることによって獲得されたものです。

なお、物価が上がらないときも、発行したマネーの借り主での滞留（預金）です。そのときも金融資産の、3年から5年後の近い将来の価値の低下によって、シーニョレッジの利益が生じることはおなじです。

ここでは増えた貸付債権から得られる金利は、いれていません。金利を入れれば、シーニョレッジはその分大きくなります。金利は仮に7％とすると、複利では10年で2倍（1・07の10乗＝2）になるくらい大きい。3・5％なら、20年で2倍です。通貨を発行する国家（または中央銀行）と金融部門は、経費を引く前の粗収益として、国民経済（企業と世帯）の利益を税とおなじくらいは獲得しています（後述）。

以下の、金細工師の、自分の所有はゼロの金から増えたバランス・シートは、物価上昇を含む名目の金額です。

こうしたマネーの大きな増発（＝貸付金の増加：事例では30％増）は、生産力は急には増えないため、物価の上昇にしかなりません。物価が上がると、人々は商品の生産を増やそうとしますから、経済の成長にはなるでしょう。それでも、生産力の増加を超えるマネー増発によって物価は上がるのです。生産力の増加には、投資設備が稼働して、商品を生むまでの時間（例えば2年）が必要です。

［余剰設備、輸入、通貨：現代の物価］　商品生産に使える遊休の設備があるときは、すぐに増産が行われて、物価の上昇を抑制します。通貨価値を維持できる間での輸入商品の増加も、おなじ物価抑制の効果です（円高の物価抑制効果）。ただし、中央銀行の通貨の増刷は、08年以後のドルやユーロの

金細工師の資産		負債	
預かっている金貨	3000万リラ	最初発行していた金証券	3000万リラ
商人への貸付債権	3000万リラ	あとで二重に発行した金証券	3000万リラ
（注）金細工師が得たシーニョレッジの利益は、新たに増えた債権3000万リラ。 これが、金細工が「貸付債権によって創造した自己資本」になる。			
資産	6000万リラ	負債	6000万リラ

ように、通貨安を生みます。これが、米国とユーロの、２%台のインフレの原因です。

単純化して言えば、物価の上昇分、マネーを発行した国家と金細工師（銀行の原型）が密かにシーニョレッジの利益を得ています。物価の上昇分、金貨の価値が下がったからです。江戸時代の末期の、小判の改鋳による米価の上昇とおなじです。

【不当なことか？】

現代の中央銀行（日銀、米国ＦＲＢ、欧州ＥＣＢ、人民銀行、大英銀行など）が行っている通貨（不換紙幣）の増発と、銀行への貸付は、不当なことか？　不当とは言えないでしょう。通貨当局は、大きなインフレを起こして、マネーの価値を下げないという、法的ではない倫理の責任は負っているからです。

ただし通貨発行で、シーニョレッジの利益が中央銀行に生じているのは、どう論理づけしても否めない事実です。

付記すればこのマネー・サプライの増加を行えるのは、中央銀行だけではない。民間の銀行システムのなかでも、たとえば10%等の現金の支払いに備える準備預金を残し、90%の預金を貸し付け続けることによって、新たなマネーを生むことができます。これを「信用乗数」と呼んでいます（後述）。

●中央銀行と金融部門が得ている粗収益の概算をすれば、驚く

日本の1990年以降の企業利益は、80年代後期の50％くらいと低く、金利も低いので、若干、特殊です。それでも、金融部門が得ている粗収益（経費を引く前の収入）は概算できます。

【マネー・ストック：広義の流動性：すこしややこしい説明】

日銀が毎月集計しているマネー・ストック（マネー・サプライ）は、現金80兆円と預金738兆円からなるM2（818兆円）より広く、金融機関がもつ円国債や米国債を含む「広義の流動性」です。その総額は1462兆円であり、名目GDPの3倍もあります（2012年8月）。広義の流動性は、①現金、預金に、②投資信託、③金融債、社債、③CP（譲渡性預金）、⑤国債、⑥外債を加えたものです。いずれも、金融機関が、資産（＝負債）として保有するものです。日銀のサイトで見ることができます。

なお金融資産は、金融機関の仲介によって、ほぼおなじ額が国家（国債）、企業（借入金と社債）、世帯（住宅ローン等）、および海外（米国等）の合計負債になっています。過去は、マネー・サプライと言っていたものです。信用貨幣は、金融資産＝別の人の金融負債という本質的な構造をもちます。信用貨幣では、金融資産が増えることは、貸付金の増加とおなじです。じゃあ1万円札はだれ

への貸付金か？　国民がそれとは知らずに与えた日銀への貸付金です。日銀は、円の発行によって自分が負債をつくることができます。http://www.boj.or.jp/statistics/money/ms/ms1206.pdf

【マネー・ストックは、その額が、だれかの負債になる】

金融の仲介をする金融機関はこの１４６２兆円の金融資産を、企業や世帯に融資したり、国債、社債、株、外債を含む証券を購入して運用しています。２０１２年は、長短の貸付金の平均金利は、日本ではとても低い１・４％くらいです。

(1)［金融機関の収益は20兆円／年］　金融機関にとっては費用である預金金利は、政府の金融政策によって、ほぼゼロです（１９９８年から14年も預金はゼロ金利です）。このため金融部門の粗収益は、［マネーの総量１４６２兆円×貸付と証券の平均金利１・４％≒20兆円］と見ることができます。預金ゼロ金利は、金融機関にとって、お金の仕入れ値がゼロであることも示します。

(2)［法人税収と企業所得］　他方、２０１１年度の２５０万の民間企業からの法人税収は、10・２兆円です（財務省）。法人税（国の税）の実効税率は30％くらいですから、全企業の課税所得は、［10・２兆円÷30％≒30兆円］です。

（注）２０１０年の法人所得の実際の申告合計は、35兆円です（国税庁）。

この法人税収のなかには金融機関が払う法人税も含まれますが、１９９８年以降の不良債権の処理（特殊事情）のため、メガバンクも２０１１年まで税務上の申告利益はゼロでした。経常利益はあっても特別損失で不良債権を償却してきたからです。したがって前記の法人所得約30兆円は、ほぼ全部が、日本の非金融法人２５０万社が上げたものと見なせます。

東証に株式を公開している上場企業は、２２８６社です。この他は、圧倒的に中小企業が多い、雇用数５０００万人では90％が資本金1億円以下の会社（平均雇用は25名）です。日本の全企業のうち、申告利益を計上しているのは30％（75万社）に過ぎません。１７５万社（雇用数推計３５００万人）は、賃金も上げることはできず、継続的に赤字を続けています。ここが、日本の21世紀不況の原因です。

【金融機関の粗収益は、企業の利益の67％もある】

金融機関の、経費を引く前の粗収益は、約20兆円と計算されます。これは非金融法人２５０万社（赤字法人が70％ですが）の申告利益30兆円の67％です。つまり、わが国の、全企業が上げている申告利益の約7割に相当するものが、金融機関の合計粗収益20兆円です。これが低金利による金融システムへの構造的な、所得移転です。

金融機関は、マネーの運用によって粗収益、「貸付や証券の運用金利－預金金利」を生みます。企業は商品を生産し、流通させて利益を生みます。この両者が拮抗《きっこう》しているという事実は、実業の資本の利益と、金融の粗利益がおなじくらいということを示しています。

世帯が預金をしても、第1章で計算したように、ほとんど運用利益（金利）はありません。金融資産を平均水準以上に増やすには、このマネー資本の利回りの、インフレ的な利益に身を寄せる必要があります。

3. 持ち手にとっての金融資産、つまり金融機関にとってマネー・ストックがGDPの3倍と大きくなっていることが生む問題

●GDPの3倍に大きくなった金融資産は、GDPの3倍の負債とおなじ意味

【マネー・ストックの増加は、同額の負債の増加である】

世帯と企業の金融資産であるマネー・ストックの1462兆円（12年8月）は、これとおなじ金額が、借り手の純負債、つまり［国家の純負債＋国内企業の純負債＋ローンを抱える世帯の純負債＋海外部門（主は米国）の純負債］として運用されていることを示します。純負債は、総負債から自分がもつ金融資産を引いたものです。

たとえば、金融の仲介業である銀行は、預金（預金者からの負債）を、貸付金や保有証券として運用します。金融資産が増えることは、別の人の金融負債が増えることとおなじです（重要）。

【GDPの3倍の負債がある現代経済】

2000年代のように、金融資産がGDP（日本は名目で475兆円）の3倍と大きくなると、その国の経済のなかで、金融業の粗収益《あら》が大きくなります。これが、米欧の金融業のCEOが、2000年代に、数十億円の報酬をもらう理由です。なお、ゴールドマン・サックスの社員の、秘書を含む平均報酬も3000万円くらいときわめて高い。国民の金融資産（＝銀行にとっては金融商品）が

増えて、金融業に利益が集中したためです。

ＧＤＰの３倍の金融資産（国民の所有分）があることは日本、米国、欧州に共通しています。事実、デリバティブという新しい金融商品をつくって金融業が発達した英国と米国では、全企業利益の40％は、金融部門の税前利益でした。経費控除前の金融部門の粗収益は、日本と同様、全企業の申告利益に匹敵したでしょう。しかしこれも、２００８年９月からの金融危機と、２０１０年からのＰＩＩＧＳ危機前のことです。なおヘッジ・ファンドや投資銀行（米英に多い）が得る手数料利益は預かり金額の２％ですから、預金金利ゼロの低金利時代では、とても大きなものです（第６章）。

●金融危機とは何か：負債もＧＤＰの３倍だから、金融危機は、どこかで起こって続く

金融危機は、貸付金と有価証券の価値の下落です。

①所得に対して多く借りすぎた人が金利と元本の償還金を払えないため、

②貸付金と有価証券が下がって、

③金融仲介業に、金融危機が起こります（２０１０年からのＰＩＩＧＳもこれです）。

危機が、繰り返して起こる根底の理由は、日本を含む世界の金融資産がＧＤＰ（５０００兆円）の３倍（１京５０００兆円）に増えたためです。面白いことに、日本と同様、世界の金融資産の総額も、世界のＧＤＰの３倍です（今後の経済を予測するとき重要）。

【PIIGS危機の根底の理由は貸しすぎと借りすぎ】

南欧のPIIGS5ヵ国の国債と民間債務の危機も、ギリシャ、ポルトガル、スペイン、イタリア等が、借りすぎたためです。借りすぎたのは、ドイツ、フランス、英国、米国の金融機関が、自国との比較では金利が高いPIIGSの国債や民間の債券を買い、南欧にマネーを供給したからです。借りすぎと貸しすぎの結果責任は、両者にあります。日本の1980年代のバブル期にも、銀行は、担保以上に貸しすぎました。10億円の土地を買うと言えば、現在からは信じられませんが、もうすこしいるでしょうと言って、15億円でも貸していたのです。

このため南欧では、通貨統一以降（2000年から）、所得以上に使うことができ、住宅、土地、株も上がります。他方では、海外からの借金が増え利払いと返済ができなくなった。このためPIIGS債（400兆円）が下落し、PIIGS債をもつ欧州の金融機関の危機になっています。ユーロ17ヵ国内の国債や債券は、おなじユーロであり為替変動のリスクがなかったため、経済が遅れていた南欧に、投資が集まったのです。

この根底を言えば、日本の金融機関とおなじように、米欧の金融資産もGDPの3倍に増えて、金融機関には、運用すべきマネーが「じゃぶじゃぶ」にあったからです。このため、PIIGSは低い金利で国債を発行できたのです。資産バブルの発生と崩壊の、原因と結果はいつもおなじで、す。つまり、マネー・サプライ量の増えすぎです。増えた金融資産は、運用せねばならないからです。

―［米国のマネー、ドルとドル債券］　米国の増え方は少し特殊です。唯一の基軸通貨と認められているため、世界のドル債保有が1760兆円（$22兆：2012年：米国経済白書）にも累積して、海外（日本だけでも500兆円規模の外債、中国、産油国、ドイツ、スイス）のお金が集まったからです。米国の対外負債はPIIGSに似ているといえば、アメリカは怒るでしょうが、事実です。

米国の金融危機を生んだサブプライム・ローンもおなじです。住宅ローンの回収権を証券化したMBS（不動産担保証券：デリバティブ）を、米国・日本・中国および新興国が買ったからです。米国の証券を買う金融資産が、経常収支の黒字国に増えていたということです。

この根底も、世界の金融資産、言い換えればマネー・ストック（＝マネー・サプライ）が、2000年代は世界のGDPの3倍の、1京5000兆円に増えたためです。これには4つの要因があります。

①先進国（10億人）の世界で、団塊世代が、60歳から65歳の退職後を想定し、預金を増やしたこと、
②世界の政府が、（過去は軍事費でしたが）2000年代は福祉費（年金、医療費）の増加を主因に、財政赤字が拡大し続けて国債を発行したこと、
③各国の中央銀行が、国債と証券を買ってマネーを増発したこと、
④経常収支の継続的な赤字国（代表が米国やPIIGS）が国債と通貨を、経常収支の黒字国（中国、日本、ドイツ、スイス、産油国、アジアの新興国）に売ってきたことです。

●Aさんの金融資産は、それとおなじ額が、借りたBさんの負債

【金融資産の表と裏の二面性】

ある人の金融資産の増加は、それを借りる人の負債の増加です。信用貨幣での金融資産は、別の人の負債であるという二面性をもちます。二面性をもたない金融資産は、ゴールドです。金融資産がGDPの3倍（1京5000兆円）あると、政府、企業、世帯の金融負債も1京5000兆円であるということです。世界のGDP（商品生産額＝所得額）は5000兆円です。

［ゴールドや不動産は、将来の人が買う価値］　ゴールドも、1グラム4000円以上と高くても金を買う人がいるという理由で、価値があります。土地も同じです。その面で言えば、ゴールドと土地は、将来の買い手を予想した期待価値です。

その本質は、未来の世代から得るシーニョレッジです。ゴールドは、1990年代末の底値では1グラム1000円を割っていましたから約5倍に高騰しています。その根底の理由は、基軸通貨である、国家の経常収支で赤字を続けるドルの信用の低下です（後述）。報じられないことですが世界の中央銀行（日銀を除く）も、米ドルを準備資産にする代わりに、金をもつことが増えたためです。

【負債が大きくなると、3～5%の金利でも、政府は利払いができない】

世界の金融負債の1京5000兆円に、仮に5%の平均金利がついたとすれば、金利だけで750兆円（世界の合計所得の15%）にも達します。これは、平均的な企業で言えば、1年間の粗利益（仮に100億円）のうち、15%（15億円）もが借金の金利や配当として消えることです。

日本の政府部門で言えば、１０００兆円を超えて1年に40〜50兆円は残高が増える国債と短期借入に対し、５％なら50兆円の利払いが必要になります（現在は金利１％で約10兆円利払い）。ところが国家（中央政府）と、県・市・町・村の地方政府の合計税収は80兆円くらいしかありません。３％の金利（30兆円）でも払うことができないということを意味します。国債の金利は、その国の金利の基礎です。他の負債の金利は、国債より高い。

【最終結果：低金利は、財政が破産しない限りは、続く】

結論を言えば、世界の金融資産の平均利回りは、相当に長いスパンで、今後も３％を超えることはできない。合計負債がＧＤＰの３倍（1京５０００兆円）と大きいため、５％などはとんでもない高い金利（負債者が支払えない金利）になるということです。

つまり、現在の超低金利は、経済がインフレ型の恐慌にならないなら、続かざるを得ません。このため、１０００万円現在預金は、最大でも金利２％で、30年後にも１・８倍の１８００万円になるのが上限でしょう。

日米欧の政府の財政が破産しないとすれば、世界経済は、デフレ型の収縮を長期間続けます。仮に向こう30年に、1年平均で２％物価が上がれば物価も１・８倍ですから、１８００万円に増えた預金の実質価値も１０００万円のままです。むしろ物価は、金利以上に上がるのが普通です。1年３％なら、物価は２・４倍です。30年後の１８００万円になっても、現在の７５０万円分の商品や資産購買力に下がります。［預金の実質価値＝元本金額×（１＋預金の金利率－物価の上昇率）の年数乗」です。

4.世界の総負債は1京5000兆円（GDPの3倍）だから、金融危機は連続する

2000年代に、世界でマネーの増発と信用乗数の増加があったための負債額1京5000兆円は、経済（GDP）に対し、大きすぎます。2000年代は、日本を除く世界が、総マネー量の増加によるバブル経済だったのです。

このため金融資産の実質的な価値が下がる金融危機は、論理的に言っていろんな形をとりつつも、間歇的に続きます。これも確定的なことです。1500兆円の金融資産をもつ日本の世帯にとって、がっかりする事実ですが…日本の1998年の金融危機を生んだバブル崩壊では、土地価格で1200兆円、株で300兆円が失われています。

●潜在損失が大きい

①08年からの米国のサブプライム・ローン危機、②そして1000兆円の住宅ローン債券の下落では、潜在的に500兆円くらいが失われているはずです。住宅価格が半分になっているからです。経済規模（GDP）が、$14兆（1120兆円と日本の2・2倍）の米国とほぼおなじ欧州も、1000兆円の住宅ローンがあるでしょう。欧州の潜在損も、南欧を中心に500兆円はあると推計で

きます。

米欧の住宅ローン関連だけで、１０００兆円の潜在損が、金融機関のバランス・シートに隠れているはずです。これが、米欧の中央銀行が、５００兆円のマネーを刷って、銀行に貸し、国債を買った理由でもあります。事実、米国のＱＥ３では、ＦＲＢが、売買市場が消えているＭＢＳ（不動産ローン証券）を、金額無制限で買うと表明しています（12年9月14日）。なお、米国の住宅ローンでは、担保の住宅を手放せば、ローンの残債を支払う義務からも解放されます（１９３０年代の大恐慌のときつくられた制度）。このため、いったん住宅価格が下がると、売り物件が増え（抵当流れ：フォアクロージャー）、もっと下がる傾向を示します。このため、米欧では住宅価格の下落はそのまま金融機関の損になります。この点、住宅を手放しても残債がどこまでも個人を追う日本とは異なります。ＡＭＥＸの使用額無制限のクレジット・カードでも住宅が買えたのが米国です。

【中国も、実質経済成長率が5％かそれ以下になる】

ＰＩＩＧＳ債の危機では、４００兆円のＰＩＩＧＳ債が、１２０兆円（30％）は下がっています（２０１２年7月）。２０１２年から起こっている中国の不動産価格の崩壊でも、５００兆円くらいの不動産資産が減るでしょう。中国は２０１２年の秋から、不動産価格の下落と、米欧への輸出の増加率の半減で不況に向かいます。一人っ子政策のつけでもあります。中国の人口も、日本に20年遅れ、米国に10年遅れで高齢化に向かっているからです（中国の人口の年齢別統計）。対日暴動に見るように中国の社会は不穏になっています。

【1500兆円の資産価値を失った日本】

日米欧のGDP対比で比較すれば、不動産と株で1500兆円（GDPの3年分）の資産を失っている日本のバブル崩壊の規模は、世界最大でした。このため、その後22年の、経済の低迷と世帯所得の減少が生じています。

（注）資産の下落1500兆円の全部が、不良債権になるのではありません。激しく高騰していた資産を担保にして、1980年代後半に銀行から貸し付けられた分が、ほぼ200兆円の不良債権になっていました。

日本の政府は、①1990年代の10年間で400兆円、②2000年代の12年間で250兆円の、赤字財政による公共投資・公共事業を行って、国民の金融資産を吸収し、信用恐慌と実体経済の恐慌をおさえました。その残高（いわばあとで回ってくるつけ）が、1000兆円を超える国債と政府の短期借入です。

●国の負債に対応する個人の金融資産は、名目額では減っていないが…

わが国で資産バブルの崩壊後、土地と株で1500兆円もの資産の下落がありながらも、5000万世帯の金融資産（1500兆円）が、なぜ減らなかったのか？　一国全体を見るマクロ経済の視点からは、民間経済の不良債権が、政府部門の国債に振り替わったからです。このため、預金がカットされていないということができます。

世界も同様です。米欧は金融危機での金融機関の損失をおぎなうため、FRB（米国中央銀行）とECB（欧州中央銀行）が、ほぼ同時に、合計で500兆円くらいの「マネタイゼーション」、つまり国債や証券を買うことによるマネー印刷を実行して、金融機関に貸し付けています。

このため表面上、大手銀行も政府も破産していません。含み損、潜在損が、銀行会計では計上されず、だれもその実態額を知らず、わからないデリバティブが一役を買って、飛ばされているからです（後述）。このため不良債権が、銀行や他の金融機関にある世界の国民の金融資産（1京5000兆円：名目額）を減らすことにはなっていません。

しかしこの名目の金融資産額が維持されているからこそ、2010年からは、日米欧同時のゼロ金利です。負債者（最大の負債者は政府部門）、銀行、企業が、3％の金利なら、すでに利払いができないからです。

以上が、財政破産がない限り、3％以下の低い長期金利が今後も長く続くと予想できる理由です。

（注）なお、日米欧であっても、政府が財政破産に向かうと、現在のスペインやイタリアのように6〜7％や、もっとひどいギリシャのように30％の高い名目金利（名目金利＝実際の金利＋期待物価上昇率）になっていきます。以上は、いつの時代もおなじ、原理的なことです。マネー量と経済の関係は、古代も現代も、なんら変わらない。

政府の財政破産は、金利が上がって赤字国債の発行ができなくなって、「払えないものは払えない」となることです。国（政府＋企業＋世帯）がつぶれるわけではない。すべてを消した3・11の津波のように怖がる必要はない。

通貨は暴落し、金利が上がるため、資金運用ではチャンスも生まれます。ロシアが、事実上財政破産しているギリシャの公共インフラの資産を買っているのはご存知でしょう。

●世界の政府部門の負債は推計5000兆円：1000兆円の、借り換え債＋新規債を発行

世界の政府が借りた負債は、5000兆円に達します。金額は、世界の世帯の、総預金に相当するものです。日本だけではなく、世界同時に、世帯の預金額に相当するものが政府負債になってしまったのです。借り換え債を含んで、1年に1000兆円が世界の国債発行額（2012年）です。うち日本は、政府負債残が1000兆円、借換債の114兆円に、新規発行が40～50兆円で、合計154～164兆円の新規発行です。日米欧の政府が、PIIGSを除き財政破産していないのは、国債の金利が1～2％と低く、低い金利の借換債も売れているからです。

財政破産では、新発債とともに、年々大きくなる借換債が、市場でどう売れるかが問題になります。世界で言えば、1000兆円の国債発行の20～30％（200～300兆円）は、各国中央銀行による国債買い切り、つまりマネー増発になるでしょう。

市場が引き受けきれないため、放置すれば、金利が高騰するからです。ECBによる南欧債の無制限の買いと、FRBによるMBS（不動産ローン担保証券）のやはり期間無制限での買いの発表がこれです（2012年9月14日）。日銀も近々、国債買いの増加枠を言うはずです。こうしたことが簡単に予測できるのは、世界の1000兆円という1年の国債発行が、30％（300兆円）くらい大きすぎるためです。過去の国債の償還の満期日は、毎月、確実に来ます。償還できないと南欧のようなデフォルトと金利の高騰ですから、中央銀行による買い切り（マネタイゼーション）を続けるしか方法がないのです。

――以上から、将来にわたる結論を、短く想定すると、以下の5項です。

(1)日米欧は、ゼロ金利から金融引き締めに戻り、金利を3～4％以上に上げることは、ほぼ確実にできない。

(2)その間、世界で、大きな金融危機が形を変えて続く。金融機関のマネー運用は、商品生産と流通よりはるかに大きく、グローバル化しているからです。

2011年から、不良債権を多く抱えて飛ばしている欧州の銀行が、アジアへの融資と株の購入から引き揚げつつあります。このため、インド、中国を含むアジア経済は低下したのです。

(3)国債を発行しすぎた政府の財政危機は、2010年からのユーロのPIIGSの後、2013年ころからは、米国と日本に移転する可能性が、否定できない。

(4)世界の総負債（政府5000兆円＋民間1京円）は、まともな金利である3％を払うなら、世界のGDPの2倍（1京円）が限界である。このため、今後10年の長期で言えば、この総負債の実質価値は5000兆円減って、1京円に向かう。

金融負債＝金融資産なので、世界の金融資産1京5000兆円も、実質額で1京円に向かう。日本で言えば、世帯の金融資産1500兆円が、実質額では、数年から10年かけて、66％の1000兆円に向かうという意味でもあります。

(5)今後10年、世界の金融は、中央銀行がマネー増発をした直後は、表面上で収まったように見えながら、3ヵ月後や半年後には再びの株価の下落として繰り返し、最後は、金利の上昇、言い換えれば世界の国債価格の下落として帰結するでしょう。1京5000兆円の負債は、サステナブルではないからです。

【2012年のドルと円とユーロ】

2011年から2012年現在、ドル債は、世界から買われています。日本国債も、買われています。米ドル債は、2010年からユーロが危機におちいった反動として買われて、逆に「唯一の基軸通貨（後述）」として信用が高まっているからです。円、ユーロ、ドルは、2つしかない椅子取りゲームをしているかのようです。

2010年から円が買われている根底の理由（20％の円高の主因）は、日本は、米欧の銀行のようには、デリバティブでの含み損、潜在損が少ないと見られているからです。海外から、消費税を上げることができる余地があると見られていることもあります。

このため円建て国債（短期債）が、2011年から、ユーロ債を売った米英欧のヘッジ・ファンドとアジア（主は中国）によって約20兆円は増加買いされています。中国は、ユーロの下落損を怖れ、円の短期国債をオフショア（香港：第6章）から買っています。なお中国は金も買っていますが、これも香港経由なので、詳細な額は見えません（2012年）。

1％台あるいは0・8％という、金利の意味をなさない超低金利の国債で、日米の政府が資金調達できるからこそ膨らむことができる累積債務から、突如、返済能力の臨界点に達したPIIGSのような下落危機も生じるのです。

本章では和同開珎、小判、中世のベネチアのマネー発行における通貨発行益と対照しながら、現在の中央銀行によるマネー印刷と、日本を含む世界の国債と、経済規模に対して膨らみすぎた金融資産と負債（1京5000兆円）にまで論究しました。金融資産は、別の人の負債と等しいということから、以上が言えるのです。次章は、近代の中央銀行と、マネー・サプライを増やす銀行システムの信用乗数です。マネー量の増加と、インフレや経済成長の関係も述べます。

第3章

中央銀行のマネー発行と、銀行システムによる信用乗数の効果がもたらすもの

1．現金性があるマネーの範囲と経済成長

中央銀行が成立したあとの近代国家では、紙幣の発行は、中央銀行が独占しています。1万円札は80兆円、100ドル紙幣は＄1・1兆です（12年8月）。しかし、マネーはこれだけではない。ここが、ベネチアの時代や江戸時代と異なる点です。

マネーを、「すぐ現金に変わり得るもの」とすれば、預金はもちろん有価証券（株、社債、国債）もマネーの範囲にはいります。紙幣よりはるかにこうした「現金性のマネー」が多い。紙幣とこの現金性のマネーの総体を「マネー・ストック（またはマネー・サプライ）」と呼び、2012年8月での総量は1462兆円です。

100年くらい前の中央銀行の設立のあと、世界は、前章で述べたように1000倍以上のインフレに加えて、実質経済成長を経て現代に至っています。このため、現金性のマネーの総量も、名目金額では数千倍に膨らんできたのです。本章で述べますが、国家が通貨を発行していた前近代より、実は、近代国家で中央銀行が通貨を発行するようになった後のインフレが、はるかに大きい。日銀が最初に発行した1円（明治15年）は、現代の物価では2万円から4万円の価値でした。米国FRB設立（1913年）当時の1ドルは、金との関係では、1200ドルだったのです。

——日本のマネー・ストックの1462兆円は、個人金融資産の約1500兆円とほぼおなじです。個

人金融資産は、個人が持ち主である現金、預金、株、生命保険、投資信託、年金基金などを言います。他方マネー・ストックは、個人と企業の現金、普通預金、定期預金に、譲渡性預金（ＣＤ）、郵貯、農協、信用組合への預金、投資信託、金融債、債券現先、金融機関の国債、政府短期証券、外債等を加えたもので、中央政府と金融機関の預金を除いたものです。両者の金額は似ていますが集計されたものの概念がすこしちがいます。ただし個人の金融資産が増えないと、その国のマネー・ストックも増えないことでは、おなじです。

http://www.boj.or.jp/statistics/money/ms/

現代金融では、いろんな金融機関と、多種の現金性の証券があるため多少ややこしいですが、１４６２兆円のマネー・ストックのうちＭ１（５３４兆円）が、現金と普通預金です。Ｍ２（８１９兆円）は、Ｍ１に日銀、外銀、信用金庫等への預金を加えた者です。Ｍ３（１１２６兆円）は、Ｍ２に定期性の預金とＣＤ（譲渡性預金）を加えたものです。広義の流動性（１４６２兆円）は、Ｍ３に政府と保険会社の預金、投資信託、社債、金融機関がもつ国債、外債を加えた、もっとも広い範囲のマネー・ストックです。数値はいずれも２０１２年８月末時点です。

実体経済との関係で、肝心なことを言えば、総量のマネー・ストックが１年に３％以上、預金のＭ３は５％以上増えないと、名目経済成長が低くなります。ところが、１９９８年の金融危機以降、わが国ではマネー・ストック（１４６２兆円）の増加はわずか０・１％程度であり、現金に近いＭ３（１１２６兆円）も１年に２％程度しか増えていません。日銀が、マネタリー・ベースの供給額を増やしても、マネー・ストックが増えない事態は、２０００年代の経済が低成長であるお金の面での主因です。マネー・ストックが３％から５％、Ｍ３では５％から７％は増えないと、名目ＧＤＰは増加しません。

データの参照：http://www.boj.or.jp/statistics/money/ms/ms1207.pdf

【中央銀行が、直接に増減させることができるのは、マネタリー・ベース１１７兆円】

中央銀行が発行する紙幣と、金融機関が日銀に預けた当座預金を、マネタリー・ベース、またはハイパワード・マネーと呼んでいます。金額は１１７兆円です（12年8月）。マネタリー・ベースがもとになって、銀行システムの中の、信用乗数の効果により、国全体の１４６２兆円のマネー・ストックになっています。

「マネーはじゃぶじゃぶに供給されている」と言われるのは、中央銀行が、銀行から国債などの債券を買い取って、紙幣と日銀当座預金、つまりマネタリー・ベースを増やすことです。１９９８年の金融危機のあと、日銀が、国債を買い切ってマネタリー・ベースを増やしても、それが銀行から企業への貸付金になって、再び預金になる乗数効果が働いていないため、マネー・ストックが増えていません。マネー・ストックが増えないと、経済（商取引）は活発化しません。

中央銀行が、その量を管理しているマネタリー・ベースが、どんな仕組みで10倍以上のマネー・ストックになるのか？　銀行システムによる信用乗数が働きます。以下で、ここを見ます。

【信用乗数】

紙幣と日銀当座預金は、金利ゼロです。銀行の収益はありません。預かった預金には金利を払わねばならない。このため銀行は、中央銀行から供給されたマネタリー・ベースと企業や世帯の預金を、貸し付けるか債券を買うという運用をします。これが銀行の業務です。

銀行システムのなかでは、A銀行が、A銀行が貸したたとえばB企業に貸しつけたお金は、B企業のB銀行内または別のC銀行の預金になります。A銀行が貸した100億円は、銀行システムのなかでは別の銀行の預金になるため、自行からは出ても、銀行システムのなかからは流出しません。こうして、中央銀行が最初に供給したマネタリー・ベースは、「預金→貸付→預金」の連鎖から10倍以上のマネー・ストックの総量になっていきます。

マネー・ストック1462兆円を、日銀が供給したマネタリー・ベース117兆円で割った12・5倍が、現在の信用乗数です（12年8月）。日銀が供給したマネーが銀行システムのなかで12・5倍に膨らんでいますが、日本の金融危機以降の14年はこの信用乗数が増えてはいないのです。

信用乗数は、経済活動が活発なとき（GDPが増えているとき）は、15倍や20倍にも増えます。経済活動とは商品や資産の売買であり、代金として現金が必要だからです。経済活動が停滞すると、マネー・ストックも増えなくなります。繰り返せば、マネー・ストックは、世帯と企業が、使えるものとしてもつ現金性の資産と理解してください。

●経済活動（商品と資産の売買）とマネー・ストックの関係

18世紀までと異なるのは、19世紀から発達した銀行システムです。銀行間の連鎖によるマネー・ストック額の増加です。マネーの創造は、最初は中央銀行が行いますが、その10倍以上のマネーが、民間銀行システムのなかで増えるのです。

(1)好況、インフレ、または資産が高騰するバブルのときには、銀行システム内の信用乗数が高まるため、中央銀行がマネーを増やさなくても、民間の期待的な相互信用の高まりによって、マネー・ストックが増えます。

(2)不況やデフレ、または信用恐慌の時期には、マネー発行を中央銀行が増やしても、企業の借入と投資は増えません。このためマネー・ストックは増えないか（2000年代は増加で0〜2％未満：日本）、減少します。

これが減少すると、GDPの取引量（消費＋投資）が減ってデフレ・不況・恐慌という経済の悲惨（商取引の減少）が引き起こされます。デフレでは、わが国の14年のように国民の平均所得も減ります。この14年で名目賃金や収入が上がった人は国民の20％だけでしょう。

働いて賃金を得るのも、労働という商品をマネーと交換する商取引です。企業側からは労働の購入という商行為です。金融面の恐慌（信用恐慌）は、大きな不良債権が生じることによって、預金が引き出され、銀行間の信用も低下し、銀行システムの信用乗数が低下することです。2012年現在、南欧の銀行がこれです。銀行を信用しなくなった富裕者は預金の引き出しをし、そのマネーはドイツやスイスに逃げています。

【流動性の罠《わな》と言われること：日本経済の問題が、08年からは米欧の共通問題になった】

日本は、1998年の金融危機のあと、
①銀行が抱えた不良債権（公称100兆円＝顕在分：推計200兆円＝潜在分）と同時に、
②人々が予想する名目GDP（実質GDP＋期待インフレ率）の、期待成長率が低下しています。
2つを主因に、日銀がマネーを増やす量的緩和をしても、銀行による貸付金は増えず（日銀当座預金やタンス預金として滞留し）、マネー・ストックの増加では、ゼロ台の経済におちいっています。
預金金利がほぼゼロで貸出金利が1・5％と低くても、個人がお金を使う消費と、企業の投資が増えないため、「流動性の罠」（クルーグマン）と言っています。

08年の金融危機以降の米国、PIIGS危機以降の欧州も、98年以降の日本を追い、現金と金利の低い預金が滞留する流動性の罠におちいっています。お金が現金や預金のまま、あるいは国債になって滞留し、有効需要（世帯の消費と企業の投資）が増加しないことです。つまり、名目経済成長は、2％台以下と低い。

米欧では、08年以降、FRBとECBが500兆円もの「量的緩和（非伝統的な金融策）」をして金融機関に現金を貸しつけました。それでも、銀行の潜在不良債権のため、マネー・ストックが、日本のように増えなくなったのです。なお、米欧日を含む世界のマネー・ストックの総量は、1京5000兆円（日本の10倍）です。

金融資産が、世帯の消費の増加と、企業の投資の増加に使われない状況です。一方で、政府部門は、政府消費（97兆円）と公共投資（23兆円）で、税収（約80兆円）を40兆円上回る120兆円を1年

間で使う財政赤字ですが、これでは経済成長は望めません（12年3月期：内閣府：名目ＧＤＰ統計：政府部門は、中央＋地方＋独立行政法人）。

●新しいリスク・マネーがデリバティブだが、公的な集計からは漏れている

マネー・ストック統計からは漏れているデリバティブ（ＯＴＣ：銀行間）は、21世紀につくられた新しい信用マネーと見る必要があります。激しい勢いで売買されているデリバティブは21世紀と今後の金融では、マネー・ストックより大きな役割を果たしています。

経済学と金融論は、新しいマネーの構造と機能、損益の意味、そして行く末の、実体経済との関係についての見解を、つくり得てはいません。金融学と会計学が、21世紀の実態に追いついていないのです。米国は、２０００年代のデリバティブと、後述するデリバティブを使ったシャドー・バンキング（第6章：推計４８００兆円）の急増で、マネー・ストックの統計が無意味になったとして公表をやめてしまいました。

フリードマンは、シカゴの経済学部の玄関に「経済学、それは統計だ」と記しています。しかし、政府や中央銀行はデリバティブについては、時価評価の統計をしていません。

各国中央銀行の上に立つ権限をもつＢＩＳ（国際決済銀行）のみが、そっけなく世界のデリバティブの全体集計をしています。デリバティブの集計と時価評価ができていないことが、08年の米国金融危機、10年からのＰＩＩＧＳ危機の原因でもあるのです。

――以上の理由は、デリバティブをマネーとしてどう位置づけるかわからないとしているからです。世

界の銀行資産の半分（５０００兆円）はあるというタックス・ヘイブン（無税法域：世界で60ヵ所）から行われている巨大なシャドー・バンキングには、公的な統計数値がいまだにない。ところが実体の金融経済は、先物取引、オプション、スワップ、複合証券で主導されて動いています。

株価や国債で、オフショアからの先物取引、オプションでの売買、保証保険のＣＤＳを除外し、現物取引に限定すれば、株価や国債価格そして金利の意味すらが、わからなくなります。本書ではＢＩＳの数値をもとに、この内容、証券の構造、行く末をまでを第６章で論述します。

【原資産６４７兆ドル：５京２０００兆円】

デリバティブでは、原資産となる金融資産が＄６４７兆（５京２０００兆円：11年12月：ＢＩＳ）と巨大であり、世界の全金融資産（1京５０００兆円）の約３倍です。08年の米国金融危機も、デリバティブであるＭＢＳ（不動産ローンの元本と金利の回収権を証券にしたもの）からでした。ＰＩＩＧＳ危機も、国債にかかった回収保険（ＣＤＳ）の高騰からです。

このデリバティブは、銀行と証券会社およびヘッジ・ファンドの簿外資産・簿外負債とされ、債権が混合されて先物取引もからんで複雑なものが多く、どの金融機関が、どれくらいのリスクにさらされているか不明のままです。

21世紀の信用恐慌は、デリバティブ（リスク・マネー、保険マネー）の、金融機関間の相互取引によって生じたものです。住宅ローン証券にかかったＣＤＳの高騰がこれです。確定的に言えば、清算されていない潜在損が推計ですが１０００兆円であるため、危機を今後も繰り返します。ＰＩＩＧ

S危機の現在も、今後も、です。この推計は、本来は、各国政府と中央銀行が行うべきものです。

【重要：デリバティブには、証券作成上に原理的な誤りがある】

デリバティブは金融資産のリスクを理論的に計算して新たな証券（金融派生商品）をつくり、それを売ることから、1970年代にはじまっています。しかし、金融資産（たとえば株価）の価格が上下したリスク率（ボラティリティ）は、過去のものでしかない。40年や70年に一回という地震の確率が、過去のデータでしかないのとおなじです。

経済の未来も、過去とおなじではない。自然科学と違い、経済の条件は変化します。このため、デリバティブの価格は大きく変化して、巨大な損と利益を生みます。これが、サブプライム・ローン危機のような危機を、突然に引き起こしたのです。

人類は、常に条件が変わってゆく経済事象では、未来の確率をもつことは絶対にできない。過去のリスク確率と、将来の期待金利で、割り引いたものがデリバティブです。ここに、デリバティブ証券の本質的な誤りがあります。

条件が異なる過去のリスク率を、未来に延長するデリバティブの証券づくりの方法を、正しいと考えている人も多い。本書を書く目的のひとつが、「デリバティブは原理的に誤った証券」と示し、世界から消滅させることです。10年くらいをかけて、段階的にしかできませんが…（第6章）。

以上が、マネタリー・ベース、マネー・ストック、そしてデリバティブです。

以降では、①通貨発行益が生まれるマネー発行から、②「預金→貸付（債券）→預金」の信用の無限連鎖によって高まり、③準備率の上昇と不良債権の増加によって減る信用乗数までを見ます。「信用マネーの本質」を見る過程で、時事経済と金融の関連も考えます。

①マネー・ストック量の増減と経済成長や不況、
②証券や債券の価格が暴落して、信用乗数が低下し、マネー量が減る信用恐慌、
③信用恐慌から生まれる、20％以上の失業者があふれる実体経済の恐慌、
④デフレとインフレの原理という人々を動かす経済問題は、
いずれも、マネー量の変化と期待成長率の変化から明らかになるはずです。

2. 中央銀行という紙幣の発行システムのはじまり

●フランス王立銀行の物語：政府紙幣の発行

金細工師の卓越した工夫（金準備制度）を引きつぎ、民間銀行が金を準備して金証券を発行していた時代（金による重商主義の時代）は、政府の財政資金を捻出する目的の、中央銀行による紙幣発行に向かいます。これが、金準備に依存しない信用通貨です。

【ジョン・ローの天才】

最初は、金細工師の子息で、フランス宮廷にギャンブラーとして出入りしていたジョン・ロー（1671～1729）が、ルイ15世の摂政、オルレアン公フィリップに進言したフランス王立銀行で

した。18世紀のフランス革命前のことです（ラース・トゥヴェーデ：『信用恐慌の謎』1998年）。ローは金細工師だった父を見ていたことから、「経済を発展させるには、ペーパー・マネーの発行が欠かせない」という卓抜した経済思想を抱いていました。「マネーは財貨（商品と資産）と交換される価値を、それ自体がもつのではない。交換を媒介するだけである」と見抜いていました。ニセの金証券も、それと知られなければ流通したからです。

　紙幣は、紙とインクと記号に金のような価値はない。商品や資産の交換のとき「媒介」となる価値（交換の価値）だけです。「商品、資産、労働と交換される」という信用があるものなら、物質は何であってもいいことになります。つまり人々の観念上のものである信用がカギです。

商取引における信用の本質を見抜いていたジョン・ローは、詐欺師とされた結末から、経済学から無視されることが多い。しかしジョン・ローが詐欺師なら、時折のハイパー・インフレで通貨を無価値にしてきた中央銀行と政府も詐欺師です。1万円札や100ドル紙幣それ自体には、人々が寄せる観念的な期待信用しかない。物質としては無価値だからです。

　いつの時代も、侵略した軍隊は、最初に宮殿や中央銀行などの金庫に行き、ゴールドを探します。2003年のイラク戦争のときの米軍、日本の無条件降伏のときの占領軍（GHQ）がこれでした。紙幣の山や国債があっても、決して持ち去らない。兵士全員が、それらは国家という共同体の外では価値のないものとわかっているからです。

　南太平洋のヤップ島では、20世紀初頭も、円形の大きな石灰岩が金融資産になるマネーでした（フリードマン：『貨幣の悪戯《いたずら》』：1993年）。日本人にとっては、石灰岩は無価値です。しかしマネーは共同体のなかで信用されるなら、古代中国の貝、金細工師の証券、和同開珎でもいい。タバコやブランデー（18世紀の米国）でもいい。

その点で、中央銀行が、国家の信用の裏付けとしながら発行する紙幣は、物品貨幣より保管も使用も、はるかに便利なものでした。金細工師の子息だったローは金証券の経験から、当時はだれも知らない信用貨幣の論理を知り、オルレアン公から信用を得てフランスで実行したのです。現代でも、このマネーの本質（信用の媒介）を知る人は少ないと感じています。言葉は、事物や考えをあらわします。言葉自体は、頭脳のなかの観念であり、事物ではない。マネーと商品の関係は、言葉と事物の関係とおなじです。

太陽王とも言われる権勢（民への強制力）を誇った、ルイ14世の後の政府財政（金貨の時代）は、
・税収による歳入が1億4500万リーブル、
・国債の利払い前の歳出が1億2000万リーブルでした。
ルイ14世の財源だった国債残が30億リーブル（現在価値で90兆円）であり、フランスの税収の20年分でした。国債の金利を4％とすると支払利息が1億2000万リーブル（国家の税収の83％）に達します。払えるわけがなかった。（注）経済数値は前掲の『信用恐慌の謎』によるものです。

【政府は破産しないという論の根拠】

国家は課税権をもつから、破産しないという論を展開する人たちもいます。しかし増税は貴族、商人、国民の反発や反乱をまねいたので、王制の時代でも容易ではなかった。過酷な税やインフレ

は、王制がこわれる革命の原因になるからです。ルイ王朝は、増税ができなかったのです。

現代の民主制では、国民の反発をまねく増税の立法が容易ではないのは周知でしょう。議員は、選挙がこわいからです。しかし官僚には選挙はない。解雇されない身分保証もある。増税すれば自分たちの報酬や権益が拡大できます。このため、日本の財務省のように抜きがたく増税への志向をもちます。


日本政府の国債と短期債務は、1000兆円を超え、毎年40～50兆円増えて、国家の税収は40兆円ですから税収の25年分です。ルイ15世の時代（1715～1774）に似ています。しかし金融機関が、低い利率の国債を続けて買い、日銀も買っているため、金利が1％以下（長期金利で0・8％程度：12年7月）と低く、利払いが1年に10兆円以下ですんでいるため、1000兆円規模の負債でも迫りくる国家破産をまぬがれています。

【政府紙幣の発行】

破産していたフランス財政を引きついだのは、幼いルイ15世の摂政だったオルレアン公フィリップでした。どんな対策があるか？　普通は大増税か、金貨の改鋳（悪貨の製造）でしょう。改鋳でインフレが起こると、国債と借金の負担は、物価の上昇分、下がります。50％のインフレなら、30億リーブルという名目金額はおなじでも、国債の実質価値は15億リーブルに減るからです。

インフレは所得と金融資産の価値を減らし、負債の実質価値も、同じ額減らします。しかし金貨の改鋳は、だれでもわかるので、古来、悪政とされていました。王制を倒す革命も引き起こす悪政

は、さけねばならない。

1716年、ジョン・ローの名前をつけた銀行がフランス政府の後ろ盾でつくられます。そして、ロー銀行が発行する新しい紙幣を流通させるため、税金はロー銀行の紙幣で支払わねばならないという勅令《ちょくれい》（王の命令）を出します。人々は硬貨や金貨をロー銀行で新紙幣と換えて、その政府紙幣で税を払わねばならないということです。

ロー銀行は、資本金を600万リーブルとしました。国民が出資証券を買うには、25%を金貨で、75%をフランス国債で買うという条件です。金貨を回収しながら、同時に、国債も国家が吸収するためです。インフレ率を引いた出資証券の実効利回り（新しく発行した紙幣で支払う）は18%と高くします。人々が、最初、だれも見たことがない紙幣を信用しない恐れがあったため、配当を高くしたのです。紙幣は国債とちがい、金利がつきません。

【国債を紙幣に振り換える目的】

ジョン・ローは、30億リーブルの国債を、金利がつかない紙幣に換《か》えてしまうため、財務大臣のように頭を働かせます。国債がある限り、政府はいつまでも利払いに困ります。王立銀行が発行する紙幣は利払いの必要がない。つまりローは、紙幣の発行は増税とは知られない増税という提案をしました。

オルレアン公が、政府紙幣による課税の原理を知っていたか不明です。結末を見ると本当のことは知らなかったと思えます。フランス国民のうち、ローひとりが政府紙幣の意味を知っていました。

（注）［90兆円］30億リーブルは、現在価値でいくらか？　1リーブルはルイ金貨で6・5～8・2グラムです。現在時価では、2万7000円から3万円です。3万円とすると、30億リーブルは90兆円です。90兆円の国債を買い取り、90兆円の紙幣に換える大プロジェクトでした。

【フランス政府がニセ会社をつくった】

国債回収のプロジェクトを補強するため、1717年のはじめ、ジョン・ローは、新大陸であったアメリカとの貿易の独占権を収益にすると言い「ミシシッピ会社」をつくりました。株を国民に売り、国債を回収するためです。その後「ミシシッピ会社」をフランスの植民地貿易の全利権を得るものにして、「インド会社」と名付けます。配当は40％と高くします。印刷できる政府紙幣で払えばいいからです。

インド会社の株は、国民の間にブームを生み、株価は10倍に上がります。1990年当時の、民営化されたＮＴＴ株の高騰に似ています。国民が株を買ったマネー（国民の金貨）は、ＩＰＯ（株式公開の利益）として政府にはいります。

【フランス経済は好況になった】

ロー銀行による政府紙幣の発行によって不動産も上がり、政府紙幣によってマネーが増えた実体経済は、インフレ含みでブームを起こします。４年間で、絶望の淵にあった経済が蘇《よみがえ》ったのです。それとともに、ジョン・ローは、社交界と国民の英雄になったのです。政府紙幣で払った株の利回りは、平均で20％と高く、人々は紙幣が増えて豊かになったように幻想したからです。

国民も政府も幸福な3年でした。増税はなく、国家財政も破産せず、ただ一点の通貨政策、「政府紙幣の発行」でフランス経済が成長したからです。信用通貨をつくったジョン・ローは経済学では封印されていますが、ケインズの『雇用、利子、貨幣の一般理論』の冒頭部に1行、ジョン・ローとジンギスカンの蒙古《もうこ》による政府紙幣への言及があります。『貨幣論』を書き、信用通貨（紙幣）を提案したケインズは知っていたのです。

国債が過剰な日本国に対し、ジョン・ローをまねた「政府紙幣」をすすめる人もいます。米国の学者ではスティグリッツ（ノーベル経済学賞受賞者：情報の非対称を論証）です。日本人の学者と、元財務省官僚の名前は、言いますまい。政府紙幣は、中央銀行の紙幣とおなじように、金ではなく国家信用を背景にするため「信用貨幣」に属します。ただし政府紙幣は、出自《しゅつじ》の筋が悪い。

【国債の回収は、ほぼ完了した】

ローは配当の支払いとして、どんどん輪転機を回します。3年後には、金貨の流通を禁止しました（1720年）。通貨の全部を政府紙幣にするためです。政府紙幣は26億リーブル（時価で78兆円）に増え、往時の国債残（30億リーブル：90兆円）に迫りました。この金額は日本政府が、国債を回収して500兆円の政府紙幣を発行するのとおなじです。あふれた政府紙幣でフランス経済がどうなったか、容易に想像できるでしょう。紙幣の信用崩壊と恐慌です。

【4年後に信用の崩壊が起こった】

インド会社はパリの失業者を雇用し、金を掘る労務者としてアメリカに送っていました。ところが、半分の人は、乗船前に支給された衣服と道具とともに、解放されていたのです。金鉱山がウソであることが、パリ市民に知られます。フランス経済とジョン・ローの高揚の極点で、株と紙幣の、信用崩壊のときが来たのです。信用の崩壊は、いつもだれも予測しないとき、突然です。

ある日、貴族が馬車に政府紙幣を積んで、王立銀行に硬貨（金属貨幣）との交換を求めます。幸い交換ができましたが、見ていたパリ市民の間に、「皆が紙幣をもって行けばどうなるか」という疑念が生まれます。結局、金との交換を求められた金細工師の破産とおなじことが起こります。ジャーナリズムのない時代は、噂の伝播《でんぱ》が、実に速かったのです。現代では、イスラム革命も起こしたツイッターやフェイスブックでしょう。

信用は人々の相互作用でつくられますが、人々の間で不信にも転じます。信用が高いと、不信も奈落《ならく》です。人が信用するから自分も信用するという循環構造が、紙幣の信用の根源です。

事件の3ヵ月後には、金融資産を失う不安にかられた人々が、紙幣と硬貨（銅貨、銀貨、金貨）との交換を求めはじめます。1720年の10月には、収益がなかったインド会社の配当特権は、剥奪せざるを得ませんでした。政府企業のあやしい配当だった26億リーブルの政府紙幣は、フランス国民に無価値だったと見なされ、信用恐慌が起こります。紙幣では、商店が商品を売らなかったということです。

西欧ではじめて、政府紙幣という信用貨幣を発明したと言えるジョン・ローは、フランスから脱走します。1729年、58歳のとき、幻想の海の都ベネチアで、国民の金融資産を無にした詐欺師とされて亡くなっています。ロー銀行から4年でした。末路は、ホームレスでした。

以上が、政府紙幣の、短縮した物語です。

以来、フランス国民は、政府紙幣を連想させる「銀行」という言葉を信用せず、自宅にゴールドを退蔵する習慣ができます。ロー銀行（1718年からはフランス王立銀行）が発行した紙幣が無価値になったからです。現在のフランスの銀行は、ソシエテ・ジェネラル、クレディ、アグリコル、BNPパリバのようにバンクという名称をはずしています。政府とは無関係ということを示すためでしょう。

民間より政府、「私より公」を重要視するのは、儒教の伝統がある東洋です。個人の概念が強いイタリアやフランスではそうではない。16世紀のルネサンスを経て、個人という概念を確立した西欧は、王制をくつがえしたフランス革命（1789〜99）を経て、19世紀には啓蒙思想の自由・平等・博

愛の理念とともに、民主制に向かいます。

自由は、王制の社会階級ではなく、個人がマネーをもてば自分で選択できるという意味のものです。平等は、人の自然権（生きる権利）には社会階級つまり身分がなく、仕事と事業は利益額で計るという意味でしょう。博愛は、累進課税で富裕者の所得を国民に分配する福祉です。この時期から、個と会社による資本主義が確立したのです。

伝統的に、個人より公を重視する日本は、会社でも集団主義です。サッカーや野球でチームを重んじるのはこうしたことから来ているように思えます。われわれの集団的な判断や行動は、源を意識しない思想（何を重んじるかという価値観）から来ています。文明は、ハードウエアです。文化は、人々の観念のなかの共有ソフトウエアです。

現代中国を言えば、富裕者や高官には、主席の交代をめぐって北京閥《ばつ》と上海閥が抗争している共産党政府を信用していない向きも多い。王朝の交替のとき、殺戮《さつりく》を繰り返したことが、複雑な人格をつくっています。こうしたこともあって、政府の外貨準備（$3・3兆：264兆円と世界最大）のうち$1250億（10兆円）が、1万6000人の官僚等によってアメリカやスイスのプライベート・バンクに持ち出されているという。中国のGDPの3%（約12兆円）は、個人的な賄賂《わいろ》だとも言われます。仲間内資本主義（クローニー資本主義）です。現代中国でも、古代・中世の部族から続き、経済と政治権力の閥につながる「邦《バン》」が至高の絆でしょう。中国の共産党独裁の政体は、その統治機構内でも不安定です（数値はニューズ・ウィーク誌：2012年8月8日号）。

3.日銀の設立と紙幣の発行

1868年3月（明治元年）、天皇政復古の宣言とともに、明治の維新政府がつくられます。西欧と米国は18世紀から19世紀の産業革命を経ていました。明治政府は、他のアジアのように植民地にならないため、西欧をまねた近代化をめざし「富国強兵」を政策とします。

【なぜ明治が維新だったか】

徳川幕府のままでは植民地にされるという危惧をいだいていたのが、アヘン戦争（1840～42）による略奪と中国の悲惨を知っていた坂本龍馬です。武士階級の多くは260年続いた幕府以外の「国家」を想定できませんでした。大名の藩はあっても日本国家という概念はなかった。幕府も最大の領地と軍備をもつ豪族でした。龍馬が走り書きした船中八策（1867年：幕末の慶応3年）は、新しい明治国家の骨格を示すものでした。近代国家が、政府の信用通貨とともに誕生することがわかるので、八策のその後の展開を記します。龍馬の慧眼《けいがん》を示すものです。

1. 版籍奉還は、武士階級（藩の公務員）の身分制の廃止です。
2. 廃藩置県は、藩主から知事への統治機構の変更です。
3. 新貨条令は、最初の貨幣法であり、小判と旧通貨（各藩の藩札）を廃止し、円という新しい単位を決めています（1871年：明治4年）。国家の造幣局もつくられました。最初の信用通貨（政府紙幣）は、日銀の発行ではなく、政府紙幣である太政官札でした。太政官は当時の首相です。これが、政府財政の改革につながります。

4番目は開国（鹿鳴館がシンボル）、5番目は教育（帝国大学）、6番目が、鉄道や鉱山と郵便の殖産興業、7番目が議会制度（国会）、8番目が帝国憲法でした。憲法と通貨以外は、若干の変更は経ても、現代日本にも引きつがれたものです。戦後は、古代や中世までは教えても、米国の占領軍への遠慮から、近代以降の歴史教育がほぼ消えているので、知らない人が多いようです。現代史も、学者の間以外にはほとんどない。

明治初期には、徳川末期に増発された多種の貨幣と藩札が、混在していました。前述したように米が4～8倍に上がるくらいインフレ率も高かった。1877年の西南戦争では、明治政府の太政官札（政府紙幣）も増発され、インフレを高めたからです。西郷隆盛も、敗れた西南戦争の戦費として西郷札を発行していました。このため金貨と米はどんどん高騰しています。

古来マネーが増発されたとき高騰するのが金です。金は、産出量が少なく普遍的な価値をもつと信じる人が多いからです。信じるのは論理からではない。だれも見たことがない「神」の形而上《けいじじょう》学的な存在が、実証科学からではなく信仰（信じること）からのものであることとおなじです。金も生産量が多ければ、銅のような普通の金属になります。人間には、疑いと、その逆の、信じる能力があります。例えば神の存在を信じるとは、実証科学に依存しない人々の観念でしょう。1万円札が商取引を媒介できるという価値も、人々の紙幣への信用から生じます。

【日銀の設立】

その後１８８２年（明治15年）になって、三井銀行の為替部をもとに、政府と民間銀行の出資で日本銀行（資本金1億円）がつくられます。当初は、準備した銀の３倍の金額までを発行する銀兌換《だかん》紙幣でした。ここで円が発行されたのです（紙幣の種類は1円～最高２００円）。徳川幕府の１両を引き継いでいた明治初期の１円は現在価値では、商品価格と賃金水準の関係があるのでむずかしいのですが、概略で言えば２万円～４万円くらいです。インフレ率では、明治維新から戦前が10倍、敗戦後が３００倍、戦後65年が10倍でしょう。

１８８４年（明治17年）に、総額１０００万円（２０００～４００億円）が発行されています。５年後には５０７０万円に増えています（『日本銀行１００年史』）。銀貨や金貨（正貨）の準備率は、ほぼ60％と高いものでした。

大名の領地を国家がとりあげる廃藩置県はしても、税制が整っていなかった維新政府は、銀に紙幣の信用を求めたのです。銀行と言うのは、明治初期、銀本位だったからです。余談ですが、世界の銀行の建物が立派で豪華なのは、外形で信用を得るためです。準備率のマネーしかないからです。

【日清戦争の賠償金で、金準備制へ】

1897年（明治30年）には、日清戦争によって中国から賠償として得た金をもとに、国際的に通用する金本位に変更されています。侵略戦争で賠償金を得たのですから野蛮です。これが、金とともにあった、掠奪の帝国主義でした。

日銀の記録には「多年の希望たる金貨本位を採用せんとする」とあります。東洋で増産がされた銀が、国際市場で暴落していたからです。前述（第1章）のように金0・75グラムが、1円とされました。現在時価で0・75グラムが3200円くらいです。第二次世界大戦をはさんで、金との関係での円は、3200分の1に価値を下げています。

なお明治政府は日露戦争（1904〜1905）の戦費として、当時の22億円（GDPの80％）もの国債を、ロンドンで発行し、売っています。日本はこの国債をデフォルトはさせず、返済しました。この戦費の件は、なぜか、日本史から消えています。

［長期の物価］　他の商品物価（たとえば米）や資産も、明治30年の3000倍から7000倍には上がっていると見ていいでしょう。フランス王立銀行のように、第二次世界大戦のときの戦時国債（当時のGDPの約2倍）の償還金（銭を廃止して100倍の円）によって、65年前の敗戦後（1946〜47年）には、300倍から400倍のハイパー・インフレを引き起こしたのは周知でしょう。300分の1は、300円が1円（0・3％）の価値に下がった無価値化とおなじですが…。銭という単位

――が消えたのはこのためです。日銀は銭を消して円という単位を残したのです。

【第二次世界大戦後のハイパー・インフレ】

終戦の１９４５年、預金の残高は１９５４億円で、日銀の銀行券発行は４２３億円であり、マネー・サプライ（国のお金の総量）の合計は、２３７７億円でした。他方、国債の発行残は１１７５億円であり、マネー・サプライのうち49％を食っていたことがわかります。

戦争末期の実質ＧＤＰ（１９４４年）は、現在の６４００分の１の７４５億円です（人口は７０００万人：戦後に５７００万人が増えます）。ＧＤＰの１・６倍の国債でした。これもあまり知られていないので、数値は『日本銀行１００年史』（日銀）からとって要点を短く示します。

インフレの原因は、①戦時国債の償還金と、②戦地から帰った７２０万人の復員軍人に対する退職金（６３２億円）です。敗戦の１９４５年（昭和20年）には、日本銀行券の発行は、１８３億円（１月）から５６６億円（同年12月）へと３倍に急増しています。国債の発行額の75％を日銀が買って、国債の買い受けより大きかった政府への短期貸付もしています。つまり日本銀行券の３倍の増発です。

（注）現在の状況、つまり最後は日銀が国債を買い受けるという信用で、０・７％や０・８％という超低金利の日本国債が、金融機関に買われて保有されていることは、この時期に似ています。

【円の大増発、生産力の破壊が重なった】

空襲で工場や店舗は破壊され、生産力は減少していました。商品の生産の減少が日銀による円の大増発と重なって、物価は戦後のたった2年で、戦前の300～400倍に上がっています。これが、日本国民が、古代からの歴史上はじめて経験した2年間のハイパー・インフレです。

原因は、無限に円を発行できる日銀があって国債を買ったからです。日銀が国債を買い切りすることは、通貨の量を増やすため、「マネタイゼーション」（既述）と言います。国債につながる政府紙幣より、日銀券のほうが信用されたのでしょう。しかし両方はおなじものです。

【インフレの後はデフレ政策】

このインフレは、占領軍が要求したドッジ・ライン（1949年からの金融引き締め策と政府財政の均衡策）によってデフレと大不況になり、収束に向かいました（ドッジ不況：1950年：昭和25年）。ドッジは、アジア通貨危機（1997年）の後の、アジアに対するＩＭＦ（各国政府が拠出する国際通貨基金）のような役割を果たしています。1950年の株価の日経平均は85円の安値に下がり、現在（8000～9000円）の1000分の1でした。この時期に株を買っていた人は、現在の8000円水準という安値でも、100倍の資産をつくっています。

【株式は擬制資本であり、株もマネー創造をする】

資本主義の本質を、その負債構造（擬制《ぎせい》資本ともいう）と所有権にあらわしている株価は、数十年の長期で言えば、ＧＤＰの成長の約2倍、地価の約2倍の高騰をするからです。銀行預金では、年利３％として、60年の複利でも５・９倍です。１００万円が５９０万円です。

しかし株では、日経平均で１９５０年の85円の底値で買っていれば、バブル崩壊で５分の１に下がったにせよ、現在価値では１００倍の１億円になっています。不動産もほぼおなじです。こうしたものが、現在の超富裕者の資産です。機会があってお会いしたセブン＆アイの創業者伊藤雅俊氏は、「なんだかわからないが、使い切れないくらいお金ができた」と言う。あるオーナー経営者も言っていました。「仕事で儲けたお金はたいしたことがなかった。資産になったのは、まるで努力しなかった、土地の値上がりだけです」。これが、資本主義です。

【会社の株の本質】

聞き慣れない擬制資本論は、株式市場で生まれる株価の上昇による利益（発行価格－購入価格）が、発行した会社のものではなく、会社とは別の主体の株主に属することを展開する考えを言います。

創業者利益になるＩＰＯ（株式公開）は、擬制資本を市場から得る行為です。擬制資本の額は、「株価の時価総額（日本では２５０兆円程度：12年8月）－額面価格」です。株券は、会社の資本と利益の所有権ですが、会社の資産の所有権ではありません。会社の資産（たとえば在庫と設備）は会社が所有権をもつものであり、株主のものではありません。デパートの株主が、店頭のロレックスやエルメスをだまって持ち帰れば、店員さんが警察に連絡するでしょう。資産は株主のものではないため、窃盗になるからです。

株では、買ったままあるいは持ったままの人が、短期では売買せず、持っていることすら忘れ、企業成長があったものが後の巨大資産です。今後もこうしたことは起こります（事例、時価総額40兆円のアップル）。市場で短期での売買を続け、10年間儲け続けたという人は、日本で株を売買する700万人のうち何人でしょう。限りなくゼロに近いと思えます。証券会社も、株の自己売買では、結局は損をするため、利益蓄積はない。顧客から受け取る売買手数料だけが、確実な収益です。

ヘッジ・ファンドでもおなじです。平均の株価指数以上の利益パフォーマンスを、長期で示すファンドは稀《まれ》です。1年内の短期では、大きな利益を出す人は常に出ますが、5年や10年は、決して続きません。ここ12年間の例外が、2000年代に5倍に上がった金です。これも短期売買ではなく、個人では、安かった2000年までに買って保有し続けた人が、利益が多いのです。

金は、ほぼ2000年からドルの反対通貨と認識されるようになって、高騰しました。第5章で示しますが、FRBがつくられた1913年以降、ドルが過剰発行されたからこそ、金が上がっています。金の高騰の原因は、ドルの過剰発行（紙幣価値の低下）であり、単純です。

【円の切り下げによる固定相場】

ドッジ・ラインでは、米国が日本の戦後復興のため、$1＝360円という固定レートを採用させたため、戦後経済は安価な商品の対米輸出によって成長しました。現在の中国のように通貨レートが低かったからです。

中国の発展も、1994年の元切り下げからでした。1980年代から資本主義導入後（5つの経済特区）の中国経済の輸出主導による発展は、１９９４年に、それまでの1元＝30円を15円とした米国による人民元切り下げを端緒に、得られたものです。米国は、中国の資本主義への転換の恩典として、元の切り下げを主導しました（言及されない歴史的な事実）。

この元切り下げで、米国・欧州・日本の、中国からの輸入商品が半額になっています。開発輸入をしたユニクロとニトリが高い利益率で成長したのも、１９９４年（日本にとって中国製品が半分の価格になった年度）が起点です。１９８５年のプラザ合意（ドル切り下げ）以後、通貨の変動が激しいため、企業の戦略にとって通貨の動きは重要です。

日本の戦後に話を戻せば、朝鮮戦争（１９５０～53年）から、米国の戦争特需を起点に、１９６０年代は、東洋の奇跡といわれた、実質ＧＤＰで二桁の高度成長に入ります。１９７１年まで1ドルが３６０円で、日本製品が安かったからです。倫理的には問題がある戦争も、国家をあげて商品を使う有効需要です。有効需要（ケインズが発見した重要概念）は、所得のなかの消費と投資です。当時は、固定相場であり、資本の自由な動きはなかった。他方、現在の変動相場では、通貨は自由に、利益を求めて国を超えて動きます。

4. 紙幣の発行と、日銀と各国の中央銀行が得ているシーニョレッジ

ゴールドを準備する金本位制であれ、金と交換できない不換紙幣を発行する管理通貨制であれ、通貨の発行元には、ベニスの金細工師と同じ「通貨発行益《シーニョレッジ》」が生じます。

以降では、日銀の資産・負債の対照を示すバランス・シートを見て、簡単に分析します。米国のFRB、欧州のECB、そして大英銀行も信用通貨を発行するときの、資産・負債の構造はおなじです。フランス王立銀行ともおなじです。

●日銀のバランス・シート（複式簿記で資産と負債を対照したもの）の意味

図1は、余計なところを捨象してまとめた、日銀の最新のバランス・シートです。日銀は国債を、持ち手の銀行から98兆円買い、その代金として98兆円を銀行に振り込んでいます。このうち日銀券としては、81兆円が流通しています。世帯、企業、銀行が、現在もつ現金がこれです。

【日銀が操作できるのは、マネタリー・ベースの金額】

当座預金は、銀行が日銀に預けている、普通の時期は金利ゼロの預金です。すぐ引き出せるため当座預金と言います。現金と同等のものです。日銀の通貨発行は、日銀券と当座預金の合計118兆円です。これを、その国の通貨発行のベースになるということから、マネタリー・ベース、また

図１　日銀のバランス・シート（2012年７月31日）

資産		負債と資本	
国債保有	98兆円	発行銀行券	81兆円
貸付債権	35兆円	当座預金	37兆円
外貨	5兆円	売り現先	20兆円
社債等	5兆円	その他負債	1兆円
その他資産	3兆円	準備金引当金	6兆円
		資本金	1億円
資産合計	146兆円	負債および資本	146兆円

①資産は日銀が、通貨を発行して、無償で買った金融資産である。
②発行銀行券が、１万円札81億枚（１枚の原価は、ほぼ22円）。
③当座預金は、銀行が、日銀の口座にもつ無利子の預金である。37兆円は、マネーの滞留を示す金額。

発行銀行券81兆円＋当座預金37兆円＝118兆円を、ベース・マネーと言う。

国の、マネー・サプライ（現金＋預金＋CD＋国債＋外債）で、広義の流動性1459兆円（12年６月）は、この118兆円のベース・マネーを元にする。現在の信用乗数は1459÷118≒12倍である。

これは、銀行の準備金の12倍のマネー・サプライであることを示している。
④売り現先（20兆円）は、債券市場で、日銀が、期限日に買い戻すことを約束して売った国債。

中央銀行は、債券市場で、国債を売買することで、金融の調節を行う。

日銀が国債を買うと、銀行に現金が供給される。国債を売ると、現金が吸収される。

はベース・マネー、あるいはこれがもとになって銀行システムのなかで乗数的にマネーが増えるため、ハイパワード・マネー（high-powered money）とも言います（前述）。

銀行に不良債権がすくなく、投資が活発で、信用乗数が正常に働くと、15倍以上のマネー・サプライに膨らむもっとも増殖力のあるお金という意味です。

ただし日本の２０００年代は、ハイパワード・マネーがハイパワーではなく、民間の金融資産であるマネー・サプライ（世帯や企業の合計金融資産）の増加率は、1年に0～2％程度と低い。つまり、商品購買や設備投資に向かわないマネーが溜まっています。既述のように、超低金利にもかかわらず国債の買いが増えているだけです。これが、流動性の罠によるデフレの原因です。

http://www.boj.or.jp/statistics/money/ms/ms1207.pdf

【マネー・サプライの増加と経済成長】

マネー・サプライは、マネタリズム学派（フリードマンが総帥）が明らかにしたように、1年に5％くらい増えないと経済成長をうながしません。2～3％の増加は金利分でしかなく、貯蓄の自然の増加になるからです。世帯の感覚で言えば、１０００万円の預金が、１０２０万円になっても、増えたと感じません。1年に１０５０万円（＋５％）に増えて、すこし増えたという感覚になるという意味です。このため、５％増以上のマネー・サプライにならないと、預金が使われないという自然な傾向があります。

――Ｍ（マネー・サプライ）×Ｖ（流通速度）＝Ｐ（物価水準）×Ｔ（実質ＧＤＰ）は、ほぼ3年から5年の中長期で言えば、成り立つ等式です。米国の経済分析から、古典派経済学者アービング・フィッシャー（１８６７～１９４７）が発見しています。マネー・サプライは、中央銀行の発行したハイパワード・マネー（日銀の12年7月では１１７兆円）が、銀行システムのなかでの信用乗数で、マネー・サプライとして膨らんだものです。日本では、２０１２年６月で１４６２兆円です（広義の流動性）。12・５倍という低い信用乗数（＝１４６２兆円÷１１７兆円）です。

後述しますが金融機関に不良債権があり、数年のスパンでの経済成長（需要の期待増加）を予想した企業の設備投資がすくないときは、日銀がマネーを増発しても、民間へのマネー・サプライ（世帯と企業の現金性の資産）となって増えることがすくなく、経済成長にはならず、物価も下がります。これが日本のバブル崩壊後の20年です。

日銀は、銀行へ、公定歩合（０・３％と低い）で、別に35兆円を貸しています。これが図１の貸付債権の35兆円です。外貨（ドル債とドル預金）も５兆円買っています。この５兆円が米国ＦＲＢや欧州ＥＣＢへの、日銀からの貸付金相当になっています。

【146兆円】

２０１２年7月末の、日銀のマネー供給の総額は、全体で１４６兆円です。１９９８年の、日本の銀行危機以後、銀行への資金供給によって約１００兆円膨らんでいます。

日本の金融機関の、バブル崩壊後の、銀行が抱えた担保不足の不良債権は、金融庁によって約１００兆円とされました。この不良債権額に相当する分が、日銀から銀行部門に供給されています。

日銀の印刷マネーの貸付によって、銀行の破産と預金のカットが防がれたと言っていい。前記の信用乗数（12・5倍）が高まらない原因も、銀行に不良債権と、潜在的な不良債権が残っているからです。マネーは、じゃぶじゃぶに供給したと言われながら、バブル期のようには世帯や企業にマネーがあふれないのは、銀行部門の潜在的な不良債権のためです。不良債権の上にかぶさった過剰流動性は、銀行システムのなかだけのことです。

海外では、米国FRBが、07年の3・2倍の$2・8兆（224兆円：12年8月）、欧州ECBでは2・6倍の3・1兆ユーロ（310兆円：同）です。スイスも、ユーロからの買いで高騰するスイスフランをおさえる介入のため、中央銀行が4925億フラン（41兆円）に、マネー供給を4・1倍に増やしています。

【損害の補塡に使われた、中央銀行のマネー】

90年代末に破産状態になった銀行の損害にもかかわらず、①国民の預金が減らなかった理由、②預金封鎖が行われなかった理由は、政府が出資しつつ、日銀が100兆円の現金を、銀行に供給したからです。世界的な金融危機になった08年以降、世界の中央銀行が、信用危機におちいった銀行がもつ国債や証券を買って、あるいは銀行に貸しつけて、不換紙幣を発行する構造は、人民銀行も含め、日銀とおなじです。

08年の米国金融危機のあと、前記のように米国FRBも約$2兆（160兆円）の増加マネーを米銀に対して供給しています。10年のPIIGS危機以降は、欧州ECB（本店フランクフルト）が、2

兆ユーロ（２００兆円）くらいの緊急マネーを、損をした欧州の銀行と、資金不足の南欧の政府に対し行っています。１９２９年から30年代並みの大恐慌になることも危惧《きぐ》された信用恐慌（銀行の破産と休業）は、米欧日の中央銀行によるマネー供給（現在までに約５００兆円）によって、回避されています。

なお、南欧では、２０１０年から銀行への取り付け（銀行預金の減少）が生じています。不安にかられた富裕者が、ドイツ、スイス、英国に預金を移しているのです。南欧の政府は、困り果てて、いずれ預金封鎖をするかもしれません。

われわれは、こうしたマネー印刷の結果を知るだけです。しかし当局と中央銀行では、激しい議論があります。表面は平静で、内情は「綱渡り」。

現在、１０００兆円の国債残高で、１年に40兆円から50兆円の新規国債を発行せねばならない財務省の心理もおなじです。日本は、金利が２ポイント（％）上がって３％台になると、18世紀の、ジョン・ローが活躍したフランス政府のように利払いができず、国家破産に向かうからです。

このため財務省は、消費税を10％に上げることで（２０１４年８％、15年10％）、税収のほぼ12兆円から13兆円の増加を図り、毎年40兆円から50兆円の新規国債発行を、30兆円から40兆円に下げて、国債の信用危機をさけようとしています。

●名目のGDPの期待増加率が低いと生じる、流動性の罠

【流動性の罠の論】

先に述べたように、クルーグマンは、1990年代から日本経済がおちいった「流動性の罠《わな》」（元はケインズの『一般理論』の考え）と指摘しました（2001年）。人から人へ、企業から企業へ渡るお金の流通速度（V）が低下したからです。物価が下がるデフレ予想から、所得や預金からの買い物が先に延ばされて、企業の設備投資も減ったためです。再掲の「M×V＝P×T」で、現金や低利の預金は増えても、マネーが滞留する（マネーの流通速度Vが下がる）と、物価は下がり、実質GDP（所得）も増えません。

［日本のデフレは、お金の流通速度の低下が原因］　銀行預金をマイナスの金利にすれば、皆が引き出してしまいます。このためマイナスにはできません。預金金利がゼロでも、2％の物価や資産の下落が予想されていると、預金100万円の価値は、翌年の実質では102万円になります。デフレの予感のなかでは、あとで使うほどお金の購買力が上がると期待されるからです。

われわれは、未来の物価や資産価格の予想によって、いつ買うかを決めています。デフレ（物価と資産の下落）が期待されているときは、人々は買い物と投資を先送りするため、現金が世帯に預金が銀行に滞留するようになります。このため有効需要が不足し、デフレ型不況になる。これが日本の2000年代です。

関連して言えば、毎月価値を下げる「スタンプ通貨」を政府が発行すればいいという誤った論もあります（地域通貨のゲゼル理論）。スタンプ通貨は、1000円が、たとえば毎月10円価値を下げるも

ので、１年後に８８０円になるものです。現金や預金を保有したままでは価値が下がるため、人々は急いで買い物をし、企業は投資するというものです。

この論は、明白な誤りです。もし円をスタンプ通貨にすれば、人々は競って、円を売って米ドルに換えるからです。金への投機も急増し、今の5倍、10倍くらいに価格が高騰します。つまりスタンプ通貨は、他の通貨に変えられてしまうため、まるで無意味なものになります。世界同時のスタンプ通貨はどうか。結果は、18ヵ月後からの超インフレです。

世帯の商品購買と、企業の投資が減ると、経済は不況になります。現在、米欧が同時に、金融危機後のゼロ金利策とドル、ユーロの印刷から「流動性の罠《わな》」におちいりつつあります。

米欧のヘッジ・ファンドが、２０１１年から日本の短期国債（金利は０・３％）を20兆円くらい買い越している理由も、この「流動性の罠」のひとつの現象です（ただし米欧は癪《しゃく》にさわるのかこれを認めません）。この買いを主因に、円が1ドル80円台へと20％上がっています。

日本の政府部門は、滞留した増加預金を国債で吸収して、毎年、40兆円から50兆円の公共事業を行っています。しかし22年間で６５０兆円を使った公共投資の、経済を成長させる乗数効果は１・１と低くなったため、民間企業の投資のようには、あとの経済成長を生んでいません（１９９１年～２０１２年）。

日銀は、債券市場の国債を98兆円買い上げることによって98兆円の現金を銀行に供給し、同時に０・３％と低い公定歩合で35兆円を貸して銀行に供給しています（図１：12年7月の残高）。この合計供給額が、１９９８年以前に比べて約１００兆円も増えています（確認）。

【通貨発行益《シーニョレッジ》は140兆円】

他方で日銀は、こうしたマネー発行の累積で、ほぼ140兆円もの通貨発行益を得ています。その証拠が、まぎれもなく、日銀が所有する資産になっている国債98兆円、貸付債権35兆円、外貨5兆円、社債等の5兆円です。端的に言えば、国民の金融資産（国債、債券、外貨、社債）が、印刷したコストゼロの現金と引き替えに、日銀が所有する金融資産になったということです。

われわれまたは銀行が、国債を買うときは現金が必要ですが、日銀は現金を印刷できるからです。これが日銀に、国民がそれと知らず与えている特権です。通貨発行の特権は、国民が中央銀行に与えた暗黙の贈与であるという経済学者もいます。日銀はこれを論理的に否定することはできません。

日銀は1万円札（原価22円）のマネーの発行によって、金融資産を買うことができます。現金の印刷・発行ではなくマネーがデジタル数字になった現在、コンピュータのキーボードで、振替伝票に数字をいれるだけです。しかし、通貨の発行によって発行元に生じるシーニョレッジは、和同開珎やベネチアの金匠の時代、そしてジョン・ローによるフランス王立銀行から、何ら変わりません。

5．日銀券は、日銀の負債というパズルを解く

日銀のバランス・シートでは、通貨発行は負債（＝借金）になっています。不思議な負債です。因《ちな》みに、日銀側が負債と言う1万円札を日銀にもっていってください。窓口の係員は「古い紙幣の

交換ですか？」と答え。新しい1万円札を渡すだけです。手形を銀行にもっていっても、新しい日付の手形を渡されるようなものです。永久に弁済義務のない負債は、負債とは言えません。

発行した1万円札81兆円を、日銀は負債に計上していますが返済の必要がない借金です。

ここから、経済学者も「マネー発行は謎である」というのですが、まるで謎ではない。

紙幣の発行は、中央銀行が、シーニョレッジの通貨発行益を、国債や銀行への貸付債権（＝金融資産）として得る行為です。印刷したマネーで、国債（金融資産）を買い、銀行への貸付（債権という資産の獲得）も行うからです。

日銀が自分の資産としてもつ国債には、国民の税である金利もつき、日銀から借りた銀行は利払いをします。この両方の金利も中央銀行が、無償で得る利益です。資産をタダで得たのですから、その資産による受取金利も無償です。

国民（個人と企業）の金融資産から価値を収奪するシステム（制度）とも言えますが、日銀には掠《りゃく》奪《だつ》しているという認識はないようです。いや、後述するように、収奪ではないと無理やり否定しています。

●皆が信用し、流通するからマネーになる：紙幣への信用の無限連鎖

【日銀券の流通価値が、一般受容性】

商品、不動産、金融資産を売るとき、だれでも日銀券を受け取ります。理由は、受け取った1万円を「使うことができる」からです。一般受容性が、これです。

皆が信用する日銀券の価値は、印刷によって生じるのではありません。印刷直後は、小切手帳や、百貨店の商品券とおなじです。日銀は1万円札1枚当たり22円を払い、財務省の造幣局から日銀券を買います。この22円が、1万円札の原価です。

【1万円としての流通価値が生じる瞬間】

日銀券が1万円の通貨（流通する紙幣）になるのは、日銀が銀行から国債を買い、代金として銀行に振り込んだ瞬間です。銀行が、日銀券を「一般受容性」のある通貨と信用し、受け取った瞬間に、1万円の流通価値をもつ金融資産になります。ここが飛躍です。世界の中央銀行も、日銀とおなじことを行っています。

国民は、日銀によって決済されることが絶対になくても、通貨として信用します。私の小切手は信用しないお店も、日銀券なら受け取ります。紙幣は金利がつかない代わりに、1万円はいつまでも1万円の名目価値であることから、信用されるのでしょう。国債には金利がつき、元本償還があります。しかし市場でその価格が変わります。

実質価値（商品と資産の購買力）が減るのは、物価と資産のインフレによってです。1万円という名目価値と、1万円で買える商品（物価に依存する）という実質価値の区分が大切です。

金額の数字はいつまでもおなじでも、実質価値は変わります。お金の実質価値をどう予想するかで、消費と投資（有効需要）が決まるからです。

【信用の無限連鎖】

お店が、商品の代わりに日銀券（1万円）を受け取るのは、給料、経費、仕入代金として支払うとき、払われる相手も1万円札の価値を信用するからです。1万円札を受け取る相手も、他の人が信用するから受け取るという「信用の無限連鎖」（岩井克人氏）が紙幣に備わっています。国民なら、だれでも代金として1万円を受け取って、商品や資産（財貨）を渡すという意味です。札《さつ》を、神社が発行するようなお札《ふだ》と言い換えれば了解できるでしょうか。

日銀が発行する「おふだ」が1万円です。

「おふだ」ですから、激しく価値を減らすときがあります。

私が切った小切手が信用されないのは一般受容性がないからです。家族なら信用するか？　日ごろの表と裏の言動を知っているため、かえって信用されない。「1億円と書いてあるだけのことで、どうせウソでしょう。だれも信用しないわ」となるからです。ただし、お店がその小切手を、金細工師が作った金証券のように1億円の価値があると信用し、商品を渡してくれれば、その価値はあるでしょう。

【買い物カゴのほうが高い！】

ドイツの約1兆倍（！）のハイパー・インフレ（第一次世界大戦の1914年から1923年）のときも、レンガブロックのように束ねた紙幣が使われたのですから、政府の紙幣は、すごいものです。面白い話があります。主婦が現金を買い物カゴにいれて買い物をしていた。ドロボーがそれを盗ん

だ。振り向くと、マルクはそのままで、買い物カゴだけがとられていた。

卵一個（約30円）が320兆マルクでした（1923年）。買い物カゴは3000兆マルクだったかもしれない。ドイツ国民は歴史の記憶を残しています。このため、議会もドイツ銀行も、南欧（PIIGS）を救うためのユーロ印刷に慎重です。

●日銀券を出すと、日銀以外の人が、商品を渡して弁済している

さらに究《きわ》めます。紙幣に人々がよせる信用は、日銀がもつ金のような物的な担保に基づくものではありません。日銀券には、国民が、お互いに、「別の相手が、その流通価値を信用して受け取ってくれる」と考える無限連鎖があって、ここそが紙幣の信用のもとです。信用は観念的なものであり、物理的なもの（金のような担保があるもの）ではありません。

人々が購買力のある通貨として1万円札を信用するという理由によって日銀券の価値があります。われわれが、通貨の発行によって、バランス・シート上では、形式的には負債を負うはずの日銀に対し、金または資産や商品での弁済を求めない理由はなぜでしょうか？　ここを考えます。

【日銀券の信用の源泉：日銀の通貨発行益は、国民が負う負債である】

端的に言えば1万円札で払えば、日銀以外がつくった商品や資産が買えるからです。
つまり、日銀に代わって、別の主体の資産や商品での弁済があります。
しかしその資産と商品は、日銀が生産したものではない。企業と国民経済がつくったものです。
1万円札の負債の弁済は、国民の承諾はないのですが、国民経済が負っていることになります。

●根本はここ

日銀（Aさん）は紙幣の増発によって、国民（Bさん）に断りもなく負債を負わせます。以上が、ゴールドの裏付けがない不換紙幣がもつ根本の性格です。不換紙幣は、国民経済が、その代わりに商品を渡すと保証したものです。

日銀がたとえば食品、洗剤、家電、車、住宅、株、国債を買うとすれば、このことが容易に了解できます。日銀が自分で発行した紙幣をもって、（だれもそれとは知らない）日銀の担当が、公用車を買いに来たとき、販売店は車（500万円の商品つまり財貨）を渡すでしょう。紙幣の発行は、無から、購買力のある通貨をつくることです。日銀も、商品を買おうと思えば買えます。

日銀は、2012年2月以降、金融が正常な時期では決してない「資産買い入れ基金70兆円」を使って、株や不動産のREIT（上場投信）も買っています。普通の時期なら、株のような金融資産は買わない。（注）2012年9月19日には日銀はこの資産買い入れ基金を80兆円に増枠しました。

ところが国債や、信用が高いAAA格の社債は、普通に買っています。銀行にも毎日、公定歩合で貸しつけて、債券という金融資産を得て、満期には銀行から貸付金を回収し、金利も受け取っています。日銀の資産は、根源までさかのぼれば、国民の資産であるべきだとわかるでしょう。日銀が、国民の財貨をタダで得ているからです。

なお、12年2月、3月に株価が上がった相場がつくられたのは、資産買い受け基金の15兆円の増枠と、インフレ・ターゲット1％の政策目標を、日銀が言ったからです。

その後、日銀の買いはたいしたものではないことがわかって、株価も下がっています。１９９０年からのバブル崩壊以後の日銀は、バブルの再発を恐れて、実は…マネーは必要最小限しか増発していません。

日銀に社債を売った優良企業には、紙幣という現金がはいります。社員は、その現金で給料を受け取ります。現金を払えば食品、洗剤、家電、車、住宅、株、国債を買うことができます。これは、社債を売った会社を迂回するにせよ、日銀がその社債を買ったとき増発した1万円札が、新たな商品購買力になっているということです。

このようにマネーが増発されると、短期的には、フランス王立銀行が行った紙幣発行と同じマネー量の増加効果が生じ、マネー量の増加を感じた人々に生じるインフレ期待（および資産価格の上昇期待）によって、商品購買と投資（資産の購入）が急がれるため、経済は、輸血で高血圧になった人のように活性化します。

（注）実際には、日銀が印刷するハイパワード・マネー（紙幣）が、銀行システムの信用乗数効果で民間のマネー・サプライの増加にならないと、インフレは起こりません。バブル崩壊後の日本経済がこれです。

【大きな通貨の増発から、インフレまでの期間】

マネー・サプライの10％～20％以上の増加があると、しばらく後に（遅くともマネー・サプライが２分の１回転する１・５年後からは）、高血圧の後遺症が出ます。これが通貨価値の下落と、銀行が担保にとっていた資産価値の下落による不良債権の増加です。

フランス王立銀行の政府紙幣の発行のように、３年から４年間は、資産の高騰で国民は幸せになり、企業は商品が売れて利益が出ます。

その後は、バブル崩壊後の信用恐慌からデフレに向かいます。バブルはインフレの高度なもので、商品ではなく特に資産価格が高騰するときに言います。まとめれば、中央銀行のマネー印刷と大きな金融緩和を起点にしたマネー・サプライの増加は、短期（３年以内）では、インフレ期待から経済を成長させますが、長期（４年以上）では、再び、もとに戻ってしまう効果しかありません。万能ではないのです。

たとえれば、マネー印刷は、国民経済にとっては短期（または中期）しか効果がない血圧増進剤であり、その効果が切れたとき、副作用を生むということです。ケインズが『一般理論』で、一国の生産力に対し、有効需要（消費＋投資）が不足する不況のときは必要だと論証した国債発行による公共事業は、道路などの産業インフラが増えた日本の現代では、数年内の短期での経済成長、またはＧＤＰの維持の効果です。長期で経済を成長させる乗数効果が、政府事業は低いのです。

●マネー増発の時事問題

２０１２年現在の世界を言えば、08年9月からの米欧の金融危機、および２０１０年からのユーロ危機のあとです。いずれも銀行資産に、顕在的な、およびその何倍もの潜在的な損がたまった信用恐慌です。信用恐慌による実体経済の大不況を防ぐため、米国のＦＲＢ、欧州のＥＣＢと日銀が、前述のように合計で５００兆円規模の現金を、政府と銀行に貸しつけています。中国の人民銀行の緊急対策費は、40兆元（約50兆円）でした。５００兆円は相当大量のマネー印刷ですが、なぜ、大きなインフレになっていないのか？

【1京5000兆円と不良債権2000兆円】

世界の金融資産（＝マネー・ストック）は、ほぼ1京５０００兆円です。このうち世界の不良債権は、概略の推計ですが、不動産ローンでの潜在損１０００兆円を含んで、２０００兆円はあるでしょう（後述）。このため約５００兆円のスケールのマネー印刷では、不足しています。

世界の不良債権は、２０１０年以降も、①不動産の値下がり、②株の値下がり、③ＰＩＩＧＳの国債金利の上昇、④世界の経済成長の低下という4つの要因によって、大きくなっているからです。

【量的緩和は、今後も連続する】

対策は中央銀行のマネー印刷しかないので、２０１２年、２０１３年、２０１４年も、追加の「量的緩和」が続きます。米国ＦＲＢは、２０１５年までは、金利ゼロ策を続けると言明しています。この理由は、米国の金融機関に溜まっている潜在損が推計では、1000兆円規模と巨大だからです。

---

(1)事実、2012年9月初旬には、欧州ECBが「南欧債を無制限に買い取る」と言明しています。必要額は1年に四半期で50兆円にはなります。

(2)米国FRBも、米国債とMBS（不動産ローン担保証券）を買い取るQE3（量的緩和第3弾）を、やはり50兆円規模で行うでしょう。

（注）この項を書いた40日後、12年9月13日に、FRBはQE3の実行を発表しました。ECBも同じです。

これらが、確定した近未来です。量的緩和は、中央銀行が国債を買い切りして売らず、銀行へのマネー供給量を増やし続けることを言います。「非伝統的政策」とあいまいに言われますが、要は、マネーの増発です。これが、中央銀行が言いたがらないマネタイゼーションです。

中央銀行のマネー印刷と銀行や政府への資金供給は、借り手（銀行や政府）にとってはあとで返済せねばならない「貸付金」です。贈与ではありません。

破産状態の企業に、追い貸しをすれば、当面の破産（決済資金の不足）はまぬがれます。しかし借金によって、世界の金融機関が2008年以降、かかえてしまった不良債権が消えることはない。借りた銀行にとっては、かえって借金が増え、追加の利払いが必要になります。これは、政府の国債を中央銀行が買い取ってもおなじです。中央銀行の国債買い切りは、財政破産を先送りする効果です。利払いが増えて破産しないようにゼロ金利策を敷いています。

銀行の、潜在不良債権が減るには、現在とは逆の、

①担保にとっている不動産の値上がり、
②株の値上がり、
③PIIGSの国債金利の下落、
④世界の経済成長率の上昇

が必要です。

【向こう15年】

1998年以後の日本は、これに類することに14年を要し、有効需要を増やす公共事業を続けても、浮上していません。この延長で言えば、米欧の金融危機の状況も、日本とおなじく相当に長期間続きます。特に、人口の年齢構造が日本に似ている欧州は、向こう15年は続くと見ます。とりわけ欧州では、大きな人口のカタマリである60歳以上の退職と、年金・医療費・失業保険の、社会福祉費の増加が続くからです。

ドイツ、イタリア、英国の人口の年齢構成は、日本とそっくりです。ユーロ17ヵ国の経済成長（実質GDP）は、2013年は、マイナス2%になるという予測もあります。

米国は、世界の国々が、ドルとドル債券を買う基軸通貨の特権（米ドルに人々が寄せる信用）がまだ残っていますから、ユーロや英国より、ずいぶんましでしょう。ドイツも、PIIGS債（合計400兆円）に対し、200兆円の援助はできないはずです。

【3年の最大問題】

日本で、消費税増税前後の向こう3年の問題になるのは、２０１０年から12年のＰＩＩＧＳ債のような円国債のリスク証券化と下落です。この件は、国民にとって問題の広がりが大きいので、後述します。この問題への対処も、日銀によるマネタイゼーション（国債の購入による現金発行）しかないからです。

6．シーニョレッジの発生を否定する日銀と学者たち　理由は何か？

金本位をはなれた現在でも、不換紙幣の発行は、日銀やＦＲＢのバランス・シートでは負債とされています。負債（借金）には、利払いと弁済の義務がともないます。1億円借りれば、それで商品、不動産、証券を買うことはできます。しかし、あとで金利を払いながら、借金を返済せねばならない。ところが日銀による不換紙幣の発行という負債は、政府も日銀はいつまでも弁済の義務を負いません。しかも、利払いもない不思議な負債です。

この不思議さと謎のため、「紙幣発行は中央銀行の負債」であるのか、そうではないのかについて、学会の議論に決着はついていません。本書で決着をつけようと思います。

ここが、信用貨幣の秘密と謎だからです。和同開珎、金細工師、フランス王立銀行、日銀、ＦＲＢ、ＥＣＢは、同じ本質をもつ信用貨幣の発行をしています。信用貨幣の本質は、金本位か不換紙幣であるかを問いません。

●日銀の見解における奇妙な論理：お金のパズルを解き明かします

不換紙幣に多くの人がいだく疑問に対し、日銀は以下のように答えています。

〈日本銀行が設立された当初、日本銀行の発行する銀行券は、金や銀との交換が保証されていました。こうした制度の下で、日本銀行は、銀行券の保有者からの金や銀への交換依頼にいつでも対応できるよう、銀行券発行高に相当する金や銀を準備として保有しておくことが義務付けられていました。（筆者注）金の保有高は準備率であり、通貨発行に1：1では対応していません。したがって「発行通貨の全額が、日銀が保有する金や銀に相当していた」という立論は嘘です。

このような銀行券は、いわば日本銀行が振り出す「債務証書」のようなものだと言えます。このため、日本銀行は、金や銀をバランス・シートの資産に計上し、発行した銀行券を負債として計上しました。その後、金や銀の保有義務は撤廃されました。一方で、銀行券の価値の安定については、『日本銀行の保有資産から直接導かれるものではなく、むしろ日本銀行の金融政策の適切な遂行によって確保されるべきである』という考え方がとられるようになってきました。

こうした意味で、銀行券は、日本銀行が信認を確保しなければならない『債務証書』のようなものであるという性格に変わりがなく、引き続き負債に計上しています。このような（通貨発行額を負債に計上する）取扱いは、米国や英国の中央銀行など、主要中央銀行において一般的となっています〉

【論理の破綻】

日銀の主張の要点は、「現在は、紙幣は金や銀をもって返済する負債ではない。しかし、日銀は円の価値を安定させる義務を負っているから、円は、バランス・シートでは負債とすべき債務証書である」ということです。しかも米国と英国でもおなじだから、日本でもそうすべきという論理性のない主張です。要は、自分の頭で考えてはいない。

「日銀の通貨発行益は、国民の金融資産からきたものである。日銀のものではない」という主張でいいではありませんか？　この前提をおけば、今後の通貨増発への、日銀、政治家、官僚、そして国民の態度は変わります。

しかし通貨発行が、中央銀行の負債であるなら、シーニョレッジは、貸付金や国債の金利しかありません。日銀の主張は、論理的に正しいでしょうか？

事実、日銀の損益計算書は、通貨発行益は示さず、国債の受け取り金利と売買益だけを収益とし、日銀の経費（設備費と人件費）を引いて利益としています。この利益には課税はありませんが、利益が日銀に溜まると、財務省が国庫納付金として吸い上げています。国債の受取金利として、通貨発行益が日銀に生じているからです。

【金と交換できる兌換紙幣の時代】

明治時代の兌換紙幣の発行では、準備の金の金額（たとえば８００億円）をはるかに超えて発行する紙幣によって、「銀行への貸付金という資産（９２００億円）」が生じ、中央銀行には「シーニョレッジ：通貨発行益（９２００億円）」が明確に生まれていました。

日銀のシーニョレッジに相当するのは、日銀の、国民経済からの借金でした。この負債のため、日銀は発行した1円に対し0・75グラムの金を渡す義務、つまり負債を負っていたのです。つまり、金本位の明治時代の日銀にとっては、円の発行は明らかに負債でした。

【日銀と政府にすり寄る学者たち】

中央銀行が金を弁済しなくてもいい不換紙幣も、はたして「負債」であるのかどうか？

日銀と正統派経済学は、不換紙幣の発行も兌換紙幣と同様に、日銀の負債であると主張し、以下のように述べています。論理がややこしい記述ですが、紙幣の本質において重要なことなので文の構造を分析し、ウソをあばきます。

【日銀の銀行券と、政府紙幣の違い】

〈そもそも中央銀行の発行する銀行券（不換紙幣）は中央銀行の債務証書であり、信用通貨に外ならない。…銀行券の発行は、信用に基づくものであり、政府紙幣の発行は強権すなわち行政権に基づいている。

即ち、中央銀行のバランス・シートにおいて、負債勘定の銀行券発行高に対し、同額の資産が資産勘定に確保されているという仕組みを通じて銀行券の発行が信用に基づくものであるという実体が示されている。

これに反し、（日銀ではなく政府がつくることができる）政府紙幣は国家の債務証書であるという点において国債に似ているが、しかし国債と異なり、支払われる約束のない（支払い期限なし）、しかも無利息の債務である。

したがって政府紙幣の発行は、強権によらざるを得ず、その行為は行政権に基づく行為、すなわち行政行為であり、私法上の原則を無視して行われる。…銀行券の発行が行政行為ではなく、本質的にビジネスであることは明らかであろう（金融制度調査会：1997年第五の4(2)・4）〉

【無茶な論理】


調査会の学者の錯綜《さくそう》した主張を「明らかであろう」と結んでいますが、明らかではない。論点を整理します。私法や公法という、普通はなじみのない前提が含まれるため、ややこしいからです。

調査会は、最初に、政府が発行する政府紙幣（現在は、まだ発行されていません）と、日銀が発行する不換紙幣（金と交換されない1万円）のちがいを言っています。

まず、日銀が発行する不換紙幣についてです。
①1万円札は、物質自体には価値がない信用通貨である〔↓この通りです〕。
②信用通貨だから、日銀の負債である〔↓ここの論理が理解不能です〕。
③日銀は、1万札の発行高（81兆円）に対しほぼ同額の資産（国債）をもっている〔↓事実です〕。
④資産を日銀がもっているという仕組みから、1万円札が信用にもとづくものという実体が示されている〔↓日銀が国債をもっているから、1万円は信用により発行し、信用だから負債であるという論理です〕。

②と④が変です。負債なら返済義務があるでしょう。日銀は、何も返済しません。返済しないものが負債だとどんな根拠で言えるのか。日銀が得る通貨発行益（シーニョレッジ）を否定するため、無理やりに負債だと考えましょうという、国民へのお願いなのでしょう。

次は、政府紙幣についてです。政府紙幣は、ジョン・ローのフランス王立銀行が発行しました。

①政府紙幣は国債に似ているが、返済の義務はなく金利も払わない〔↓この通りです〕。

②したがって、政府紙幣は、政府の強権（行政権）によらざるを得ず、私法（民法や商法）の原則を無視して発行される。

②は変です。「日銀券は（民法や商法が規定する）信用に基づいて発行するから日銀の、民法・商法上の『負債』である。他方、政府紙幣は信用ではなく、国家の行政権（公法）によるものである。したがって、私法である民法や商法に適合する普通のものではない。政府紙幣は権力に基づき、信用には基づかない。したがって、政府紙幣は負債ではない」という論理です。理解できません。理解できる人があったら教えてください。理解できない点を言います。

まず、調査会の学者は、現代があたかも封建時代であるかのように、「現代の行政権も統治の権利として領主権（王権）とおなじものとして考えている」点です。国家は、無前提に国民を統治する権利がある。この強制的な権利が、行政権であるという意味です。これはちがうでしょう。

【現代の行政権は、絶対ではない】

行政権は、法の上に立つ絶対ではなく、国会がつくる法（行政法）によって制限できます。法の上の憲法も、国会の３分の２の賛成と国民投票で変えることができます。国会がない時代は、領主がもっていた行政権が法であり、絶対のものでしたが、現代は、世界の先進国の国会が国権の最高機関です（行政権が絶対である中国は除く）。

調査会では行政権を王権と同じ絶対とするため、私法である民法や商法は無視していいという論理になっています。もっと言えば、政府が紙幣を発行したときは、私法の「借金は返済せねばならない」という当然のことは無視していい。政府の行為であるなら負債は踏み倒してもいいことになります。無茶に思えます。以上が、日銀とともに、一万円札は日銀の負債であるとする調査会の主張です。踏み倒す国債は、行政権をもつ政府が発行すれば、信用されるでしょうか。

［補足の例証］　行政権は私法の上にあるのではないということについて、現代の事例を言います。ギリシャ政府も、調査会の学者に従えば、政府紙幣は、政府紙幣を、行政権という強権で発行できるはずです。

ところがギリシャ政府が発行した政府紙幣は、国民も世界も信用しません。そのため、買い物では通用しません。したがって政府は発行できない。いや発行はできますが、発行は無益です。つまりマネーに関しての行政権は、私法の信用の上にある絶対権ではありません。同様に踏み倒すと予想される国債は、高い金利をつけても信用されず、戦後の日本のように私法上での市場価値が無価値に向かいます。国債が信用されるのは、政府が利払いをし満期には返済をするという信頼からです。

こうした嘘から生まれたのが、「日銀券はそれと同額の金融資産（国債や証券等の資産）を、日銀がもたねばならない。このため日銀券は、日銀にとって負債になる」という無茶な、欺瞞《ぎまん》の論理です。日銀券で国債を買っているから日銀券は日銀にとって負債であるという論理が、納得できるで

しょうか？　返済義務のない負債がどこにあるのでしょうか。

「私（日銀）は決済義務のない小切手を切って、国債を買うことができる。買った国債は、私（日銀）が所有する資産になる。だからその小切手は、私（日銀）にとっては負債である」ということに等しいのです。決済の義務がない小切手があるなら負債ではありません。米ドルは、ＦＲＢが、その代わりに対価となるものを返済せねばならないものではない。円もおなじです。


【理由の追及】


世界の中央銀行と日銀は、通貨発行の利益を、なぜ無理な理屈を言いながら否定するのか？　原子力工学の安全をねじ曲げている原子力ムラの、約３０００人の原子物理学の学者のようです。

追及すべき点は、ここです。言う人も自分の嘘に気がついていないのか？　金とは交換できない不換紙幣は、政府が弁済しない政府紙幣と同様、日銀が弁済の義務を負う負債でないことは、明白です。弁済の必要がないものを、日銀はなぜ負債と強弁するのか？

日銀が紙幣の発行で得ているシーニョレッジの利益を認めても、いっこうに構わないと考えています。その利益は、最終的には国民に帰属する国民資産であると言えばいいのです。

そして日銀は、預かった国民の金融資産が価値を減らさないように管理する義務を負っていると、国民に向かい言明することです。シーニョレッジの発生を否定するから、シーニョレッジの利益は、ベネチアの金匠《きんしょう》のように、日銀の株主の私的な隠れた資産であるということになってしまうのです。

【強弁の理由】

強弁の理由は、「通貨発行によって、日銀は同額の負債を計上せねばならないから、日銀にはシーニョレッジの利益は生じていない」と言うためです。

日銀が、発行した通貨を銀行に貸し付ければ日銀にとっての「貸付金という金融資産」になり、国債を買えば「国債という金融資産」をもつことになります（日銀のバランス・シートの資産）。

銀行・企業・国民・政府が国債を買うには、中央銀行がつくった現金で払う必要があります。

国債は、政府による利払いと、満期には現金の弁済がある金融資産だからです。

ところが日銀は無コストで紙幣を印刷し、どこからかお金を借りることもなく、国債を買っています。日銀にとって、通貨発行は、金融資産（国債と債券）を獲得できる明らかな利益です。

中央銀行（日銀、ＦＲＢ、ＢＩＳ）は、株式会社です。銀行の不良債権を買って損をすれば、やはり「破産」するように思えます。国家は、財政赤字をまかなう国債が、高い金利でしか売れなくなると、支払いの資金がなくなって、満期が来る国債の償還と利払いができなくなりＰＩＩＧＳのようにデフォルト（破産）に向かいます。

【政府紙幣とは？】

中央銀行は、自分が発行する紙幣で自己増資もできるため破産しません。国家も、「政府紙幣」を発行できる信用があれば、国家が、中央銀行や徳川幕府とおなじように「シーニョレッジ」の利益を、国民の金融資産からかすめとって支払いにあてることができるので、国債の利払いがいくらあっても破産はしません。ただし政府紙幣が多額なときは、半年から3年内には国民が受ける物価のインフレが起こります。中央銀行のマネー発行でもおなじです。

インフレは、その国の通貨価値の下落です。その通貨は外為市場で売られ、金利は上がって通貨安になります。インフレは通貨の信用がこわれることです。なお通貨(currency)とは、他国のお金との外為交換で使うという面でのお金です。

【中央銀行の独立性の主張】

中央銀行は、政府からの独立性を主張しています。第二次世界大戦後に、日銀が債券市場を介さずに発行国債の75%を引き受け、その額が経済に対して巨大だったため300倍のハイパー・インフレを起こした反省からだとされています。

小泉自民党政権や民主党政府が変わらず唱えていること(通貨の増発)に従属し、日銀が通貨の増発をすれば、いずれおなじインフレを繰り返すという恐れから、通貨を発行する中央銀行は独立性、言い換えれば、専門的な判断で通貨量を調節しなければならないというのが、日銀の主張です(タテマエ)。ホンネは、シーニョレッジの特権を知られたくないからでしょう。

その証拠に、疑いようもなく通貨の発行益があるのに、それを、嘘がわかるねじ曲がった論理を使っても、躍起になって否定します。証拠があるのに自分がやったことを否定、あるいは黙秘する犯人とおなじです。中央銀行という制度に自分勝手なことをさせないため、そして国民の金融資産を守るため、証拠を突きつけねばならない。

●インフレという通貨価値の下落を引き起こさない責任があるとは言うが…

日銀は、確かに円の価値の安定、言い換えれば通貨の増発でインフレを引き起こさない義務を、国民に対して、紳士協定として負っています。通貨増発からインフレになっても罰則や総裁の逮捕はないので紳士協定にすぎません。これを金融倫理や自己規律とも言います。ところが、1980年代後期の約5年の、バブルを引き起こした資産インフレに対し、金融引き締めの対策はとっていません。引き締めは、ずいぶん遅れて1990年からだったのです（バブル後の1991年に、日銀は公定歩合を6％に上げました）。

金融倫理を守る義務があるから、紙幣発行は日銀にとって負債であるというのは、論理を無視した牽強附会《けんきょうふかい》でしかない。こうした論理を、屁理屈と言います。社長は、社員の給料を下げない責任を負っていると日ごろから考えている。だから社員の将来の給料は、会社にとって負債であるというに等しいからです。

中央銀行の制度は、ジョン・ローのフランス王立銀行と同じく、国民が国家を信用する心理という根拠の上に成立しています。心理は、感情（心）と理性（論理）の混合です。人は心理で判断し、行動しています。理性の計算と論理だけではない。最近の脳科学の研究成果によれば、感情野《かんじょうや》が何かの病気で切れた人は、理性計算はできても判断と行動ができないとされます。

米国の下院議員ロン・ポール（共和党：2008年の大統領選に出馬）は、FRBの、政府からの独立性（自分でマネー発行量を決めることができること）に反対し、FRBはなくしたほうが、米国経済と国民のためによいと主張しています。FRBが勝手に不換紙幣を発行する制度より、金本位に戻るほ

うが、はるかに国民経済のためにいいという主張です（『End The FED』）。なお共和党は、2012年11月の大統領選挙で、FRBにフリーハンドを与えているドル発行に対し、制限をする政策を提案しています。

ロン・ポールは、下院のFRB監督小委員長に就任しています。銀行家と政府にとっては否定したい存在です。不換紙幣の発行で、中央銀行に自動的に生じているシーニョレッジの利益は、その利益の分、課税であるかのように、国民の金融資産の価値をかすめ取るものだと言えるからです。

ただし国民にとってみれば、自分の金融資産の金額は、預金が1000万円なら、どんなに中央銀行がマネーを増発しても1000万円です（名目価値は同じ）。そのため、税を納める課税とは異なり、金融資産をかすめとられたという意識は、インフレが大きくなるまではない。ドイツ国民は20世紀初頭の、1兆倍のハイパー・インフレのとき、国家に金融資産をかすめ取られたため、紙幣が無価値になったと認識しているでしょうか？　ベネチアの金細工師の話も一般には知られていないので、この認識はないように思えます。

【国債買い切りのマネタイゼーションが、インフレを生む】

3ヵ月や半年の短期では、紙幣の減価は見えません。しかし、中央銀行が、国債を買い切ってマネー増発を続ける額（マネタイゼーション）が、国民経済の貯蓄に対して大きいと、早ければ半年、遅くとも3年内には、増発マネーが、商品購買と投資に使われるため、インフレに向かいます。3年内という理由は、現在、世界のGDPに対して3倍はある金融資産の、1年での回転率が3分の

１回転だからです。３年で１回転するからです。

ただし、企業が借りて使わない、国民経済の貯蓄額以内の国債の新規発行なら、インフレにはなりません。マネタイゼーション（中央銀行が、国債を買い切って通貨を増やすこと）が、インフレの要因です。

マネタイゼーションでは、国債を、国民の貯蓄で買える以上に、紙幣の増発をするからです。マネタイゼーションが１年10兆円なら、国民経済の貯蓄増が40兆円で国債発行が50兆円、国債を買うのに不足する10兆円の国債を日銀が買って、１万円札を増刷するということです。

10％のインフレになると、１０００万円の実質価値は９００万円に下がって、国民の金融資産の価値が、中央銀行によって密かに強奪されたということがわかるでしょう。金証券のベネチアモデルで論証した通りです。いったん10％以上のインフレ期待が人々の間に生じると、今度は、半年後に15％、１年後に20％以上のマネー価値の下落を恐れた人々が、買い物と資産購入を急ぎますから、超過した有効需要（消費＋投資）によってインフレは高まっていきます。

（注）名目金利とはかけ離れた、将来のインフレ期待が商品の購買や資産への投資を決めるとしたのもケインズです。確かに、現在の金利ではなく期待金利です。

7．世界のGDPの3倍の金融資産という、新しい要素を考える

現在は、世界の金融資産がＧＤＰの３倍（1京5000兆円）ときわめて大きい。インフレに、いったん火がつくと、高い率になる可能性があります。買い物に遅れると10％や20％は損をすると怖れ、一度に動くマネーの量が、巨大になるからです。消費税を10％に上げたときの買い急ぎのような超過需要です。資産では中国の２０１１年までの住宅価格のようになると言えばイメージできるでしょう。（注）５％の消費税の増税は、消費と投資の物価を5％上げます。

【多くの人が知らないBISという仕組み】

ところが…後述しますが、ＢＩＳ（国際決済銀行）は２０１２年からはじめて２０１９年には、08年以降、巨大な不良債権を抱え続けている世界の銀行に対し、バーゼルⅢ（自己資本比率10・5％）を課す予定です。このため信用不安から銀行の増資（世界で４００兆円規模）ができないと、マネー・サプライ量（Ｍ３）で20～30％の縮小が想定されます。

バーゼルⅢが実行されたあとの世界経済では、マネー・サプライ量の減少から、デフレ型の不況と信用危機が続く可能性が高いと見ています。金融資産が増えているため、デフレとインフレは紙一重になっています。

なぜ、バーゼルⅢが実行予定なのか、不明です。

公式には「世界金融の正常化」のためですが、バーゼルⅢを実行すると日本の銀行への１９９８年以降のバーゼルⅡ（自己資本比率の下限８％）の適用に似て、世界の金融危機は高まります。米欧の主要銀行の、本当の自己資本比率（合計自己資本は公称２００兆円）は、リスク資産額（約４０００から５０００兆円）に対し、４％から６％しかないからです。

これは、１９２９年から30年代前半に、米国ＦＲＢが、株価と不動産の暴落による不良債権で破産状態の銀行に、マネーを供給しなかったため実体経済が大恐慌（米国に失業率25％：ＧＤＰは50％に縮小）におちいった歴史に似ています。大恐慌時の金融政策については、マネタリストのフリードマンが『資本主義と自由』とそのもとになった『大収縮１９２９－１９３３』で、実証的に明らかにしています。

●世界の金融資産を膨らませたのが、ドルの過剰発行の、約30年の継続

２０００年代の金と資源の高騰は、ドルの過剰な印刷が原因です。ＦＲＢが銀行に対して供給したドルが、銀行の子会社でもあるヘッジ・ファンド（預かり元本１６０兆円：10倍のレバレッジで１６００兆円に膨らむ）に流れて、資源、株、金、国債への投機資金になっているからです。

【あらゆる相場価格とヘッジ・ファンドの影響】

資源等の大きな価格変動の50％くらいは、ヘッジ・ファンドの、短期（３ヵ月内）の投機的な売買の先導によるものであることは確認されています。ＰＩＩＧＳ債の下落と金利の高騰（ギリシャ

30％以上、スペイン7％以上、イタリア6％以上）にもヘッジ・ファンドが大きく関与しています。２０１１年から円高を生んでいる円短期国債の買い越し（約20兆円）は、ヘッジ・ファンドによるものです。ヘッジ・ファンドの資金は、高い利回りを期待した銀行と個人投資家が預けたものです。

米ドルの過剰発行が資源インフレ、株価の高騰、不動産高騰は生んでも、世界の一般商品の大きなインフレを起こしていない理由は二つです。

①過剰発行されたドルが、各国政府の外貨準備の増加になって滞留している（外貨準備６００兆円×ドル比率約60％＝３６０兆円分）。

②90年代以降、中国を筆頭に新興国が、先進国で買われる商品を大量に安く輸出している。たとえば米国の店頭では、海外製でない商品を探すのは困難です。90年代から、日本の物価を下げたユニクロとニトリ等も、主は中国製です。

【国際不均衡論】

関連して言えば、米国のような、経常収支の赤字を、経済学はぼかして国際不均衡と言っています。米国が、大きな国際不均衡（大きな経常収支の赤字）を、１９７０年代から約30年も続けることができている理由は、米ドルを世界の大半が、基軸通貨（Key Currency）と認めているからです。基軸通貨とは、もっとも信用があって、世界が受け取る流通性がある通貨という意味です。日本と中国の貿易でも円や元ではなくドルが使われます。このため、日本と中国はドルを貯めていなければならない（外貨準備）。これが、増発されるドルへの需要（ドル買い）を生むため、ドルの崩落がないのです。

【基軸通貨とされてきた米ドル】

赤字つまり資金不足を続ける国の米ドルが、なぜ世界でもっとも信用があるのか、ここも不思議です。世界の人々が円やユーロよりも信用するという点で、基軸通貨です。この国際不均衡の継続のため、米国の対外総債務は＄23兆（１８４０兆円：米国経済白書２０１２年）に達しています。これが、米ドルと、米国債の増発分で、海外が所有するドルとドル債券です。世界での米ドルの量の増加と言ってもおなじです。

米ドルも、世界が信用するから、自分も信用するという、「おーいと呼べばこだまがかえってくるような」信用の無限連鎖からの、信用です。前述したように信用貨幣の本質がこれです。

米ドルにはマネー量の観点では、

①ドル紙幣（＄１・１兆：88兆円）以外に、
②長短の米国債（＄16兆：１２８０兆円：11年：うち海外保有が８兆：６４０兆円、12年３月）と、
③国債より多い社債、
④１０００兆円の住宅証券（うち５００兆円分を政府が保証）が含まれます。

このうち、米国債の流通の特徴は、92％が国内所有の円国債と違い、約半分を海外が買って保有していることです。新規米国債の50％を海外が買い越しにしてくれないと、米ドルは暴落の可能性が生じます。

なお、米国の住宅証券（ファニーメイ、フレディマックが発行：合計は約５００兆円）は、市場価格の下落があっても政府が元本を保証しているので、世界の債券市場では米国債と同等の信用（ＡＡＡ格）とされてきています。もし米政府が、この保証をはずせば、５００兆円の住宅証券は30％は暴落し、08年のサブプライム・ショックと同じ規模の、再びの金融危機になります。保証できないという議論は、常に、米政府にあるのです。

【ユーロとは、何だったのか？】

ユーロについてコメントすると、約20年の準備をし、欧州の17ヵ国まで進んでいた通貨統一は、ドイツ政府と銀行の主導によるドル経済圏からの離脱が目的でした。行く行くは中東、ロシア、中国までを含む、ユーラシアの通貨統一をめざしていましたが、ＰＩＩＧＳ債の弱さを突かれ、挫折しています。ドイツにしてみれば、経済統計で嘘を申告するのも平気な南欧を入れたのが、間違いでした。

ドイツがもっていたユーロへのねらいは、日本に円をアジアの基軸通貨とする意思があるなら、想像できるはずです。アジアが円を使うなら、日本は、あたかも金細工師のようにシーニョレッジとしての通貨発行益をタダで獲得できるからです。日銀が通貨を増発すれば、それで輸入商品が、日本に手に入れることができます。ただし、現在の日本にはこの意思も力もありません。英国ポンドは、小さな島国であっても、19世紀の基軸通貨でした。第二次世界大戦をはさむ20世紀の約50年で、次第に米ドルに替わっていったのです。

現在の米ドルがもっている基軸通貨の特権は、自分が発行した通貨を世界が信用してくれれば、働いてマネーを得る必要はないということです。金証券が信用された金細工師のように、証券の発行さえすれば、いくらでも海外から商品や資産が買えるからです。

２０００年からのユーロ統一通貨は、米ドルに、基軸通貨特権を、独占させないことが真の目的でした。このため、南欧債での損害に対し、２０１２年8月までに3兆ユーロ（３００兆円）の紙幣を印刷しても、南欧をユーロから切り離さないというドイツとEU当局の姿勢が出ているのです。ドイツは、現在、自分の金融資産を注ぎ込んでも、南欧を救済しようとしています。前述のように２０１２年9月初旬に、ＥＣＢは、「ＰＩＩＧＳ債を無限に買い取る」と言明しました。

なおユーロの仕組みを言えば、フランクフルトにあるＥＣＢ本店（ドイツ）だけが、ユーロ印刷の権限をもっています。ギリシャやスペインにあるのはＥＣＢの支店です。支店は、ユーロを印刷できず、本店から借りるだけです。

１０００人への会員権が（将来の値上がり期待から）、５０００万円や1億円と高く売れていた時期（１９９０年まで）の、ゴルフ場経営とおなじです。会員権は、オーナーが、ときには隠れて発行していました。20年くらい前、政治家に近いある人から「これを君にあげる。もって行け」と言われましたが、なんだか不気味で丁寧に断りました。

シーニョレッジ（この場合は会員権の発行利益）を生む証券発行（紙幣も証券です）は、こうした性格をもっています。２００９年のライブドア（若干古い話題）のようなＩＴベンチャー企業の株式公開、増資、株式分割もおなじでした。

額面5万円の増資新株が50万円で売れると45万円のシーニョレッジ（株券発行の利益：前述の擬制資本）が入ります。これが、将来利益への期待がマネーになる資本主義です。投資家の買いで決まっている株価（証券の価値）は、将来のその会社の期待純益を、リスク率と期待金利で割り引いたものです。

8．基軸通貨を増発するＦＲＢ　当惑するパズルを解く

ＦＲＢ（米連邦準備銀行）について言えば、資本は米国政府でなく、民間の大手銀行のものです。かねてよりＦＲＢの米銀への貸付金のいくらかはＦＲＢのバランス・シートにのっていず、ＦＲＢは公式のバランス・シートにのせた金額を超える米ドルを発行しているとも言われます。たぶんそうでしょう。

（注）たとえれば、会員は１０００人と言いつつ、隠れて１５００人を実質会員とするゴルフ場とおなじです。なお、米国のＣＩＡは、戦争のとき、ドル紙幣を発行する権限を持っています。また、ＣＩＡが２００３年のイラク戦争のとき、フセイン政府のマネー信用（武器の調達力）を落とすため、ディナールの偽札を印刷してばらまいたのは知られています。

【世界に対する巨大な基軸通貨特権1840兆円】

　FRBのバランス・シートにのっていないドル発行があるとすれば、その目的は、基軸通貨ドルの、信用維持のためです。世界の貿易に使われ、（今のところ、そして向こう数年は）もっともその価値が信用されている基軸通貨であるため、FRBがドルを発行することによって、米国経済は、海外がドルをもつ分（約600兆円）、輸入品を無償で得ることができています。米国は、対外負債が増えることができる間は、決済の必要がないからです。対外借金（$23兆：1840兆円：2010年末：2012年米国経済白書）もおなじです。

　いつまでも返済を迫られない借金は、事実上、自分の資産です。これが米ドルが対外的にもつ、シーニョレッジの巨大特権です。GDP比では2倍で、南欧の対外債務（GDP比1倍：400兆円）より大きいのが、米国の対外債務です。米ドルは基軸通貨ということよって、ドル信用が維持されているのです。

　基軸通貨と認められていない円の日本は、海外から資源を買うには、輸出してドルを稼ぎ、そのドルで輸入代金を支払う必要があります。米国は、ドルを基軸通貨として皆が受け取ってくれるため、基軸通貨と皆が認める間は、貿易黒字の必要がない…。

日本が、米国のようにGDPの約2倍、900兆円の対外債務があると仮定したらどうでしょう。円は基軸通貨ではないため、絶対にこうなりませんが、仮にそうだとしたら、政府のみならず日本経済は、円売りのために奈落の底への破産です。

ところが米国は破産せず、ドルは信用されて、米国経済は対外債務1840兆円に相当するドルの発行益を得ています。これを与えたのは、経常収支の黒字国の日本、中国、産油国、ドイツ、スイスです。この、信用紙幣でしかない基軸通貨の発行の、巨大利益をもっとも知られたくないのは、米国でしょう。このため、日銀も円発行のシーニョレッジを、否定するのです。

●基軸通貨への信用の根底

各国政府が世界の貿易につかう基軸通貨と決めるから基軸通貨になるのではありません。世界の人々が、前記の会員権や株券のように、その価値を信用するから基軸通貨たり得ます。通貨の信用をこわすのは、過去も現在も、通貨増発による価値の下落です。ベネチアの金細工師、または18世紀のフランス王立銀行のように、通貨を発行しすぎれば人々がよせている信用を失います。金証券を発行する金本位であれ、不換紙幣であれおなじです。

【独占的だから特権】

基軸通貨としてのシーニョレッジ（通貨発行益＋対外借金）は、ドル以外の通貨がもたない特権です。原価ゼロでありつつ価値があると信用される通貨発行（信用貨幣）は、他のだれももっていない巨大利権です。14世紀の金細工師と18世紀の銀行の発明家だったジョン・ローが目をつけた通りです。

世界の政府（または中央銀行）の外貨準備のみで、約＄７・５兆（６００兆円）はあります。日本政府（日銀ではなく財務省）の所有分だけでも１００兆円規模です。このうち60％（３６０兆円）は米ドルです。米国の経常収支の赤字のために、海外に配ったドル札です。外貨準備には米国債も混じってはいますが主はドル預金です。これに比較すると、米国ＦＲＢのバランス・シート上の、資産・負債額の＄２・８兆（２２４兆円：12年８月１日）と、ドル発行額＄１・１兆（88兆円）は、いかにも小さすぎます。http://www.federalreserve.gov/releases/h41/current/

【表面の目的は恐慌の防止だったが…】

ドルを、独占的に発行できる連邦準備銀行（ＦＲＢ）は、１９１３年（第一次世界大戦の前年）の設立です。実はこの後、第一次世界大戦のあと、米国で１９２９年から33年の恐慌が起こっています。

ＦＲＢ設立の目的は、19世紀の資本主義、とりわけ英国で周期的に起こっていた投資過剰からの恐慌を防ぐことでしたが、皮肉にも設立の16年後が世界恐慌でした。

銀行の破産に対して、ＦＲＢがなぜか資金供給を渋ったことが原因です。フリードマンはＦＲＢ

の失政としています。なぜ、わかりきった失政をあえて犯したのか、不明です（再掲：『大収縮1929〜1933』：米国金融史1867〜1960の第7章：ミルトン・フリードマン&アンナ・シュウォーツ）。

●FRBの資本

ＦＲＢへの資本への出資者は、これも不思議なことに米国政府ではなく、伝統の長い民間銀行です。ＦＲＢ設立の経緯と本当の事業目的は、謎めいています。出資者の民間銀行の株主と、その株主への資金提供者をたどれば、確かに、英国債を売買してきたロスチャイルド家や、石油閥のロックフェラー家に行き着きます。

【陰謀論には加担しない】

ここから、国際的な金融・経済の大事件や戦争に対し、ロスチャイルド陰謀論に類する推論を展開する人たちも多い。すべてにマネーがからんでいるからです。

戦争も、政府にマネーがないと実行できません。このために、戦時国債で、国民のマネーを集めます。ロスチャイルド家が、戦争を含む国債発行のときその国債を買い、大英銀行がもつ国債も買って資金供給し、ほぼ200年の長期で、並の国家よりも巨大な利益を得てきたことは、歴史上の事実です。人類の歴史は、長期の視点では戦争、侵略、支配体制の転換の連続です。

最初の100億円（仮の数字）も、年率5%で運用すれば、200年後には1万7293倍、つまり172兆円の資産になります。金融資産では複利での、長期の幾何級数《きかきゅうすう》の結果はすごい。170

兆円はマネーの巨大権力です。権力とは、相手の意に染まないことを強制する力です。イタリアの14世紀から16世紀（ルネサンス期）までの、フィレンツェ（トスカーナ公国）の政治と金融を全部支配していた、ゴールドのメジチ家のようなものが、ロスチャイルド家でしょう。マネーを貸しつけることによって相手を支配できるからです。お金がないか、借金超過なら、自分の意思で行動する自由がないからです。借金は、人から、行動の自由を奪います。

明治の日銀の設立に対しても、その母体になった三井銀行の外為部門との関係から、ロスチャイルド説を唱える人もいます。日清戦争と日露戦争のとき、明治政府に兵器を供給したのは英国（日英同盟）だったからです。幕末からの倒幕にも、薩長に、長崎に駐在していたグラバー（英国商社ジャーディン・マセソン：ロスチャイルドの資本）が、兵器を売っています。

アヘン戦争にもかかわっていたジャーディン・マセソンの前身は、英国の植民地支配のための東インド会社です。英国籍の国際銀行HSBC（香港上海銀行：資産額で世界5位）は、アジアの植民地貿易で大きな利益を上げていたジャーディン・マセソンの預金と送金のために、つくられた銀行です。

19世紀の世界を支配した大英帝国の繁栄は、植民地貿易の利益によるものでした。ロンドンオリンピックでマラソンの道になったのが、シティです。訪れると、ウォール街のミニ版の金融機関だらけです。中央に大英銀行が、殺風景なしかし威圧する石造りで建っています。この大英銀行が、世界の中央銀行のモデルです

米国FRBの資本は、民間銀行の持ち株を経て、確かに、ロスチャイルド家につながっています。しかしマネー印刷や金融政策は、FRBの株主ではなく、FRS（Federal Reserve System）の

理事会が決めています。その前議長がグリーンスパン、現議長がバーナンキです。FRSは、任期14年の理事9人（空席もある）によって構成されています。FRBの株主（民間銀行）は、9人の理事のうち6名を選任できます。

【FRSが金融政策をつくる】

すこし複雑ですが、FRSの議長は、株主ではない米国大統領が指名し、議会の承認を得て就任します。株主の意向は、理事の選任を通じて反映できますが、FRSの政策決定は、世界からモニターのなかにもあるため、金融政策は隠れた株主であるロスチャイルド家の意思である、とまでは言えないと感じています。その点で、ロスチャイルド陰謀説に加担しません。

ただしFRBの本当のバランス・シートに、公表される数値以外に、隠れたドル印刷があるとすれば、若干は、話は別になります。FRBが、秘密裏にマネーを銀行や政府に出していると主張するのは、共和党の下院議員ロン・ポールです。

こうしたことは、自分がとる金融政策を、あらかじめ言う義務がない中央銀行が行うことがあります。2012年6月の事例では、ECB（欧州中央銀行：ユーロの発行元）が、ギリシャ政府と銀行に対し、公表する金額とは違うユーロを、隠れて供給していることが明らかになっています（12年7月）。

9. BIS（国際決済銀行）各国の中央銀行に君臨するスーパー・パワー

FRBより世界の銀行に対し大きな、政治性もあるマネー・パワーをもつのは、中央銀行の中央銀行と言われ、自称もしているBIS（Bank for International Settlement：スイスのバーゼル）と考えます。金融（finance）とは、資金の余剰者から必要者へ融通することからきています。BISの意味は、中央銀行間の外為（各国の通貨）の決済機関です。

【BISの強い権限】

BISは、世界の中央銀行に対し、各国政府の政策を超えて、なぜか、金融政策を命じる権限をもっています。日本の法学者は、政府紙幣の発行を「政府がもつ絶対的な行政権であり、私法の上にある」としました（前述）。

まさにBISは、世界の中央銀行と民間銀行の上に立ち、この行政権のような絶対権をもっています。金融機関に対するBIS規制（世界の銀行に対する自己資本規制）がこれです。こうしたことは、通貨発行によって発生するシーニョレッジを明らかにすれば、それによって明確になっているはずです。

【国際金融マフィアの総本山がBIS】

ＢＩＳは、国際金融マフィアの総本山であり、米国、英国、ユーロ（17ヵ国）、日本を含む各国政府の上にあります。マフィア（固有の倫理と論理をもつ集団の意味）というのは、当方の用語ではない。国際金融では普通に言われることです。ＢＩＳも公的な機関ではなく、私的な金融資本だからです。

米国のＦＲＳには米国政府が関与していますが、ＢＩＳに対してはどこの政府も関与できません。ＢＩＳは、各国の中央銀行から預金を預かって、中央銀行やＩＭＦに貸付けをしています。

ＢＩＳの資本はベルギー、フランス、ドイツ、イタリア、英国、日本という6ヵ国の中央銀行が各々1万6０００株を出資し、米国の3つの民間銀行（ＪＰモルガン、ファースト・ナショナル・バンク・オブＮＹ、ファースト・ナショナル・バンク・オブ・シカゴ）の3銀行が、1万6０００株ずつ合計で4万8０００株を持ちます。ＢＩＳの資本は、事実上、米国の民間3銀行が支配しているとも言えます（ジェームズ・Ｃ・ベーカー：『国際決済銀行』）。

以下は銀行の国籍別に見た、1日の外為取引の金額です。ドル価格に換算しています（2010年4月：元データはＢＩＳ）。

・英国シティ　　＄1兆8536億（37％）
・米国ウォール街　＄　9044億（18％）

・東京　　　　$３１２３億（６％）
・シンガポール　$２６６６億（５％）
・スイス　　　$２６２６億（５％）
・香港　　　　$２３７６億（５％）
…
世界合計　　$５兆０５６４億（１００％）／１日

【世界の貿易額の、１３０倍の外為取引】

２０１０年時点で、外為取引の総額は、$５兆（４００兆円相当）です。金額は1年間のものではなく、たった1日のインター・バンク（各国の銀行間）での売買額です。このように、金額がとんでもなく大きなものが、中央銀行、金融機関、ヘッジ・ファンド、企業、個人（ＦＸ）による各国通貨の売買です。売買を組み合わせる裁定取引が多く、通貨の実需ではないため、こんなに巨額です。

世界の年間貿易は$10兆（８００兆円）で、１日では$４００億（３・２兆円）くらいです。つまり通貨の実需は1日に3・2兆円です。その１３０倍もの外為取引が行われています。利益（キャピタル・ゲイン）を求めた金融取引のうち、通貨の取引が、株式や債券市場より、はるかに大きくなっています。なお通貨は反対売買が行われるため前記の統計数値は2倍になっています。円でのドルの買いは、ドルでの円の売りです。

世界の外為取引は、２０００年代は1年に20％くらいずつ増えています。２０１２年６月現在では1日に$7兆（560兆円：世界貿易の250倍）に膨らんでいるでしょう。英米の外為の大手取引銀行では、1銀行で1日$1兆（80兆円）の外為売買でしょう。

この巨大な差額決済を仲介しているのがBISです。2000年代に、BISの実質的な権限と権益が、外為市場で毎年20％ずつ大きくなってきたことを示すのが、この為替取引の急増です。BISは単に、外為取引の仲介だけではなく、世界の中央銀行に貸しつける業務もしています。

【BISの特権】

BISの役員と職員（約600名）には、外交官特権とおなじ「治外法権」が与えられ、金融国スイスの法も課税も及びません。各国の為替の最終決済ができないと、金融は動くことができません。仮にドル・円交換停止になったときを想像すれば、日本経済は奈落に落ちるのでわかります。BISが、よもやこれを発動することはありませんが、発動する権限はもっています。

戦争となると、別でしょう。2012年に米国政府が、米銀やスイスの銀行へのイラン所有の預金に対し、封鎖（引き出し禁止）を命じ、日本を含む世界に協調を要請したようなことです（これが経済封鎖です）。商取引に必要なマネーをおさえれば、経済を封鎖できます。

【日本のBIS規制による、信用恐慌の経験】

日本のバブル経済の崩壊を促した金融的な原因は、BISが、預金量は世界一でも自己資本が数％しかなかった脆弱《ぜいじゃく》な日本の銀行に、8％の自己資本規制（バーゼルⅡ）を課したことからです。このため、日本の銀行は、不動産業と企業への貸付金（リスク資産）を減らす必要に迫られたのです。

バーゼルⅡ（8％）の日本への適用は、1997年12月末からでした。1997年には山一証券、98年に都銀では北海道拓殖銀行、長期信用銀行、日本興業銀行、日本債券信用銀行が破産しています。いずれも、損害による自己資本のすくなさからです。BIS規制は、日本の銀行システムと信用創造に、大きなクサビを打ちこんでいます。

●BISが発動できる、バーゼル合意の意味【BIS規制を8％から10・5％へ】

国際業務（為替取引と海外での融資と借入）をする銀行には、BIS規制として自己資本規制（現在は概略で言えば8％）を課しています。これは、BISが認める自己資本が、総資産に対して8％以上ないと、銀行はお金の国際取引に参加できないということです。

BISは2010年からバーゼルⅢ（自己資本比率の下限10・5％）を準備し、2012年末から段階的に導入し、2019年からの全面実行を予定しています。

すこしややこしいのですが、国際金融ができる銀行の自己資本率の基準を、従来の8％から10・5％に引き上げるというものです。①狭義の中核的自己資本4・5％、②中核的自己資本6％、③総資本に対する自己資本8％に資本保全のバッファー2・5％を上乗せして、合計10・5％です。

世界経済の、今後7年の、太い筋での行く末は、バーゼルⅢをBISがいつ適用要請するかにかかっています。各国政府は、要請を拒否できません。拒否すると、BIS（国際決済銀行）が握っているお金の国際取引から締め出されます。そうすると、その国の通貨は大きく下落ないし暴落します。

●大きな円安の、国際金融からの意味：円安は日本経済の危機を生む

日本では、円安がいいという論が根強くあります。本当に、たとえば一部の論者が言うように、＄1＝160円の円安になると、国民の金融資産の実質額は、実効レートで1450兆円から725兆円（50％）に減ってしまうのです。

（注）若干極端な円安を事例として計算します。

資源と商品の輸入物価は、2倍に上がって、国内では相当大きなインフレ（推定10％）が起こります。インフレ期待は、有効需要（消費＋投資）を増やして経済を活性化し、金利を上げます。輸出企業は利益を出すかもしれませんが、国民の金融資産の実質額は激減し、同時に、日本の市場金利が上がります。

円安とは、円の国債や債券が外為市場で大きく売り越しになることです。円国債や債券の売り越しは、円が海外に流出することですから、市場の円の金利が、5％以上に上がります。ユーロで、ECBがゼロ金利を敷いても、イタリアやスペイン国債の金利が6～7％（市場金利）に上がったのと同じことが起こります。

金利高騰の結果は、1000兆円負債（現在金利は短期0・3％：長期0・8％）をかかえる日本政府の、利払いの不能です。つまり政府財政の破産です。今後の大きな円安は、こうした巨大危機を生んでしまいます。大きな円安で日本経済が浮揚するというのは、「とんでもない論」です。政府負

債が大きすぎるため、$1＝120円の円安でも、経済は浮上しません。外為取引が大きくなった現代では通貨安は資本の流出になって、市場の金利上昇が起こり、負債が大きな政府は南欧のように破産に向かうからです。

【株価時価総額の国際比較】

1ドル160円への円安で起こる、肝心なことを言えば、日本の現在の株価時価総額（270兆円付近：12年6月）も、ドルから見れば50％の135兆円に下がることです。同時に起こる金利の上昇は、前述のように1000兆円の国債の利払いを困難にし、日本の政府財政も破産させるでしょう。

名目GDPの2・2倍もの国債残がある日本は、約2ポイント（％）の長期金利の上昇があると、1年に160兆円レベルはある国債（新規債40～50兆円＋借換債120兆円）の発行と、金融機関による引き受けが、むずかしくなってゆくからです。

アップルの時価総額は$5560億（44兆円）、エクソン$4094億（32兆円）、ウォルマート$2549億（20兆円）、マイクロソフト$2490億（20兆円）、中国移動通信$2318億（18兆円）、IBM$2268億（18兆円）、中国石油2258億（18兆円）です（12年7月）。

他方、トヨタ11兆円、NTTドコモ5・8兆円、三菱UFJ5・3兆円、NTT4・9兆円、JT4・9兆円、ホンダ4・5兆円…にすぎません（12年7月）。この日本企業の現在時価は、$1＝78円のときです。1ドルが200円になると、ドルから見れば、相対的に日本の1位のトヨタの時価総額でも11兆円の50％（5・5兆円）と縮小してしまいます。上場企業3000社の合計でたった135兆円です。

【株式交換という2000年代の方法】

会社の買収には、現金はいりません。特別目的会社（SPC）をつくって、株式交換をすればいいからです。これも、米国が日本に認めさせたことです。海外が日本の上場会社の全部を買収しようと思えば、お金を使わないで、株式交換で実行できます。大きな円安で、ドルに対し、株式の時価総額が大きく減った日本は、海外の資本植民地になり得ます。

ヘッジ・ファンドによる2000年代の日本進出によって、破産した金融機関（長期信用銀行）の株とレジャー用不動産会社（ゴルフ場など）が買収されたこととおなじことが、全上場会社レベルでも、計算上は起こり得ます。これが、円安の怖さです。

バーゼルⅢを守れないと、こうしたことも想定できます。国際資金取引から締め出されることはないとしても、日本の銀行には、1990年代末期のような、ジャパン・プレミアム（国際金融での高い付加金利）がついて、PIIGSの銀行のように金利が上がります。

●BISがバーゼルⅢを適用すれば、まず米欧の銀行から、信用収縮が起こるのは確定している

バーゼルⅢの自己資本比率10・5％が適用されると、世界の民間マネー・サプライは、［8・0％÷10・5％＝76％］へと、24％も減らざるを得ません。

金額で言えば驚愕《きょうがく》します。世界のマネー・サプライはGDP（5000兆円）の約3倍の、1京5000兆円です。1京5000兆円の24％は、3600兆円です。つまり3600兆円分に相当するリスク資産（貸付金と有価証券）を、銀行が減らさねばならない。これは、強烈なデフレ型恐慌を招きます。（注）日本の銀行もおなじです。

【低い自己資本比率である米欧の銀行】

リーマン・ショックとPIIGS債で損をし、デリバティブで大きな潜在損（第6章）をかかえたままの米国と欧州の銀行には、10・5％条件を満たせない大手銀行が、2019年になっても多数でしょう。預金や、含み損を含んだ資産額は大きくても自己資本力の弱い銀行や、潜在的な損害をかかえた銀行にとってみれば、国際取引ができないことは業務停止に近いことであり、なによりこれがこわい。

もともと米国と欧州の銀行は、本当の自己資本比率が、日本の銀行の半分くらいと低い。銀行のリスク資産をエクスポジャーと言っています。このエクスポジャーのうち、米欧の合計2000兆円の住宅ローン証券と債券、およびPIIGS債、株価の下落から、米欧の銀行（合計自己資本は200兆円とすくない）は、1000兆円以上の含み損をかかえているでしょう。

段階的ではあっても、米欧日に対し、バーゼルⅢ（自己資本比率10・5％）が発動されると、貸しはがしと証券の売却をせねばならなくなります。バーゼルⅢの条件を銀行が満たさないと、お金の国際取引に参加ができないからです。欧州と米国では、島国の日本よりはるかに国際取引が多い。

このため、対外取引からの金融恐慌を起こす可能性が高い。

ＢＩＳは以上を十分に知った上で、このバーゼルⅢを言っているはずです。職員にはマネタリスト学派が多く、世界の銀行の自己資本を監視するＢＩＳが知らないことは、あり得ません。金融業にとって自己資本比率と信用乗数は常識です。何が目的か？

中央銀行による、銀行への貸付は、贈与ではなく貸付金です。銀行の自己資本にはならず、中央銀行から借りた分、逆に自己資本比率は減ります。

【資本増強とは言うが…】

資本増強には銀行の増資株を、政府か中央銀行が買うしかない。財政赤字の政府には共通してお金がありません。資本を出すことは、主要銀行がＢＩＳと中央銀行の所有になることでもあります。バーゼルⅢの目的は、これしかないように思えるのです。

つまり、ＢＩＳの株主が、米欧のほぼ全部の銀行を所有することです。戦争という手段ではない資産の取得として、世界史上最大に、すごいことです。紙幣を発行する中央銀行は、シーニョレッジの利益を得ることができるからです。

１９９８年以降に、１００兆円の不良債権をかかえていた日本の銀行に、バーゼルⅡ（自己資本比率８・０％）を適用したこととおなじです。この条件を満たすため、日本の銀行は、リスク資産である企業融資と株の割合を減らして、政府によってリスク資産とはされていない国債の保有を増やしました。事実上は破産していた都市銀行21行は、３つのメガ銀行のグループに統合されました。

このため、日本のマネー・サプライ（1462兆円：広義の流動性：2012年6月）は増えず、その結果、経済が成長しないデフレになっています。

普通は知られていない世界金融（finance＝マネーの移動）の上部構造に、すこし深入りしました。輸出企業が多い財界に円安歓迎の期待があるなかで、今後を危惧しているからです。PIIGSのように財政が破産状態になると、金利が上がって、大きな円安が起こるからです。

【論理から】

BISは、中央銀行と銀行の信用創造量を、コントロールしています。通貨の発行者が得るシーニョレッジの利益から、ここまで論理がいきます。このためもあって、いち早く日銀が、（米欧に先行し）シーニョレッジで得た金融資産（145兆円）は、株主のものではなく国民の資産であると宣言することを希望しているからです。資本主義の、複式簿記で示される信用がマネーであるということのエッセンスは、中央銀行の信用によって獲得した金融資産にあります。

1998年以降、

・日銀のバランス・シートは145兆円（3倍）に、
・08年以降米国FRBは$2・8兆（224兆円：3・2倍）に、
・欧州ECBは3・2兆ユーロ（320兆円：2・6倍）に膨らんでいます。

これからはいずれも、中央銀行が金融危機を通じて得た通貨発行益です。

次章では、マネー量の増加と、経済の成長を促す信用乗数を見て、同時に、時事経済と金融の現在をまじえます。

第4章

信用乗数と経済成長、人々の所得が増えるのはなぜか？

1．信用乗数とは何か、経済と個人所得に何をもたらすのか？

経済学の原理的な発見で、重要なものは以下の15項、

①古典派経済学リカードの労働価値説や資本論、

②貿易を行うことが経済発展になることを示した比較生産費（古典派）、

③生産、労働、利益、効用、資本でのマージナル（限界効用）という概念の発見、

④ワルラスによる、商品と資産の供給と需要における一般均衡論、

⑤ケインズによる期待の概念、金利論、有効需要（消費性向と投資）、ＧＤＰのマクロ経済、

⑥リチャード・カーンの、投資の乗数効果、

⑦フリードマンによる、マネー・サプライ理論、

⑧シュンペーターの、イノベーションによる創造的破壊と景気循環論でしょう。

現代に近いところで挙げれば、9．自由主義の新古典派、10．合理的期待形成論、11．魅力的なフォン・ノイマンのゲーム理論、12．開放経済での通貨と財政のマンデル・フレミング・モデル、13．非合理な決定が多いことを解いた行動経済学、14．合理的価値を否定する、取引者における情報の非対称論、15．金融工学からデリバティブを生んだファイナンス論に思えます（私的見解）。

まったく浅学な当方の力では、とても網羅はできません。しかしこうした理論モデルの考えは、部分的にせよ、どこからか、われわれの考えに侵入しています。必要に迫られてはじめて読むと、

「あぁ、考えのもとはこれだったのか。はるかに正確で体系的に、根拠をもって考えた人が50年も前にいた」と驚きます。創造に思えるのは、原典を忘れているからだとも言いますが、確かにそうです。

ケインズの難しい『一般理論』を、新訳で苦労しながら読むと、記述の細部に、のちの多くの理論の源も豊富に見ることができます。古典は、原理的なところを見せてくれます。「Aか、Bか、いやそれではない。Cか？　Dも考えられるが結論はEだ」というような感じが面白い。あとでまとめられた教科書にはこれがない。覚えるだけになって考えることが少ない。本章では、日本の銀行システムでの信用創造（１４６２兆円）の、最近の事実を見ながら、原因を考え、現在と今後を分析します。信用乗数と資本提供が、わが国の20年来の問題である経済成長と人々の所得の増加に、大きく関係しているからです。

（注）数十年単位では繰り返してきた国家の財政破産も、経済成長のなさによる税収の減少をもっとも大きな要因に起こったと明らかにされています（『国家は破綻する』）。

●信用乗数：１００億円の預金増や日銀からの借入が、銀行システムのなかでどう増えるか

教科書的なことですが、以降の５つの過程で増えるマネー量を確認します。中央銀行のマネー供給額の10倍以上も、以下のプロセスで創造される総マネー量が大きい。このマネー量が増えないと、経済成長はなく人々の所得（世帯＋企業）は増えません。

——①Ａ銀行で、世帯の預金や日銀のマネー供給によって、１００億円の預金増があったとします。銀行

は、当座の預金引き出しに備える5％を残し、95億円を貸し付けるか債券の購入をします。債券（国債、社債、株等）の購入も貸付とおなじです。B社が、設備当初のため借りたとします。

②B社の設備投資の代金（たとえばC社から不動産45億円、D社から機械50億円）は、C社とD社の預金口座に振り込まれ、C社とD社の預金の増加になります。

③C社とD社の預金口座は、E銀行にあるとします。E銀行では、C社とD社の預金が95億円増えます。E銀行の行動もA銀行と同じです。5％（4・75億円）の支払い準備を残し、90・25億円を、別の会社に貸し付けようとします。

④F社が90・25億円を借り90・25億円の設備投資をしたとします。おなじように、これは、設備投資（資本財）という商品を売ったG社の預金になります…。こうしたプロセスが、銀行システムのなかで、無限に続きます。

米国では、企業の銀行負債より大きい＄14兆（1120兆円：GDP額に相当）にもなっている個人への住宅ローンと消費者ローンの貸しつけも、乗数原理で膨らんだものです。

⑤最終結果

銀行システムのなかの、最初の預金増100億円が、「100億円÷準備率5％＝2000億円（20倍）」にもなります（無限等比級数）。この総預金の増加額は銀行内に滞留する準備預金を除き、銀行の貸付金と等しいものです。そしてこの預金は、銀行の所有ではなく、預金者（個人と企業）が所有権をもつ金融資産です。

前述のように、日本の信用乗数は、12年8月で12・5倍＝「マネー・ストックの金額（1462兆円）÷マネタリー・ベース（日銀券＋当座預金＝１１７兆円：12年7月）」です。準備率は［１÷12・５＝８％］です。１１７兆円のなかには、個人のタンス預金が約30兆円が含まれるので、それを引けば乗数は16・８倍、準備率は５・９％です。

（注）これもまた前述のように、日本のマネー・サプライとしては、日銀券と銀行預金である直接的なＭ２（８１９兆円）、定期と外貨預金等を加えたＭ３（１１２６兆円）、およびもっとも広く保険会社および社債と国債保有を含む広義の流動性（１４６２兆円）があります。本章ではとくに断らない限り、広義の流動性をマネー・サプライ（またはマネー・ストック）とします。サプライはマネーの供給側（中央銀行と銀行システム）から見たもので、ストックは金融資産を所有側（企業、世帯、政府）から見たものですが、金融資産は別のだれかの負債であるため、所有と負債の金額は一致します。

【マネー量の増加の時間】

こうしたマネー創造の乗数は、預金が増えた後に、すぐに3ヵ月、1年で働くのではありません。預金や日銀の銀行へのマネー供給が、貸付金になって、設備投資になって、他の主体の預金になってゆくプロセスには一定の時間がかかります。信用乗数の完結には、数年かかるでしょう。

信用乗数は、金融引き締めのとき中央銀行が銀行に示す準備率を上げれば、低下します。

準備率が5％から6％（20％増）になると、事例のマネー量の増加は、［１００億円÷６％＝１６６７億円］が上限になります。他方、準備率を4％に下げると［１００億円÷４％＝２５００億円］に増えます。準備率のわずかな差が、国民経済のなかの銀行が仲介する「預金→貸付→投資」

によって決まる総マネー量を大きく変化させます。

この意味でも、長期的には、ＢＩＳの２０１９年が期限の自己資本規制（10・５％）の行方が肝心です（前述）。銀行システムのなかに、顕在的なあるいは潜在的な不良債権が大きく、企業への貸付増（銀行にとってリスク資産の増加）ができないときも信用乗数が低下し、その国の総マネー量は減っていきます。ひどくなると、米国の１９２９年からのような信用恐慌をもたらすのが、不良債権です。

【１９９８年の金融危機のあとは信用乗数が低下：増えないマネー・サプライ】

中央銀行がマネーの供給を増やしても、そのマネタリー・ベースが、世帯のタンス預金として、あるいは中央銀行の当座預金に溜まったままでマネー・サプライが増えない時期があります。日本の１９９８年以降、現在に至る14年間です（図）。

０％にへばりついたマネー・サプライを見てください。日銀が増やしたお金が企業に回っていない状態を示します。同じ図の銀行貸出は、１９９８年から２００５年まで、毎年３％から５％も減って、06年に若干増えたものの、減少を続けています。他方で、銀行と保険会社の国債買い、つまり政府事業への資金提供は、毎年30〜40兆円も増えてきたのです。

心臓（中央銀行）が増加血液（マネーの増発）を送っても、全身の血は増えず、銀行（臓器）に溜まったままで、政府には行くが経済活動する筋肉（企業と世帯）に行かない。政府の長期債務（国債）と短期負債が、この間、約５００兆円、増えただけです。こうしたときは中央銀行がマネーの増発

○ゼロ金利政策・量的緩和政策によりマネタリー・ベースは大幅に増加したが、十分な銀行貸出は行われなかった

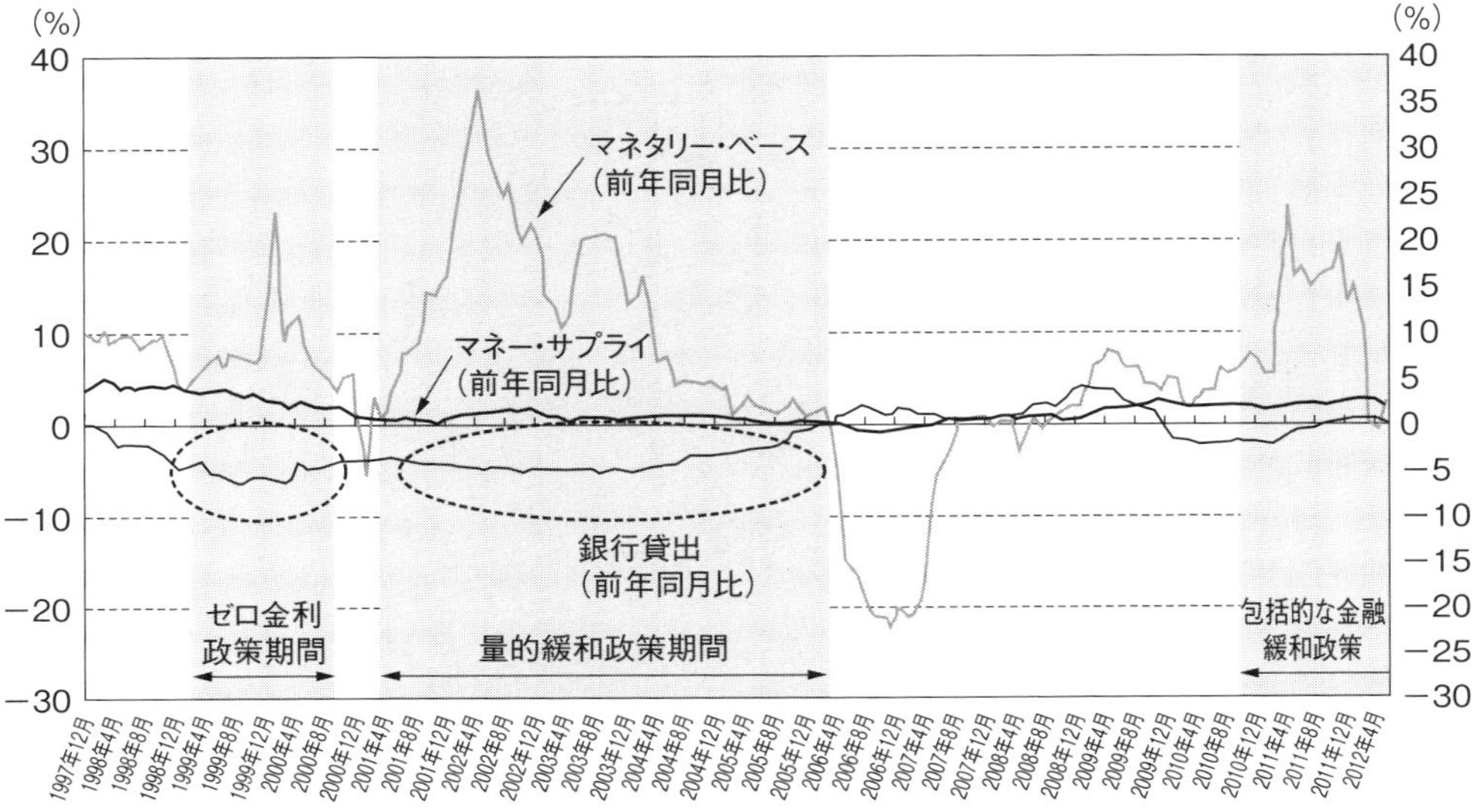

〔出所〕日本銀行

※1　マネタリー・ベース（日銀が金融市場で金融機関に供給しているお金の残高）＝日銀券等発行高＋日銀当座預金
※2　マネー・サプライ（金融機関を除く民間部門が保有するお金の残高）＝日銀券等発行高＋日銀当座預金（普通・当座・定期預金など）
※3　日銀が金融機関に供給した賃金（マネタリー・ベース）が企業等に貸し出され、その一部が預金に環流し、それが貸し出されるというサイクルを経ることで、マネタリー・ベースを大幅に上回る資金（マネー・サプライ）が市中に流通することになる（信用創造）。

をしても、経済は不況化します。低血圧で「お金という血液が回らない」状態の、経済の病気です。

これは前述したように、2つの原因、

①企業が将来のGDP（企業にとっては粗利益）の停滞ないし減少を予想して新規の設備投資を減らすとき、つまりマネーの、需要の低下のとき、

②銀行システムのなかに潜在的な不良債権が大きく、貸付金を増やせないときに起こります。この両者が、ここ20年の日本経済がかかえる問題です。

銀行の貸付金利も1・5％なのに、お金が回らないのは、企業が投資決定するとき期待するROI（期待利益÷投資額＝投資利益率）が、将来の期待実質金利（後述）より低いためです。簡単に言えば、250万社の企業が、新規投資で増えるべき必要な売上を予想できないからです。1998年以降は世帯も、給料が安くなってボーナスも減り、つまり平均の年収が100万円くらいも減っているため、消費を減らしています。消費は企業にとっては売上です。

経済が成長しているとき、あるいはインフレ期待では、個人や企業が早くお金を使うため、「預金→貸付金→投資→預金→貸付金→投資…」という、マネーの流通速度が上がります。これによって短時間でマネー・サプライの総量が増えます。つまり成長が期待される時期は、前記の①から⑤までの、マネー量が増える年数が短い。

【GDPの成長と実質金利の意味、およびマネー・サプライ】

マネー・サプライ（狭義では預金量：M3）の増加分が、銀行によって、有効に貸しつけられて企業の投資になって、投資した企業に利払いを引いた利益が出ると期待されるとき、経済成長が起こります。

逆に、投資によって損が出る予想のとき、同じことですが借入金利率よりROIの期待利益率（Return On Investment＝期待利益額÷投資額）が低いときは、マネー・サプライ量が増える乗数の連鎖効果に寸断が起こるため、マネー・サプライ量の増加率は減ります。不況になる現象がこれです。

(1)企業の投資で重要なことを付け加えれば、翌年の物価の下落予想（デフレ期待）が仮に2％であると、名目金利（貸付期金利1・5％）は低くても、生産・販売する商品の平均単価の予想がマイナス2％なので、負担する「実質金利」は「1・5％＋2％＝3・5％」に上がることです。

(2)加えて新規投資では、売上が目標を下回って利益を出せないかもしれないというリスクがあります。このリスク率を低く見て、3％としても、経営者が想定すべき実質金利は「3・5％＋3％＝6・5％」です。この意味は、100億円の設備投資で、6・5億円以上の利益（ROI）が期待できなければ、新規設備を増やす積極的な投資は起こらないということです。

なおこれは、マネーのもとが借入金であっても自己資金であっても同じです。2000年代は、世帯の預金は増えずとも、企業預金の増加が1年に20兆円くらいです。これが示すのは新規の投資の減少です。

以上が、2000年代の、12年間の日本経済の実相です。100億円の投資で6・5％の期待利益は、現在、将来の日本では、とても高い。このため企業の設備投資額（63兆円：12年6月期）は、古い設備の更新（減価償却費）以下にとどまっています。

全企業250万社の設備ストックは、1246兆円です（12年3月：内閣府）。他方、設備投資は年額63兆円付近（2012年）であり、既存設備に対しわずか5％でしかない。この投資額は、設備が古くなる分（減価償却の範囲）の更新でしかないことを示します。ある会社で償却設備（建物や機械）が100億円なら、設備の劣化に相当する減価償却費は5億円はあるでしょう。わが国の投資はその更新だけです。これでは今後も、いつまでも、日本経済（実質GDP）は成長しません。経済が成長しないなかで、政府の負債が1年に40兆円から50兆円増え続ければ、財政破産に至るのは自明の理です。

データ：http://www.esri.cao.go.jp/jp/sna/data/data_list/minkan/files/contents/pdf/121stock_point.pdf

政府（内閣府）は、近い将来の経済成長を名目で3％程度（実質2％+物価上昇1％）と出していますが、これはどんな根拠か？「ためにする予測」としか思えないのです。

1991年以降の日本では、250万社の経営者の、たぶん95％は将来GDPの増加を低く予想し、商品と資産のデフレも予想しているため、設備投資が少なくなっています。

デフレは生産した商品の価格が下がることであり、企業の売上が増えないことです。経済成長で肝心なものである「期待や予想」とは、現在の金利、利益の結果、または価格ではなく、ほぼ向こう数年間の期間での、集合的な見通しです。

【取引市場】

われわれが住宅や株を買うとき、住宅や株の、将来価格を予想することとおなじです。この予想は、個人のものではなく、集団的な心理です。異なる見方をする別の集団や個人が常にあり、異なった将来価格の予想をしているため、今日の株・外為・資産の売買、つまり市場取引が生じます。たとえば株価では、日本人で約７００万人の個人、ヘッジ・ファンド、金融機関、企業、株価アナリストが混じり、異なった予想をしています。多くの集団が同じ予想をすれば、価格の上昇期待のときは中央銀行がマネーを緩めたままなら、資産価格が天井知らずで暴騰するバブルまでが起こり、逆のときは、暴落する相場になります。中央銀行は、普通は、この暴騰や暴落を和らげるための、市場介入の金融政策をとります。

【恐慌の発生】

銀行に大きな不良債権があるときは、銀行が貸付に回す割合が減るため、中央銀行が準備率を上げたときとおなじように信用乗数は低下し、中央銀行がマネーを増発して、国民の預金の増加があっても、銀行システムのなかでのマネー量（利用可能な資本量）は増えません。これが金融危機のときに起こる、信用乗数の低下です（バブル崩壊以降の日本の22年）。マネー量が減ると、貸しはがしや債券・証券が売られて暴落し、経済は不況化して、ひどいときは恐慌になります。

（注）１９２９年からの米国の大恐慌では、マネー・ストックの減少が35％でした（『大収縮１９２９－１９３３』）。このマネー量の減少が工業生産は30％減りＧＤＰが45％も下がった原因でした。株価は、80％下落しています。ＧＤＰの下落が４年、その後１９３５年から回復に向かいましたが６年を要しています。株価が、１９２９年のバブル水準まで戻ったのは戦後９年目の１９５４年であり、25年を要しています。

これに準じることが、１９９８年以降の日本、08年以降の米国、10年以降の欧州に起こっていることです。１９２９年からの世界恐慌では、米国の信用乗数の低下は、マイナス30％と激しいものでした。以来、中央銀行は、銀行システムに不良債権が増えたときは、緊急にマネー印刷をし、銀行に貸すようになったのです。08年以降の５００兆円がこれです。この５００兆円で、マネー増加の信用乗数を大きく減らす不良債権に蓋がされています。回復には、ＧＤＰの成長が必要です。

確認すれば、以上のように、

①銀行システムのなかでの信用乗数によるマネー量の増加があって、
②マネーの増加分が企業に貸しつけられて、
③企業が設備投資をし、
④新規の設備投資によって生産される新しい商品の増加が需要の増加を生んで、
⑤企業が賃金の支払いを増やして利益を出すとき、

経済（ＧＤＰ）は累乗的に成長します。

ＧＤＰの成長は、個人の所得と、企業の利益の合計が、増えることです。これには①から⑤までの信用乗数の増加が必要です。会社に利益が出ないと、社員の給料は増えることができません。給料が増えないと消費は増えません。

【ＧＤＰの原理：三面等価と生産性】

なお大きなことを一言で言えば、［ＧＤＰ＝商品生産額＝企業と世帯の合計所得額＝有効需要額（消費＋貯蓄）＝労働人口×１人あたり生産性であり、貯蓄額＝国内投資＋海外投資］です。

ケインズは、貯蓄額（ほぼＧＤＰの20％）が投資額よりも多すぎる時期は、有効需要が不足し、その国に不況と失業を生むとしました。その通りです。逆に、有効需要（消費＋投資）が貯蓄を超過すれば、インフレです。

商品生産には、①店舗で売る有形商品（衣・食・住・情報機器・家電）と、②無形のサービス商品（交通、通信、電力、医療、ホテル、外食、パチンコ、情報、教育、娯楽、公的行政サービス、議会の費用、政治費用）があります。先進国では、ほぼ40％が有形の商品であり、60％が無形の商品です。経済成長は、無形のサービス商品とサービス業を増やす傾向があります。

すこし繁雑ですが、参考のため、現在のＧＤＰの需要面での内訳を言えば、以下です。

［名目ＧＤＰ（４７５兆円）＝個人消費２８９兆円＋住宅投資14兆円＋企業の設備投資63兆円＋政府最終消費支出98兆円＋公共投資23兆円＋輸出72兆円（外需）－輸入80兆円］です（内閣府：２０１２年３月期）。

http://www.esri.cao.go.jp/jp/sna/data/data_list/sokuhou/files/2012/qe121_2/pdf/jikei_1.pdf

消費者物価の下落（デフレーター）を加えた実質ＧＤＰ（商品数量ベース）では、５１７兆円です。名目ＧＤＰとの差額（５１７－４７５＝42兆円）が、物価の下落分です。内閣府は２００５年の物価を基準（１００）としていますから、６年間で８・１％（１年平均で１・３％）の消費者物価の下落があったことになります。

前記の、需要の60％を占めるサービス商品の価格は下がらない傾向があるので、店頭で販売される物的な商品の、平均的な価格下落率は、６年で16％、１年で２・６％という大きなものです。２００0年代後半から、店頭の商品に価格が安いものが増えたのはこのためです。

【物価の下落期待がある】

１９９８年から続く物価の下落（店頭物価は年率マイナス２・６％）は、世界で日本だけの特殊状況です。半年後や翌年の物価と資産の下落期待は、人々が、消費と投資でマネーを使う速度を低下させて、信用乗数を下げるとともに、経済を不況化させます。

なお米国では１・７％、金融危機の欧州でも２・４％、不動産バブルの崩壊直前に見える中国では２・２％の物価のインフレがあります（12年７月）。日本の名目ＧＤＰは、２００６年には５１１兆円でした。２０１２年は４７５兆円へと、36兆円も減っています。これは、個人と企業の合計所得が36兆円減ったことに等しい。

［南欧の今後］①国債価格の下落と金利上昇、②不良債権を抱えた銀行システムのなかの、信用乗数の急低下によって、恐慌並みの勢いで所得の減少が生じているのは、南欧（イタリア、スペイン、ポ

ルトガル、ギリシャ）です。南欧の住宅地、商業地の不動産が、大きく下がるのはこれからです。

欧州中央銀行（ＥＣＢ）は、２００兆円くらいを増刷して、緊急に注いでいます。しかし不動産バブル崩壊の深化に対しては不足しているため、日本の90年代からのバブル崩壊に似て、危機の収束には長期（10年単位）がかかるでしょう。

本項で述べる、①銀行システムの、自律的な信用乗数が回復し、②それを企業が使う投資が増えねば、ＧＤＰは回復軌道には決してのらないからです。

なお、株式市場を言えば、今後も、ＥＣＢが南欧債を買いとる表明をすると、その直後の約３ヵ月は、南欧債の金利も下がって、欧州の株価も上がる傾向を示すでしょう。

その３ヵ月後には、また危機です。理由は、南欧の政府債務４００兆円、民間債務４００兆円のＰＩＩＧＳでは、３ヵ月に、政府と民間債務の元本償還だけで50兆円が必要だからです。

問題はどこまで、ＥＣＢがユーロ印刷を続けることができるかです。あと１００兆円くらい（１兆ユーロの増刷）が限度に思えます。理由は、ＥＣＢにかぎらず中央銀行による過度のマネー増発（信用拡大）は、通貨ユーロの価値を下げるため、外為市場でユーロ債の売り（ユーロの流出）が起こって、マネー増発の効果がなくなるからです。

【日本では、企業の設備投資が減少してしまった】

企業の設備投資は、２００７年には、77兆円ありました。12年３月現在年額で63兆円であり、18％減っています。これが、前述のように日本の経済成長（＝所得の増加）がない原因です。原因をさかのぼれば、経営者が、将来のGDP（商品需要）の増加を予想していないからです。既述のように2000年代は、生産設備が劣化する減価償却の範囲でしか、企業の投資は行われていません。

2．90年代以降のわが国の銀行融資の問題 有効な投資への貸付がファイナンス

わが国では、銀行は不動産を、主要な担保にしていました。住宅ローンでも、世帯が買った住宅が担保です。担保（または抵当）は、利払いと返済ができないと、差し押さえられるものです。250万社の企業の、設備投資でもほぼおなじでした。

上場企業（約3000社）に対しては、銀行もCEOの個人保証や、担保を取らないケースもあります。しかし不動産担保はにらんでいます。30代のころ経理担当をした経験が10年（このとき会計と税法を覚えました）ありますが、都銀の不動産担保に対する執念は、すごいものでした。現地の写真をとり、融資の稟議《りんぎ》書に貼り付けるのです。権利書と事業計画書（利益計画書）を見るのは当然です。

［日本の貸付の問題］　1990年以降の土地バブルの崩壊から、日本の地価は、総額で1200兆円も減っています。住宅地価格で3分の1から4分の1、商業地では5分の1か8分の1です。これは担保不動産の不足を示します。これを主因に銀行は企業や世帯への貸付金を増やすことができず、結果としてマネー・サプライは増えず、この22年、GDPの成長はなくなってしまったのです。

一方、米欧での企業の資金調達は株式と社債が主です。銀行からの借入金は、ほぼ短期の運転資金

です。銀行から借りるのは世帯であり、住宅ローンと消費者ローンです。富裕者であるエンジェル投資家やファンド（年金基金やヘッジ・ファンド）が、ベンチャー企業の将来利益を想定し、資本を出します。ソフトバンクの孫正義氏が、紹介を受けて米国に行き、将来がわからない株を担保に１００億円も出す人があって心底驚愕したことを言っています。不動産担保主義の日本ではあり得ないことだったからです。

世界共通に１９９０年代以降の企業投資は、情報技術、サービス業、インターネットです。大規模な工場や不動産ではなく、知識と技術を持つ人材が資本です。無形の技術資源が、資本です。こうした新興企業では、不動産投資の割合は少ない。賃借りのオフィスくらいで担保はありません。わが国では、90年代以降、ミニ企業への資本供給の増加がない。22年も経済が成長せず、世帯所得が減った主因です。

【不動産担保と、連帯保証制の問題】

わが国の不動産担保を重んじる融資は、21世紀の情報・サービス型の企業になじみません。技術、人材、事業計画を見て、銀行が資本を供給する方向に転じないと、今後もＧＤＰの成長は望めません。ここが日本経済における、資本供給の構造的な問題です。

日本では銀行預金が７３０兆円規模と、他国より大きいため銀行を通じる資本提供が大きい。１９９８年以降、金融危機のあとの銀行は、増加する預金でもっぱら国債を買う機関、経済を成長させないデリバティブの購入をする機関になってしまったのです。デリバティブではほぼ２％の製造マージンが、製造元（米国の金融機関）に行きます。

わが国の250万企業の設備ストックは約1200兆円ですが、上場企業分（約3000社）は600兆円でしょう。株価の予想PERは12倍（予想純益の12年分）くらいです。このPER倍率は世界に比べて劣ってはいない。問題は、600兆円の資本ストックに対する純利益（ROI）が、上場企業もわずか20兆円（3・3％）しかないことです。この純益は40兆円（6％台）必要です。設備の資本ストックが有効に活用されていないことを示します。同様に、全企業の売上対比の利益率も、米国企業の半分以下です。このため株価も、［時価－額面価格］で擬制資本のマネー創造をするものですが、この機能も低いのです。

上場企業のPBR（株価÷純資産）では、1倍以下で、資産を売却した解散価値より低いのです。これは、株式市場で買いが低調だからではない。企業の純益が、毎年、必要額の半分だからです。日銀が株を買って、あるいは政府がPKO（株価維持のための買い）をして、解決する問題ではない。純益が少ない企業側の、自己原因です。経団連は、エコポイントなどの政府の予算拡張による需要増を求めるのではなく、企業の利益率の低さを問題にせねばならない。経済学者にはこれを指摘する人もいますが、経営者側が自分の課題として、経営の技術革新（生産性の上昇）を図らねばならないのです。

●銀行と金融機関に、潜在的な不良債権があると、信用乗数が働かない

1992年からの不動産価格の崩壊以後、金融機関は、金融庁による公称で100兆円（推計で

は2倍の200兆円）の不良債権をかかえました。1998年の、金融危機以降の14年間、日銀による預金金利ゼロ誘導によって銀行利益が回復したとは言え、21行の都銀が四つの銀行（三菱東京ＵＦＪ、みずほ、三井住友、りそな）になり、それが三大メガバンク（三菱ＵＦＪ、みずほ、三井住友の三大資本グループ）に統合されています。なぜ統合されたのか？　個々の銀行では実質的に破産していたからです。

メガバンクが、特別損失として当年度の不良債権の償却をした後の、申告利益を計上するようになったのは、やっと2011年からです。それまでの約14年、申告利益を出していません。

（注）経常利益は出しています。事業収益－経費＝営業利益、営業利益－営業外費用＝経常利益、経常利益－特別損失＝税務上の申告利益です。わが国の250万社で言えば、この申告利益での赤字が、70％もの法人です（国税庁）。

かつて株価時価総額と利益（約5000億円）で日本最高だった野村證券はどうか？　2008年9月に破産したリーマン・ブラザーズの一人平均3000万円の高給社員を、数千名も引き受けたのはいい。しかしその後の欧州部門の赤字と、繰り返すインサイダー問題から、株価は2500円（世界金融危機の前の2007年）から、今日は278円という悲惨さです（11％：時価総額1兆円：ＰＥＲ87倍：ＰＢＲ0・48倍：12年8月8日）。マネー・パワーを誇っていた野村證券も、近々、比較的にまな三菱ＵＦＪフィナンシャル・グループに資本統合されるでしょう。

インサイダー取引は、2000年代の世界の金融機関に巣くっている金融のモラル・ハザードです。米国と欧州でも言及するのがイヤになるくらい多い。デリバティブでの擬装（潜在損の繰り延べ）

が多いのです。
日銀の白川総裁は「十分にマネーを供給している。しかしマネー・サプライはなぜか増えない」と言っています。「なぜか」と言うのはお粗末です。理由は2つです。読者の方々は、もう理解してしまったでしょう。まとめます。

【二つの理由】

(1)金融機関に、バブル崩壊以後、潜在的な不良債権と含み損があり、BIS規制の自己資本比率8%を守ったうえでの、積極的な貸付ができない。BISが、世界の銀行に課す規制を守ることができないと、国際的なマネー取引から排除される。既存企業の借入需要には、営業赤字での資金不足を原因とする運転資金のためのものが多く、担保も不足しているから貸しつけることができない。

このため、日銀によるマネー供給は、日銀の当座預金にも滞留し（36兆円：12年7月）、銀行システムのなかでの有効な貸付けによる信用乗数が低下しています。この当座預金は、本来、10兆円くらいでいいのです。

(2)他方で、国債は、貸付金や株のようなリスク資産ではなく、監督当局（金融庁・財務省）によって「安全資産」とされている。安全資産は、銀行の総資産（分母）のなかから引くことができます。

このため、①銀行が貸付金を減らし、持ち合いだった保有株も売って、②国債を買えば、「自己資本÷リスク資産」で計算される自己資本比率は高まります。

このため、毎年30兆円くらいの新規国債を、金融機関（銀行と保険会社）の合計で買ってきたのです。

（注）ＢＩＳのバーゼルⅢ（２０１９年から適用予定）は、国債もリスク資産と見るような変更も含んでいます。国債がリスク資産とされれば、銀行が保有国債を売らねばならず、明確に政府の財政破産が起こります。

【公共事業の乗数効果が低い理由】

国債による政府の公共投資にも、乗数効果はあります。ところが、国債が使われる公共投資、公共事業は、ゼネコンや土木会社が、過去の赤字を埋めるもので、キャッシュフローは借金の返済にしかなっていない。このため、銀行システムのなかの預金増（マネー量の乗数効果による増加）にはならず、結果として、前述した乗数効果が、公共投資ではきわめて低くしか生じていません（1年で1・1倍：3年で3倍：内閣府）。

１９９１年から２０１２年までの22年の公共投資の累積額は、６５０兆円もあります（これが国債残になっています）。1年平均で30兆円です。30兆円の公共事業は、当年度のＧＤＰの低下を30兆円分は防ぎます。しかし、その後の乗数効果での経済成長にはなっていない（この件は重要です。省庁の公共投資予算を承認する財務省と政党に、この認識があるかどうか?）。

箱物や土木の公共投資で、お金が流れる先のゼネコンや土木会社が、会社として利益を出し、その分が増加預金にならないと、公共投資による乗数効果は生じません。当年度のＧＤＰ低下を防ぐ効果しかないということを示すのが、乗数効果の１・１倍です（3年で約3倍：内閣府）。この３倍は、前記の、企業の有効な設備投資のように、数年間で10倍はなければならないのです。

【乗数効果】

『一般理論』で論証された公共事業による乗数効果は、公共事業を受ける会社が利益を出す有効なものでないと生まれません。河川の堤防などの公共投資は、災害の損を防ぐもので、完全にムダとは言えませんが、90年代以降約22年の公共投資が、乗数効果で経済成長を生むものでなかったことは事実です。

さらに言えば、前述した前項で述べたＢＩＳ規制の厳格化は、銀行に対し、準備預金の増加をうながすものです。８％の自己資本規制が10・５％に上がると、ＢＩＳの項で計算したように、８÷10・５＝76％…つまり24％のマネー・サプライが減少せねばならない。金融危機の２００８年以降は、銀行の利益による真正の自己資本の増加は、ほとんどないからです。逆に潜在損が膨らんでいて、自己資本は減っています。

世界の銀行へのＢＩＳ規制が２０１９年に向かい10・５％になれば、その間、強烈なマネー・サプライの減少（逆乗数効果：76％）が生じ、日本を含む世界経済はデフレ型の信用恐慌に向かいます。デフレ型恐慌は、米国の１９２９年から33年のような銀行の破産でもあります。

このため、ＢＩＳ規制の厳格化を意図しているＢＩＳの本当の目的が、わからないのです。

論理的に言えば、世界の銀行資産を、中央銀行の上に君臨しているＢＩＳが獲得しようとしているとしか思えません。事実を言えば、現在、不動産と株の価格が暴落しているギリシャへは、産業イン

――フラに対しロシアが資金提供と買収の手を伸ばしています。

【本章で、ここを書く目的】

あえてここまで書くのは、ＢＩＳによる支配の意図を示し、世界の金融が２０１７年あたりからＢＩＳの植民地に落ちないためです。デフレ型恐慌で暴落した銀行株を買収するか、出資すれば、支配権が得られるからです。ＢＩＳは当然に、目的を言いません。言うはずはない。

第二次世界大戦中に、首都が空襲で燃えさかるなか、田舎に疎開した皇族の所有地を二束三文で買っていたのが、戦後の西武財閥をつくった堤康次郎氏（当時、衆議院の議長）です。流通の「西友」をつくって破産し（ウォルマートが買収）、事業からは隠遁《いんとん》した堤清二氏が、首都火災のなかで電話にかじりつき「買いだ、どんどん買え！」と命じる父の肖像を、小説として描いています。株と資産価格が下がる恐慌は、次の時代に向けた、巨大利益の準備でもあるのです。

氏の『流通変革の透視図』で多段階の商品流通の高コストを学んだ者として、感慨があります。この論は西友での失敗を経て、アジアやＮＹにも進出した『ＭＵＪＩ』や、コンビニ型流通の『ファミリー・マート』として華ひらいているでしょうか。

3. バブル経済崩壊後22年…日本経済の問題の根底にあること

経済の成長、言い換えれば、個人と企業所得の増加は、何を原因に得られるか？　企業のイノベーション（技術革新）によって生まれる、有効需要を増やす新商品の増加によってです。一人当たり生産性が低い農業人口（一次産業）が、工場に雇用され、工場システムのなかの仕事で生産性（商品粗利益高÷社員数）が高まるとき、ＧＤＰは二桁の成長をします。１９６０年代の日本と２０１０年ごろまでの中国がこれでした。

●ミクロ経済学の価格論争から生まれた、経営のイノベーション論

【労働価値説】

まず労働価値説です。古典派では、たとえばりんごの価格はその生産と流通に費やされた「労働の時間×単価」であるとされていました。古典派を総合したマルクスの「労働価値」でもあります。

海で自然に生まれ自分で餌をとって生きる魚は、価格がついて泳いでいるわけではない。漁師さんが魚をとって、価格をオファーし仲買市場で売る。そのときの価格は、魚をとるために費やされた労働である。もちろん漁師さんだけの労働ではない。船を造る船大工さんや工場の労働と原材料費も、漁師さんが使う船の価格に含まれている。船と燃料の費用も、漁師さんの経費として、魚の価格になる。しかしその船の価格自体も、さかのぼれば全部、労働の費用である。木造船なら木を使う。木は

もともと自然のなかで、無料で育ったものであるが、それを伐採し、運び、製材して売る労働の費用が木材の価格であり、それも、魚の価格に封じ込められる。つまり［ＧＤＰ＝生産された総商品価格＝総人件費］です。物価変動を含めれば、名目ＧＤＰであり、物価変動を引けば、実質ＧＤＰ（商品数量×実質価格）です。

魚の価格は、以上のようにさかのぼると、魚をとって売るために費やした人々の労働の価格に等しい。このため、同じ魚でも、中国のように労働費用（賃金水準）の低い国の魚は、高い国より安くなります。中国生まれの魚がもともと安いわけではない。賃金水準の高い国でも、少ない労働量で、たくさんの魚をとることができる漁師さん（あるいは会社）の魚は、安くなる。これが国別の比較生産費です。

経済取引では、こうした労働価値（金額になったとき価値と言います）、が等しいものと交換される。そのとき取引の「媒介」になるものがお金である。りんごも、同じである。りんごの生産と流通に費やした労働量がその価格になる。魚が５００円、りんごが１個１００円とすれば、それが、それぞれの総労働量（総人件費）である。魚１匹とりんご５個が、労働量で等価であるから、等価交換が可能になる。これが経済取引である。こうした経済取引の総量がＧＤＰである。したがって、商品のなかの、労働量を減らすこと、つまり生産性を上げること、これこそがＧＤＰを増加させる…なるほど、［ＧＤＰ＝商品生産量＝個人と企業の合計所得＝有効需要（消費＋投資）＝労働人口×一人あたり生産性］です。以上で、商品生産と投資の事業経営、および個人の仕事と、全体経済のつながりがわかるでしょう。

●古典派の『限界効用』論

ワルラスの限界効用論では、商品の価格は、その商品の生産と流通に費やされた労働量ではなく、市場が決めるとします。市場では、売り手がオファーする価格と、買い手が買う価格が一致するところで価格が決まる。つまり、商品の供給量と需要量の交点（一致点）で、価格が決まる。

古典派の価格論だった労働価値説に対し、商品価格は、商品が人に与える主観的な効用で決まると考えます。そこから1歩進み、その商品が一個追加されることによって生じる「限界的（マージナル）な、言い換えれば追加されると感じられる効用」によって決まるとします。

限界とはマージナルであり、日常語のリミットではありません。「追加的な」という意味です。

商品数量の増加とともに、追加されて市場に並ぶ商品に対し、人が感じる主観的な効用は減ってゆくという原理（真理）が、認められます。

確かに一個目のりんごは、美味しい。この美味しさは、私の舌と脳が感じるもの、つまり主観的な効用である。効用（benefit）があるとは、地球と自然環境にとってとは違い、人間集団にとって有益ということである。

二個、三個と食べると（人が主観的に感じる）美味しさは、一個目より減る。りんご以外も商品全体で、共通の傾向がある。つまり、商品の限界効用（りんごでは美味しさ）は、食べる量が増えるたびに減っていく。これが生産数量を、需要に対して増やすことができる商品がもつ「限界効用逓減の法則」である。

（注）この商品効用が商品価値です。［商品価値＝商品効用（benefit）÷価格］です。顧客は商品価値を買う。

その商品価値を高めるように、生産し流通するのが企業です。最初はうれしいブランドのバッグも、あれこれたくさん買うともう要らないと思うことが限界効用の低下です。

生産量が市場での需要を超過すると、超過した分の売れ行きは減って、価格は急に下がります。売れる価格が生産コストを下回らないように、生産量が調整されます。りんごの価格は、それをつくるのに費やされた労働（古典派経済学の価格論）ではなく（生産側はそれを主張しますが）、市場では、りんごの限界効用が、総労働費用とは異なる現実の価格を決めています。

（注）日本の電気代は、総括原価方式で、電力会社の総原価＋適正利益で決められています。ひどいものです。［原価＋利益］が販売の平均価格なら、経営（マネジメント）は要りません。マネジャーが行うマネジメントは、顧客に商品を売って会社が利益を出すよう、管理することです。電気が独占企業で、総括原価方式なら、経営が要らないというのはこのためです。結果は、国民に高い電気代を押しつけることです。発電会社と送電会社の分離が必要です。こうすれば、電力生産は、独占から離れて競争化します。

生産が需要を大きく超過し、生産コストより価格が下がることが不況です。これが、市場が価格を決める市場経済です。古典派の労働価値説を経て商品の限界効用という概念から、ここまで経済理論は発展したのです。

●シュンペーターが発見した創造的破壊の４過程：経営と経済の連関

［1．イノベーションが生む経済発展］

近代資本主義は、中世の、技術伝承的な職人による生産のような静的なものではない。生産と流通技術、情報技術のイノベーション（技術革新）を含むダイナミックなものに変わっています。商品の生産方法が変わり（生産技術の高度化）、低いコストで生産できるようになること、または生産コストの低いところから輸入されること（流通の変化）が、技術革新です。

［2．技術の波及］

技術革新で先行するところは、生産と流通のコストを上回る価格で売れるため、独占的な利益を得ます。現代の事例では、家具のニトリやユニクロの高い利益率、流通でセブン・イレブンなどです。しかし革新的な技術も、一定速度で他に普及するため陳腐化します。人類の共有資産となった知識は伝播します。

［3．新技術の普及過程が不況］

生産と流通の方法と商品分析から見える技術の独占は、できない。おなじ方法で生産・流通できる会社が増えると、先発企業の独占的だった利益は減り、工場の生産ラインを作ったときにほぼ決まっている一個当たりの生産コストが、下がった価格を上回る赤字になって、生産からの撤退が起こります（ソニー、パナソニック、シャープの液晶ＴＶ）。これが不況です。

先発企業であっても、生産、流通、市場の拡大の3要素において、継続的な技術革新を迫られるのが、世界中でほぼおなじ効用をもつ商品が生産されるようになったグローバル化時代の市場経済です（商品のコモディティ化）。

生産と流通技術の革新（イノベーション）は、既存のものを破壊もします。つまり「創造的破壊」です。新しいものが増えて独占的な利益を得ますが、他方で、技術革新で古いものは損失をこうむって消える過程が不況です。

［４．創造的破壊］

経済発展は、創造が破壊より大きなとき起こります。この意味で、不況は新しいものの創造の母です。成長する資本主義経済の、新陳代謝です。景気循環というサイクル的なものになります。

日本の１９９０年代以降、ＧＤＰ（≒国民所得）の停滞と低下が起こっているのは、シュンペーターから言えば、古いものが損失をこうむりながら、政府の支援や不動産担保で存続し、古いものが滅びに向かう以上の産業のイノベーションを起こしていないためです。企業が、技術革新で保守的になると、同種商品の生産量が増え、買い手にとっての「限界効用（追加される商品価値）」が減るため、競争市場では価格が低下します。これがデフレです。わが国の店頭物価は、１年に２・６％も下がっていることはすでに示しました。

●銀行家による信用創造が、イノベーションを実現する資本を生む

［１．銀行システムでの信用創造（マネー量の増加）の機能］

シュンペーターは、大経済学者でありつつ、オーストリアの大蔵大臣と銀行の頭取を務めた異色の経歴をもっています。このためもあったのか、資本主義経済における資本（信用通貨）の企業への供給において、銀行が果たす役割も説いています。資本主義でのイノベーションの実行には「投資」が必要です。しかしベンチャー起業家は、イノベーションを起こす技術知識はあっても、設備投資をする資本をもたない。資本に対応するマネーは、銀行システムのなかで「創造」されるのが

本質と見たのです。

［2．分業と機械化生産による規格品］

資本主義を発展させたのは、英国の産業革命（原型はアダム・スミスの国富論が説く、ピン製造の分業システム）にはじまる機械化生産です。機械は工場です。この工場をつくる資本を銀行が貸します。

前述したように、最初の預金100億円は、銀行の準備率が5％であると、総計で2000億円（100億円÷準備率5％）の、総資金を生みます。1900億円が、企業や世帯の預金を預かる銀行システムのなかで、新たに創造されるのです。このマネーが、銀行から資本をもたない起業家に貸しつけられ、実際的な生産や流通のイノベーションが生まれます。資本主義の発展にとって、信用という無からマネーを生んで供給する銀行システムは、必要不可欠です。

［3．株式によるマネー創造もある］

1990年に世界ナンバー・ワンの小売業（現在売上40兆円）になったウォルマートも、1960年代の創業期には、店舗と物流システムをつくるための資本不足で苦労していました。資金調達のために上場し、IPOの株価（市場の時価－額面価格）によって、投資のための資本を得ています。株価は、現在利益ではなく、経営戦略が生む将来の期待利益によって、価格がつくからです。

上場も、企業の将来利益を抵当にしたマネーの創造です（擬制資本）。株価の上昇が、マネー創造であることを見れば、株価（世界では4500兆円：2010年）の下落が、経済にとって問題になることがわかるはずです。この4500兆円は、世界のGDP対比で0・9倍付近です。この観点では、日本の株価総時価（270兆円：GDPの56％）は、半分と低い。原因は、上場企業の期待純益率が資本ストック（＝設備）に対し３・３％と低いこと、言い換えればＧＤＰの将来見込みが低いことです。http://www.world401.com/data_yougo/jikasougaku_world.html

［４．マネーは、商取引の媒介の機能だけではない］

初期の古典派経済学は、前述の労働価値説で見たようにマネーを、単に商取引を媒介するものとしかしませんでした。このため、経済発展（＝生産される商品量の増加）をもたらすマネー論はなかった。信用創造の理論は、初期古典派になかったのです。銀行システムの信用創造を、積極的に評価したのは、シュンペーターでした。

「銀行家は単に購買力という商品の仲介商人なのではない。またこれを第一義とするのではなく、なによりもこの購買力の生産者である。…彼は新結合《イノベーション》の遂行を可能にし、いわば国民経済の名において、新結合を遂行する全権能を与える」（『経済発展の理論』）というのが、シュンペーターのマネーと産業の関係を示す理論モデルです。

［５．デリバティブは経済成長に役立つものか？］

デリバティブの売買を主にして投資銀行化した、２０００年代の銀行システムが、こうした、シュンペーター流の産業のイノベーションを推進するものではなかったことは、言うまでもありません。自分が、創造したマネーでＬＢＯ（Leveraged Buyout）、つまり相手資産を担保に企業買収する禿鷹《はげたか》ファンドになってしまったのです。英国のバークレーズのように、世界の金融のベースになるＬＩＢＯＲ（ライボー）のような基礎金利を低くして不正を行うようになれば、もう目もあてられません。

［イノベーションの4項］

シュンペーターが挙げたイノベーションの基本枠は、以下の4項です。ドラッカーは、これを引きついで、より具体化させています（『イノベーションと起業家精神』）。マーケティングとロジスティクスの「新結合」による革新です。本来の産業の構造改革には、これが必要だったのです。郵貯をいじることだけではありません。

①新しく需要を引き起こす商品の生産（2000年代の典型事例：iPodやiPad、スタバ等多数）
②新しい生産方式の導入（iPodの生産のようなEMS、つまり受託製造サービス等）
③新しい販売先の開拓（ウォルマート等の、顧客満足）
④新しい組織の実現（保守化した大企業の、独占の打破を行う新興企業群）

●ある企業のイノベーションは、業界全体では不況を生む

前述したように、ある産業内で技術革新が起こると、少ない労働コスト（＝高い生産性）で商品量が増えるため、既存産業は、「限界効用逓減《ていげん》の原理」で売上を奪われ、あるいは商品効用が決める価格が下がって、損失を生んで、不況化します。

たとえば、ユニクロの1980円のカジュアル・ウエアによって、デパートと他の専門店のファッション売上が減ったようなことです。韓国企業の技術追随によって、2011年からソニー、パナソニック、シャープの液晶TVの価格が約半分に下がり売上数量も減ったことも同じです。

【イノベーション後の実体経済の不況】

恐慌は、技術革新で既存商品の生産量が増え、買い手にとって「限界効用逓減の原理」が働くためにも起こるものでしょう。生産コストが低くなるイノベーションを起こした企業の登場が、既存商品の価格を下げるからです。インターネットによって、マスメディアの価値（売上収入）が下がったようなことです。成長と衰退は、マクロ経済では裏腹です。靴の製造が工業化されれば、職人的な靴生産は減ります。あらゆる商品で、これが言えます。

これが産業をまたがって大規模であると、既存産業に失業（リストラ）と再編成を生みます。1920年代の米国は、フォーディズムの産業革命が進行中の時期でした。フォーディズム、つまりベルトコンベアによる、作業標準化の分業生産による少品種大量の自動車製造（T型フォード）です。アダム・スミスが、国富論で説いたピンの分業生産とおなじです。

経営《マネジメント》は、①顧客にとって限界効用（追加される商品価値：後述）の高い商品をつくることと、②働く社員の生産性（生産台数÷社員数）を上げて賃金を増やし、③国民の購買力を大きくすることです（T型フォードをつくったヘンリー・フォード『藁《わら》のハンドル』）。流通業では、商品価値を高めるのが、商品構成（マーケティング）です。

【テイラーイズム】

このフォーディズムを『科学的経営管理』の方法を示したテイラーからテイラーイズムとも言います。それ以前は、米国には数百の受注生産による、職人生産の自動車メーカーがあったことを知る人は少ないのですが…全米と世界を席巻したT型フォードの製造は、１９０８年からでした。これによって自動車製造業は淘汰《とうた》されます。19世紀の英国産業革命のとき、手工業の失業者によるラッダイト運動（織物工業の機械破壊）が、国中で起こったことはご存知でしょう。英国はラッダイトと首謀者を死刑にしています。すごい時代でした。現代で言えば、既存繊維産業によるユニクロの打ちこわしにも相当します。

【チェーン・ストア】

流通でのチェーン・ストアは、現場作業の標準化によって、生産性を高めることを行います。しかし、チェーン・ストア（流通の技術革新）は、他方では、一人あたりの生産性と所得の低い、旧型技術の家業型店舗を破壊します。たとえば、米国に多数あったドラッグ・ストアは生産性の高い、言い換えれば個人所得と企業利益が大きなウォルグリーンとCVSのチェーン（それぞれ６０００店舗）に統合されました。一人あたりの生産性と所得の低い企業が淘汰されたのです。これは忍びないことではありますが、全体で見れば生産性の上昇なので、国民の、国全体での平均所得は上がっています。

動的な資本主義では周期的な技術革新によって、景気循環が起こります。技術革新が登場し、その技術革新が新しい間は、新商品と生産性の上昇によって独占的な利益を得る。最近の例では、２０１０年までの日本の液晶テレビです。そして流通ではユニクロ、ニトリとコンビニエンスストア群でしょう。これらは他方では既存業界を淘汰させます。

しかし何年か後には、新しい技術もたとえば韓国の液晶テレビのような技術のキャッチ・アップで生産費、流通費が安くなり、このためパナソニック、ソニー、シャープの売上は急減し、雇用を減らすリストラを迫られます。パナソニック、ソニー、シャープは、このことを容易に予想できたはずです。予想できていないとすれば、経営管理者の怠慢です。

21世紀の技術革新と世界への波及は、情報化（つまり知識の共有化）の進展で高速化しています。工場投資の利益回収ができる前に、グローバル生産で商品価格が急に下がります。ここを認識しておかねばならなかったのです。以上の意味から怠慢と言います。

（注）関連して言えば、ＴＶの視聴率が減り、新聞も購読を減らしている理由は、その情報商品が陳腐化したからです。

アップルのような、新しい需要が多く、付加価値の高い新商品をつくることをせねばならなかったのです。家電では新商品開発には最低3年かかります。ということは、他社の3年先は見えるということです。商品で韓国の先を行かねば、日本の家電も沈みます。日本の家電産業のカギは、大きな需要を生む商品の開発と付加価値づくりです。

●旧通産省での議論

経済成長（ＧＤＰの増加）は、２５０万社の企業による、

・世帯の、大きな需要を生む新商品の開発（マーケティング）と、

・働き方の技術革新による生産性上昇（組織のワークフローと単位作業の改革）によるものであること

がないと、実現しません。
この2つによって、
①働く人の生産性が上昇し、
②会社の利益が増えた結果として賃金が上がって、
③購買力が増えて商品需要が大きくなることが、GDPの経済成長です。

これ以外にない。事業経営は、新商品の開発と、技術革新による生産性の上昇を計ることに他なりません。経営者が責任を負うべき二点は、新商品と、人の生産性を上げる技術革新です。

理解の助けになるので、何度も出しますが、［GDP＝商品生産額＝有効需要額＝企業と個人の合計所得額＝消費額＋貯蓄額＝消費額＋投資額＝労働人口×一人あたり生産性］です。日本のように、労働人口が増えないときは、働く人の一人あたり生産性が上昇しないと、経済は成長せず、世帯の所得と企業の利益は絶対に増えません。

労働生産性を高めるのは、働き方を決めている企業の責任です。組織のなかの個人が一所懸命に働けば、生産性が上がるのではない。会社が、商品と働き方を変えねばならないのです。

●若干古い話ですが、そのつけが現在の国債です

１９９０年代の終わりごろ、旧通産省からITシステム開発の予算をもらうとき、記憶していることがあります。提案する情報システムの概要図と、システムの目的を説明しているときでした。

「この情報システムの開発目的は、小売・流通業の生産性を上げることです」

「その目的では、通産省は困る。このシステムを使う会社の生産性を上げるということは、業界の雇用を、減らすことでしょう」

企業の生産性（売上高×粗利益率÷社員数）が上がれば、業界には失業が増えるでしょう。

失業を増やすシステム開発に通産省として支援はできないということでした。

【目的を変えた】

そこで考えて目的は顧客満足を高めると書き換えると、「それならいい」と、結局、予算がおりました。顧客満足を高めることは、マーケティングの革新によって、繰り返し買う顧客《カスタマー》が買いたくなる商品を増やすこと、つまり有効需要額を増やすことです。生産性を上げて価格を下げ、つまり商品価値（効用÷価格）を上げて需要数を増やすことも含まれます。

前掲のように、**【GDP＝商品生産額＝企業と個人の合計所得額＝労働人口×一人あたり生産性＝消費額＋貯蓄額＝消費額＋投資＝有効需要額】**です。

（注）貯蓄額が投資額より多いとき、有効需要が不足して、不況と失業が起こることを理論モデルにしたのが、ケインズの『一般理論』です。このため、政府が国債で余分な貯蓄を吸収して、公共投資・公共事業を行うことが有効としています。ただしこの公共事業の乗数効果が、低くなっている理由はすでに示しました。

このなかで、経済（GDP）の成長要因は、一人あたり生産性の上昇をうながす技術開発です。

顧客の有効需要を増やすことと、企業の生産性を上げることによって、会社と一人あたりの所得を増やすことは、おなじことでしょう。生産性を上げることとおなじことを、有効需要を高めること、つまり需要を増やすことと言い換えて、承認されました。予算を受けてうれしくても、なんだか奇妙な？　という感じが残りました。

●経済成長にとってはムダになった公共事業、公共投資の例

その後、ダイエーが破産寸前になりました（前項に関連して言います）。経産省は、「大手企業の破産は失業を増やす。これは困る。だからダイエーに資金援助し（借金をカットして）、延命させる」という次官決定をしました。政府マネーを使い、銀行には借金（確か8000億円）の協調カットの徳政令を要請していたのです（2002年の政府政策）。

同年、米国では1990年に世界ナンバー・ワンの売上だったKマート（売上4兆円）が、あとを追ったウォルマートとの顧客の獲得競争に敗れ、チャプター11（連邦破産法11章）を申請し、破産してしまいました。企業と商品は顧客が選びます。破産処理は、政府資金を使うことや銀行の債権のカットではなく、シアーズが資本買収するという方法でした。

ダイエーの延命に政府マネーを使い（経産省の権益拡張の意図があったのか？）、個人の預金がもとである銀行マネーを使うことは、損失補填《ほてん》のためにマネーを無効にして、その後の日本経済の成長を損なうと考え、流通専門誌に、「ダイエーは破産処理すべきだ」と書いたことがあります。

現在の東電も同じです。ところが、政府は1兆円の増資資金を出しています。今後の、廃炉と核燃料の最終処理、および住民の補償費、除染費を含む政府マネーは5兆円（あるいはそれ以上）になるはずです。これももちろん必要なお金ですが、生じた損失のつぐないです。3年後の経済を発展

させ、世帯所得を増やす乗数効果は生まない政府事業です。阪神淡路大震災のあと、損失より大きな投資もあった神戸がこの実証です。当年度の投資の増加は生みますが、失われた損失の補填であるため、その後の経済成長（復興）にはならなかったのです。

【抗議】

雑誌を読んだダイエーから「当社は債務超過ではない。自己資本はある」という抗議が来ました。確かに公表された財務諸表では、債務超過ではなかったのです。ところが、この財務諸表は、契約期間20年の店舗リース料を、将来負債として計上していないものでした。東電の、必ず払うときが来る将来債務（原発の廃炉費、住民や企業への補償費、除染費、核燃料の最終処理費）に似ています。

店舗敷地と建物を地主から借りるリース料は、向こう20年間リース料を払い続けるという契約です。店舗を閉じて使わなくても、同じ額のリース料を、使う期間と同じ20年間、払い続けねばならない。将来リース料は債務です。リースは買ったことと同じです。買うときのように一度には払わずとも、延べ払いする義務があります。途中解約ができるレンタル料（料金はリースより相当高くなる）ではない。リース料の将来債務を入れると、自己資本を失い、債務超過だったのです。

●ダイエーを破産処理すると、どうなったか

倒産処理ならグループの５兆円の売上は消え、雇用の数万人はいったん失業します。しかし５兆円の売上（顧客の商品需要）は、ダイエーのものとしては失われても、地域の需要が減るわけではな

い。地域の衣食住の需要はあるからです。M&Aの買収をするところも出るでしょう。

地域の人々の需要は、地域の別の店舗の売上に変わります。競合していた同一商圏内の、別の店舗の売上になるはずです。全国で、5兆円もの売上です。地域の店舗では新規の投資が起こり、雇用が増えます。これによって、いったんは失業した人の80％くらいが失業保険の期間後には再雇用されるでしょう。

数万人が、いつまでも失業するわけではない。商圏内の店舗には利益が出るようになり、この利益が地域経済を成長させます。マクロ経済では、所得が別の店舗に移転するからです。利益を出せず、社員の賃金を上げることができない企業の倒産は、儒教的な「仁《じん》」の徳にはなじみませんが、国の経済全体ではつぎの成長を生みます。

米欧の評論家は、露骨に「ゾンビ企業への政府支援の多さが、日本経済の長期停滞の原因」とも言っていました。08年の金融危機のあとは、これを言った米欧がこの状態になります。政府と銀行マネーがこうしたことに使われると、経済は長期に成長しなくなります。

●存続させたときはどうなるか

存続すれば、勤務している人の賃金は切り下げられ、長期で、所得は増えない。事実、救済のあと10年、2012年現在に至るまで、ダイエーは企業利益が少なく赤字スレスレの状態を続け、社員の平均所得は増やせていません。東電の、本当の債務の将来計算はあえてしませんが、これとおなじになります。

こうしたことを政府が行うため、地域経済のＧＤＰの成長がない。勤務を続ける社員には賃金増加の希望がない。ダイエーに残った誠実な社員が、２００２年から10年をムダに過ごせば、２００２年なら40歳で再雇用された人も、２０１２年現在は50歳です。転職の可能性は、よほど賃金を下げて求職しないとない年齢になってしまったのです。

若干詳しく、ダイエーの破産と、政府主導の救済を述べました。敵意をもっているわけではありません。１９７０年代まで小売業のトップを走り、とくに食肉の物価の革新もしていました。大手卸売業にも、取引の実態を知る立場から、ダイエーをよく言う人が多い。残念でもあります。勤めている社員の所得の増加がないことが、国民経済の成長（つまり生産性の上昇）にならないことを述べることを目的に、政府の失策としてあげたものです。具体名を出したのはイメージしやすくするためです。会計を公開し、市場で株を売る上場企業は具体名を挙げられる責任を負っています。資本主義では中内家の私企業ではないからです。

経済学から得た知見では、［ＧＤＰ＝生産された商品の付加価値＝個人所得＋企業所得＝消費額＋貯蓄額＝労働人口×一人あたり生産性］です。

１９９１年から２０１２年まで、政府マネー（公共事業、公共投資になる）と、銀行マネー（預金）が、経済成長に有効でない部分に多く使われ、現在の国債の残高になってしまったということを申し上げたいのです。公共事業・公共投資は、その後の経済成長を高める乗数効果が低く、銀行は、公共事業用の国債買いだったからです。

ケインズは『一般理論』で、穴を掘って埋める公共事業であっても、有効需要に効果があるとペンを滑らせています。これは、短期のGDPのことです。長期で、国債残がGDPの2倍にもなれば、経済は成長しません。日本政府の官僚は、ケインズがペンを滑らせた有効需要論を意図して曲解し、ことあるごとに政府財政を拡張してきました。このつけが、1000兆円の政府負債です。本章は、今後、従来の政府政策を修正するためにも書いています。

●投資不足を補う、公共事業の乗数効果の低下

日銀と政府で数十兆円が使われた銀行の救済も、おなじです。公共投資も、利益が赤字のゼネコンとその下請け、および土木業の損失補填でした。「全部が」とは言いませんが、22年間の政府公共事業と公共投資額は650兆円にものぼります。これが政府債務1099兆円になっていることは周知です。利払いのため、消費税が上げられます。企業の利益が半分に減って個人の所得も増えず、この二つのため政府の税収は増えず、減っているからです。

破産処理していれば、別の店舗に移転した売上によって、別の会社の利益が増えて、生産性が上がって個人所得も増え、政府の税収も増えたはずです。ダイエーも税金を払い終えていません。メガバンクも、同時に、です。600万人の雇用があるゼネコンと下請けもほぼ同じです。政府が、20年間行ってきたのはシュンペーターの創造と破壊の否定でした。つまり、経済成長の否定です。

1991年から2012年の22年間で、650兆円の公共事業・公共投資が、プラスの乗数効果を生んで、企業と世帯の所得増になることはなかった。逆に所得は減って、その結果法人と個人の所得税も増えていません。

このため政府の財政赤字は、一般会計の税収の40兆円とほぼおなじ、40兆円になってしまったのです。国債は増発され、財務省も財政の困難と破産を言うようになっています。中央政府の総税収（一般会計に属する）は、１９９２年には62兆円ありました。22兆円の税収減であり、原因は企業と世帯の所得減です。

６５０兆円もの公共投資・公共事業が行われても、２０１１年度の政府税収は41兆円であり21兆円も減っています。税収は、企業の申告利益と、世帯所得に比例します。税収の34％の減少は、企業所得の半減と、世帯の所得の減少を示すものです。他方で、赤字国債の発行は、７兆円（92年）から44兆円（２０１１年）にも増えています。

50万社くらいの中小企業にかかわるので、言いにくいことですが、２００９年から実施された中小企業円滑化法も同じです。総資金30兆円の枠です。銀行への返済と利払いを猶予《ゆうよ》する制度です。返済猶予によって事業構造の転換が図られ、赤字から数年で営業利益が出るように転じれば、国民所得の増加に有効です。企業所得と世帯所得の増加によって、政府の税収も増えて国債発行の必要額も減ります。この意味で、企業の一人あたり生産性（粗利益÷社員数）の上昇がカギです。

しかし融資案件２００万件の適用申請のうち、過半は企業再興（本来の意味でのリストラ：事業の再興）につながるものではない。これも結局、国民所得を減らし銀行預金が経済成長に使われないことにしかならないでしょう。ある経営者の話です。円滑化法で、本来は倒産している会社が競争入札で原価を割って安く出す。相手も赤字だが、わが社も赤字になって、税金も払わないし賃金も上げることができない。政府は良くないことを行っているのではないか。どう答えますか？　２０１

3年3月には切れるようですが、実際はどうなるか。

4．所得が増える経済成長は創造的破壊がないと、いつまでも生まれない

日本経済が20年余にわたる停滞から脱するには、①企業経営における、生産性の技術革新とイノベーション、②新しい有効需要を呼ぶ新商品が必要です。

繰り返せば、この2つしかない。経済成長には、創造的破壊が伴います。既存の生産性が低い古いものが淘汰されねば、創造へ回るマネーが減ります。資本主義は、創造と、他方では倒産によって成長します。政府が、税や国債を使って資金援助をし、倒産を否定すれば、発展はありません。過酷ですが、時折の出張で街を見ると、こうした思いに駆られます（シュンペーター：『経済発展の理論』）。

(1)［日本の、慣習的な融資制度の問題］　ダイナミックに、企業の新陳代謝が起こっている米国とちがい、日本では、銀行の担保と保証の慣習に問題があります。上場企業以外の中小企業（雇用の70％：3500万人）の多くでは、経営者が連帯で個人保証をしないと、実際は借入ができません。しかし借金は法人のものであり、株主（自然人）は、出資の範囲での有限責任というのが資本主義です。これが株式資本の企業を生み、経済成長を生んだ信用原理です。日本のように、経営者が会社債務を負う事実上の無限責任なら、倒産のとき全資産がなくなるので、資産家のリスクが高く

なって出資と起業はしなかったとも言えます。

（2）［有限責任と異なる無限責任制］　銀行は経営者一族に、普通、連帯保証という無限責任を要求します。これが、新しい事業創業が多く出る米国とちがう点です。わが国では経営者が、会計の利益粉飾をしてもギリギリまで、いよいよボロボロになっても頑張ります。税務署も、利益隠しは摘発しますが、税金が入るため利益粉飾は見過ごします。こうしてベンチャー企業が生まれにくい日本になっています。このため数千万円の預金をもつ人も、起業をしない。出資の有限責任なら、起業は増えます。

●米国産業の個人事業化について、知られていないこと

21世紀の日本経済を示唆する方向を言えば、米国の２０００年代では、５人以下のミニ事業が１３００万社、１人の個人事業が２４００万社、フリーランス１６５０万人、在宅勤務１０００万人です。全労働者のなんと60％（10人のうち６人）が個人事業です。

日本では、賃金は、高くても２００万円が上限の非正規雇用の増加（男性20％、女性55％が非正規雇用：２０１１年）によって個人所得は大きく減りました。このため世帯所得が増えず有効需要も増えないのです。企業経営のミクロ経済と、ＧＤＰのマクロ経済の不適合です。企業（とくに海外と競争する輸出企業が多い経団連）は労働者を安く使いたい。経団連は最低賃金の上げにも抵抗します。しかし、世帯所得が増えないと商品需要は増えない。このためマクロ経済では、企業の合計売上と利益は減るという全体の矛盾です。

フォード社のヘンリー・フォード（1863〜1947）を言えば、社員が自動車を買えるように、T型フォードの量産システムで自動車価格を下げて、他方で生産性を上げて給料も上げたのです（『藁《わら》のハンドル』：中公文庫）。

米国では、日本で言えば雇用の長期保証がなく非正規雇用になるべき人たち1億2000万人の個人事業（働く人の60％）によって経済が支えられています。以上は、わが国で知られていない事実です。

日本は中小企業が70％（3500万人）を雇用する国ですが、米国は、さらに小さい個人事業が60％の国です。中小企業よりさらに小さい数人のミニ企業と、超大企業の国です。なぜ、2000年代の米国ではこうなったのか？　2つの要因があります。

●知識と技術は個人のもの、会社には帰属しない個人の資本である【21世紀は個人事業の時代】

21世紀に増える、物的な商品ではないサービス産業は、個人の知識と技術によるものであり、会社の組織的な知識・技術（例えば量産工場）ではないことです。不動産担保のない個人事業（1億2000万人）に、米国では、エンジェル投資家やファンドによって、資本が供給されています。米国は、1990年代からの情報とサービス業時代とともに、個人事業の時代になっています。日本も、おなじ方向しかない。

根本を言えば、個人化した情報システムが事業の設備です。パソコンとインターネットがうながすのは、過去の、大規模な設備が必要だった加工機械（大資本）とはちがう産業の革命です。サービス業も、まとめて言えば知識産業です。

> 知識は、大組織ではなく、個人と三人よれば文殊《もんじゅ》の知恵を生む、ミニ集団のものです。学者でも、知識は個人の脳の所有です。大学（大規模な設備）や企業のものではない。個人が活躍すべき時代になっていてノウハウはあるが資本がない個人事業に、資本提供がなされるべきですが、日本の銀行は相変わらず、物的な設備主義と担保主義です。文殊の知恵は、対話法（むずかしくは弁証法）で生まれる本当のことです。アメリカ人と話すと人と人が起こす「化学変化」と言っていました。ひとりでは独善になる。三人の異なる考えの対話から正しいものが生まれる。
>
> 他方、大組織では上が絶対になりやすく（もちろん例外の組織もあります）、このため新しい商品創造ができず、限界効用の低い商品の量産とコストダウンにだけ向かうのでしょう。これが、最近の日本家電の不調にある、組織の理由に思えます。大企業を見て驚くのは、上司や本社には、現場は辞職を覚悟しないと反対意見を言えないという不文律、言い換えれば組織文化です。

日本の銀行融資では、国債を買っているだけの銀行の、自律的な変化は期待できないので、一刻も早く法によって変更せねばなりません。倒産があっても、株式会社の有限責任（出資額の範囲での責任）で個人資産は破壊されないという方向です。もちろん、将来利益を出さないニセ事業は見破る必要があります。このためには、銀行が事業計画と、経営戦略の有効性を判断したうえで、会計を見て融資を判断するというものでなければならない。シュンペーターも強調した資本提供の仕組みは、資本主義経済にとって本質的で肝心です。ミニ企業に出資するエンジェル投資家がほとんどいない日本では、銀行がその役割を果たす必要があります。

●不動産価格の上昇が、銀行システムの信用乗数を上げていた

不動産が担保になって平均年率12％で値上がりしていた時代（１９９０年まで）は、日本経済は、企業融資の増加があり、成長していました。わが国の信用創造の制度は、金本位や信用貨幣ではなく、不動産本位でした。不動産本位から脱却せねば、21世紀の日本の実質経済成長と個人所得（＝ＧＤＰ）の増加はありません。断言できることです。いったい政府は、どんな根拠で、ＧＤＰの将来成長（３％から４％）を予想しているのか？

【人口減、高齢化と空き家】

人口減と高齢化で、全国の空き家は17％（住宅ストック５７５９万戸のうち７５７万戸：08年総務省）に増えています。２００３年から１００万戸も増加しました。高齢化と地域の人口減が、住宅への需要を減らしたからです。日本全国で言えば、30年後に現状の人口を維持（または若干の増加）するのは、東京、神奈川、沖縄、滋賀の４県だけです。その他の県は人口減です。このことは、不動産の値上がりがないため、不動産担保の融資では企業にマネーが増加供給されず経済成長ができないということです。

参考のために示すと、国立人口問題研究所が予想している将来人口は、２０１２年１億２７００

万人、22年1億2200万人、32年1億1400万人、42年1億500万人（2200万人の減少）です。このため、向こう30年で、わが国の合計住宅需要が増えることはありません。

このため、前記4県の人口の増加地帯を除き、平均的な不動産価格は、商業地も含め、下がります。商業地は、人口または世帯所得の増加によって、企業の売上期待が増えるときしか、値上がりしません。住宅ローンを組む人（30歳代）は、ローン期間が30年なので、60歳のころの住宅価格を漠然とでも意識します。売る際、値下がりが予想されるときは賃借が得になるからです。政府は、以上を認識し、銀行の融資制度の変更をしなければならない。（注）人口問題研究所：人口の将来推計：http://www.ipss.go.jp/syoushika/tohkei/newest04/gh2401.pdf

1991年から2012年までの21年間、主に、ゼネコンや下請け企業群の損失補填や負債の返済に使われたため、建設業の、600万人の正社員や臨時雇用の賃金が上がる乗数効果は低く、その後のGDPを増やすことがなかった公共事業と公共投資が、650兆円です。その借金が政府に、1000兆円の国債と短期借入金の残として残っています。信用貨幣による信用乗数から、ここまでわかります。

●年率5%のマネー・サプライの増加が必要

信用乗数の高まりすぎ（10%増等）はインフレですが、マネー・サプライを適度に、5%は増やす金融政策は、経済の成長のために必須です（2000年代は2%）。3%の差は、一見わずかに思えますが、マネー・ストックがGDPの3倍（1462兆円：12年8月）に増えている現在、5%増は

１年に73兆円という大きさです。これが、わが国２５０万企業の全体とは言わずとも、その20％の経営者によって、有効な投資に使われるなら日本経済は、新商品と生産性上昇で成長します。

5．知識産業化とともに個人化する企業　今後の日本経済のために

繰り返しますが、ＧＤＰの増加は、世帯所得の増加です。１５００兆円にも増えた金融資産も、国債ではなく、企業投資に有効に使われないと意味がない。政府と銀行の、猛省と対策を要請します。これも繰り返し言えば、公共事業の増額と国債発行では、今後の経済は成長しません。米国のような、新しい個人のミニ事業への、連帯保証ではない投資銀行の融資制度が必要です。これは、断言します。

【技術ノーハウはあるが、会社を作るという発想がない】

21世紀は、個人事業が全国に増え、数人の文殊の知恵型の個人事業が、経済を発展させる時代です。日本の30歳代、40歳代、50歳代のほぼ5％の人（２５０万人）には、ノウハウはあります。資本がないだけです。２５０万のミニ企業予備群に、事業計画の審査をし、政府が１００兆円を費やせば1社あたり2億５０００万円です。日本には米国のような、個人金融資産が多額なエンジェル投資家がいないので、政府と銀行がこの役割を果たす必要があります。

技術資源は、大組織からのリストラを受けた人や、早期退職制度で辞職した個人が中国、韓国、

アジアの技術顧問になっているくらいで、まだ十分に残っています。しかしあと10年も後になると、65歳や70歳を超えてむずかしくなります。

必要なのは、ノーハウをもち成長の可能性があるミニ企業への真正の、政府や自治体の資本での「投資銀行」です。現在、土地担保主義の日本にはこれがない。ここが、経済成長がない理由で最大の要因です。

地方自治体も、20世紀型の空きだらけの無駄な工場団地、流通団地ではなく、21世紀型の個人事業の集合ビル、集合地帯を安い地代でつくる支援をすることです。販売では、インターネットで10億人の世界がマーケットになります。21世紀は、生産地はどこであってもいいのです。

【資金は１００兆円】

１００兆円でも過去21年の６５０兆円の公共事業に比べ、15％のマネーに過ぎません。80％は破産するかもしれません。20％（50万社）の成長と上場がそれをおぎないます。原発問題もあって、何をすべきか方向を見失っている経産省への政策提案でもあります。破綻した金融と大手企業や、建設・土木にお金を使う政策や原発対策では、せっかくの資本（世帯の金融資産：１５１３兆円）をムダにします。過去の公共事業がこれだったのです。

民主党政権が30兆円枠を使っている「中小企業円滑化法（09年〜）」の問題は、その対象が、商品と技術ノーハウの古い既存の中小企業であった点です。

（注）民主党の選挙基盤は労組であるため、この政策がつくられました。

金融《ファイナンス》の本筋を言えば、経営者が新商品の開発と技術革新をする、有効な投資への貸付です。

ある経営者が言っていました。「あの会社はとっくに破産しているのですが、返済がないため、店舗の営業はやっています。店舗の商品を見ても、まるで売れてはいません。大きな赤字でしょう。赤字に構わず、営業です。社員の賃金は減らしているでしょう。社員に希望はない。決算はごまかしです。破産は先延ばしです」

ここにもムダに国民の預金が使われ、政府事業の支出になっています。銀行の貸付担当と支店長は、その企業の係のときは、銀行の損が確定する責任を回避するため、破産処理をさけたい。2年サイクルの転勤を待っているように見えます。返済を先送りしてもその店舗（5店）が、再生する見込みはゼロです。最後まで忠実な100名くらいの正社員が、ムダにキャリアを費やして、いずれ失業します。哀しむべきことです。

●シュンペーターの創造的破壊による、成長理論がわかっていたドライバー

ずいぶん昔、グアムに行ったときです。講演でホテルに向かう間、タクシーのドライバーと、とりとめもなく話すとき、聞いたことです。

「飛行機から降りる人が少ないでしょう。グアムは不況です。豪華なホテルがいっぱい建ったのですが、新しいホテルは料金が高く、日本からのお客さんは増えていません。でも、今、ホテルが倒産しています。倒産すれば、買収した人がホテル代を安くして、お客を呼びます。また、日本のお客さんが増えるでしょう。わたしのマネーも、増えます」

これが、経済成長をうながす創造と破壊を、正しく見た意見です。目からうろこが落ちる感じでした。20年後の現在も、はっきりおぼえています。日本の会社が、競ってグアムに大きなホテルをつくったあとでした。21年間で６５０兆円の公共事業を行った政府は、うろこが落ちていないようです。このドライバーのような考えが常識なので、米国では、個人事業が生まれたと思えます。米国の中等教育は、「教師も生徒とおなじ立場で参加するディスカッションで、考えさせる教育」であるため、こうした考えも普通に出ます。

日本の官僚と政治家は、公共事業の結果を考える能力を失っているのではないか。いつも正解はどこかにあると、それを求めるからです。現在の政府が行っている公共事業は、短期でのＧＤＰの金額維持にしか効果がありません。その公共投資の3年後、５年後が問題です。赤字を続け、結局は倒産すれば、国民の預金がムダに使われることにしかならない。

投資後に利益を出す公共事業、公共投資でないかぎり、乗数効果は低い。倒産するホテルに、失業を生むからと政府が資金支援したら、その後はどうなるでしょうか？　考えてください。国債６５０兆円（国民１人あたり５４０万円の金融資産になっています）の、今後の有効性にかかわる、日本経済のもっと重大な問題です。

【消費税の増税前後の、蠢《うごめ》いてきた公共投資案】

消費税の増税後（２０１５年）には、前倒しで増えた需要が急減するため、大不況が襲います。これは、確定しているため、自民党は10年で２００兆円（「国土強靱化政策」）、公明党は１００兆円（消費税の増税10年分に匹敵）の公共投資の総額を政策化しようと提案しています。

この100兆円や200兆円が、90年代や2000年代とおなじように、既存産業の保護に使われれば（ほぼ確定的に過去とおなじような使い方になります）経済成長がないため、国家破産が襲うでしょう。これをさけるためにも、提案しているのです。ベンチャー経営者が、倒産する事業を買収し、あるいは新事業を興して新商品の開発と技術革新する、米国風のミニ企業の経済がいいのではありませんか？

日本の既存会社（250万社）のうち70％もが、申告利益で長年、赤字を続けています（国税庁）。よく存続していると感心するくらいです。日本にもサービス業ですばらしい商品を作っている小さな会社や個人事業が、全国にたくさんあります。建設、土木、製造、レストラン、旅館にも、です。出張で行くと、全体は沈滞した街にキラリと光っている会社が目につくのです。

仲介金融を担当する銀行の国民経済におけるまっとうな使命は、伸びる会社に資本を与えることです。米国経済の華だったマイクロソフトも、30年前はガレージ・メーカーでした。グーグルもおなじです。日本にはこれがないということでは、今後、永久にダメです。

米国のように、個人企業が増えて成長しないと、知識産業化、情報化、サービス化での今後の経済成長はありません。前記の米国の情報化時代に適合する先行事例が証明しています。経済成長のなさ、あるいは低下は、個人の所得が増えないことと同義です。

●21世紀の企業は一言でまとめれば、個人化する

21世紀の日本人の仕事、生活、将来に大きくかかわることなので、若干のページを割きます。西欧では、18世紀の英国産業革命以降、企業は大きくなり続け、ＧＤＰも増えるというのが常識でした。

産業革命は、化石エネルギーを使う機械式生産であり、工場も大規模な規格品生産であることが生産性を高めたからです。これによって、個人や家業による職人的だった事業は、ほぼ完全に淘汰されました。大きな機械を使うため、必要な資本が巨大化したからです。機械設備の果たす役割が、圧倒的に「資本財」として大きかったのです。仕事は、単純な分業であるため、個人の役割は小さく、いくらでも取り替えがきくのがマルクスも描いた当時の労働でした。技術革新によって創造と破壊を繰り返しながら、既存の商品価格が増えた所得に対して安くなって、ＧＤＰは成長してきたのです。

大規模な生産と流通によって人の生産性が高くなった（たとえば1足の靴を生産するための労働量がすくなくなった）ため、ほぼだれでも生活必需品とファッション、車、家電、住宅を買えるようになる所得の増加、つまり経済成長が起こっています。

（注）ただし、残念なことに、分業での部分作業に従事した人は、一人では靴をつくることができない。職人《ギルド》生産では一人でつくっていました。

われわれが多くの商品を買えるのは、所得額に対し商品価格が下がったためです。しかし米国では１９８０年代から、日本では１９９０年代から、ベルトコンベア型の規格品量産《マスプロダクション》の優位性は失

われ（賃金の低い新興国への技術移転が起こって）、商品生産は、中国を含む近代化の新興国に大きく移転しました。

米国ではこのため、労働者（2億人）の平均勤務年数はわずか3年です。一生に11回も、職はおなじでも会社は変わります。大規模な会社で部分作業に従事していた人は、海外の賃金の安い労働にとり換えられるからです。GMやフォードに一生勤める時代は、米国の製造業が空洞化した1980年代に、完全に終わっています。

●日本でも、既存の会社（250万社）の平均寿命は10年に短くなっている

1980年代まで、日本の企業寿命は平均で30年でした。平均的な会社は、ひとりがほぼ一生のうち働く年数（約40年）をカバーできていました。30代にローンで住宅を買い、2人の子供を大学に行かせ、50代から金融資産が増え、60代でローンがなくなって退職金2000万円がはいり、住宅は自己所有であり、あとは月20万円の年金と預金で生活するという想定のライフ・プランだったのです。全体で言っても、平均の勤続年数は11年、大会社では定年まで約30年は勤める人が多数でした。大企業の倒産やリストラは、想像すらできなかった時代でした。退職金をもらい、それが退職後の純金融資産になっていました。

ところが現在、成長できる企業寿命は10年と短い。30年以上続く会社は10％（25万社）、10年付近でしかないグループが50％（125万社）、10年以内に消える会社が40％（75万社）ということです（推計）。このため1990年代から、生涯賃金が2倍くらい高く、年金と福祉も厚い公務員人気が高

いのです。

（注）大手企業の平均寿命は50年付近と長いのですが、少数を除き、社員数を増やす成長はありません。企業の高い成長力があるのはほぼ10年でしょう。

【5回は、会社を変わる21世紀】

日本の企業も米国並みの寿命になってしまった。しかし日本では地価上昇による含み利益が残っていれば、それが資本になって、営業で赤字の企業が存続もできたのです（そのため赤字企業70％）。米国では土地担保主義がないので、赤字になると3年で消滅ですが、日本では、古い会社でも土地があればなんとか続きます。しかし、２０１２年現在、会社の土地資本がすっかり消えた日本では、会社を5回平均は変わる人生に向かうでしょう。その証拠に、大企業の55％の社員も、リストラ不安をかかえています（雑誌『プレジデント』の調査）。会社がいずれは分解するという不安です。２０１２年の家電産業に限りません。

http://www.president.co.jp/pre/backnumber/2009/20090713/11403/11409/

米国では、地価の上昇は１９９０年まではＧＤＰの増加並みの数％（比較：日本は12％）であり、土地の含み利益はなかったのです。営業の利益と株価だけでした。このため、１９８０年からとりわけ、日本や中国と競争する製造業で、赤字で資本を失い事業が消滅します。

不動産をたくさん使う内需産業の流通業では、チェーン・ストアの生産性が、個人商店や小さな規模の店舗は、21世紀に至るまで淘汰され続けています。米国の商品生産は、海外輸入品を米国チェーン・ストアが売るというバリュー・チェーンになっています。米国の流通は、激しい寡占化の最中です。バリュー・チェーンとは、競争力のある商品を作るメーカーおよび中間流通（効率的な物流）と、生産性の高い小売業の、縦の商品連鎖です。

●21世紀の産業革命は、パソコンとインターネットが資本財

【新しい資本財は、パソコンとインターネット】

１９９０年代半ばから、18世紀の英国にはじまった産業革命に匹敵する生産手段の個人化が起こっています。生産手段は10万円のパソコンと、インターネットです。

１９７０年代までは、数億円だったコンピュータ（かつてのＩＢＭ３６０）が、10万円になった未曾有《みぞう》の資本財（道具）の革命です。当方も、パソコンとインターネットで、やっと仕事ができています。両方がなかったら、20年も前に、食いはぐれているかしれません。まるでたいしたことはありませんが、この両方を使い情報を組み合わせた知識商品をつくっています。本書も紙の出版とともに、総コストが低い電子出版もします。電子出版は技術革新ですが、紙の出版（既存技術）を減らします。

【知識産業化とサービス経済化は同時に起こる】

パソコン利用と並行して起こったのが、知識産業化と、サービス商品化です。たとえばスティーブ・ジョブズのアップルというベンチャーです。時価総額で40兆円（ファンドが利益回復するための過

大評価）のため、世界ナンバー・ワンの超大企業に見えますが、中身は「新商品企画会社」です。ジョブズは、「自分が欲しくなる商品が、世界が欲しがる商品」と言っていました。

その通りでした。製造は、中国、台湾、日本の工場でのＥＭＳ（受託生産）を使うネットワークです。ｉＰｏｄやｉＰａｄの商品デザイン（内部、外部の機能とマン・マシンインターフェース）は、ジョブズ個人が欲しい商品、言い換えれば、個人の知識とビジョンによって得られたものです。アップルの組織全体での企画では、日本の家電のように中庸《ちゅうよう》な商品になったでしょう。ユニクロも、商品デザインと販売の、ネットワーク企業です。パソコンとインターネットの利用で可能になった事業です。

（注）経営で言うビジョンは事業への枠組みです。

商品機能が充足（商品量の増加で限界効用が低下）した現代は、機能やデザインのどこかでとがった商品でないと、顧客の新しい需要は生まれません。半歩進むのではなく、数歩進まねばならない。大組織で平均的な商品企画が多い大手メーカーに不得意な分野です。ミニ企業が活躍せねばならない。

●ミニ企業のイメージを明確にするため、オーディオ領域での具体例を言います

オーディオが30年来の趣味で、すこし凝ったスピーカー・ボックスの自作をしますが、日本のスピーカーの大手メーカーは、ＦＯＳＴＥＸ社を除き撤退してしまいました。１９８０年代まで、大手だけでもたしか5社はあったのです。現在、香港や中国には、ＡＬＰＡＩＲ（アルペア）など、

高音質のスピーカー・ユニットを作る多くの新興ミニメーカーが、いつの間にかできています。アルペアはジョーダン・ワッツ（英国の名門メーカー）の技術者が独立してつくった小さな会社です。

インターネットで仕様書を見て、顧客評価（ソーシャル・ネットワークとも言う）を読み、異なる口径のものを4本買い使ってみると、コスト・パフォーマンス（性能・品質÷価格）がすばらしい。今まで聴いたことのない、生々しい、心まで震える美しい音です。すごいと感じたので書きます。読者のうちたぶん99・99％の人は知らないメーカーです。ソニー、パナソニック、パイオニアは、もうこうしたものをつくれません。需要がミニだからです。小組織のものです。

http://www.fidelitatem-sound.com/Alpair7.html

【コストがかかっていた販売網と店舗は要らない】

アルペアのスピーカーを使い、仕上げの細部、すばらしいデザイン、どこまでも透明感のある音質を知り、職人国家の日本人こそが、非量産品をつくるのが得意だし、つくらねばならないと感じます。今、鳴らしています。グレン・グールドが演奏する『平均率クラビア曲集』です。今まで、何百回聴いたことか。演奏が、本当に見えるのです。

日本では20年で消えた音響機器は、米・欧・中国・台湾の新興ミニメーカーがつくり、高額（高付加価値）で販売しています。資本と時間がかかっていた販売網は必要ない。インターネットで十分です。米国メーカーや店舗からでも、注文後、安価に数日で届く国際宅配物流網は、すでにあります。まさに、世界の10億人を販売先にする『ロング・テールの法則』（クリス・アンダーソン）です。

1万人に1人を対象にするのは、20世紀型量産のマーケティングでは、決してなかったことです。販売の設備コストがまるで要らないインターネット販売（対象マーケット10億人）では、1万人に1名（0・01％）でも、対象顧客が10万人のスケールです。世界のパソコンも、アマゾン等のインターネット販売に移行しつつあります。

●20世紀の、古い常識の転換が必要

量産・量販・大規模・大型店が前提だった、販売店や販売網という過去の常識は、2000年代ですっかり変わっています。大会社が品種・品目の総合でつくり、大店舗で売るのが有利というのは、1980年代までです。中国に負けたのではない。新しい21世紀型の製造、販売方法、マーケティングに負けたのです。20世紀だった量産・量販マーケティングの古い常識から脱し、21世紀を見る必要があります。

E-Commerce の規模は、米国ではすでに、小売業の顧客販売のみでも17兆円です（2010年：US Census）。これにメーカーの顧客直販は含んでいません。含めば2倍の35兆円（推計）で、小売総額の10％でしょう。TV通販を含めばもっと増えます（こうしたソーシャル・メディアの新しい機能を解いたのは、コトラーの『マーケティング3・0』〈2010〉です）。

日本人には、スピーカーやオーディオ機器の技術資源が、50歳代以上に残っています。ところが、90年代からリストラと事業撤収を受け、中国、韓国企業と関係をもつか、技術顧問になっています。他の分野でもおなじです。

大手メーカーに勤めることを常識にしていた技術者にも、米、欧、中国のように自分が独立して会社をつくるという発想がない。米国ではハーバード・ビジネスでも「会社は自分でつくるもの」と教えます。日本も、20代世代に若干ちがった考えの大学生もいますが、日本にはまるでこれがなかった。（再掲すれば）製造・販売・管理で、専門分野がちがう数人が集まれば、できます。会社はつくるものだと考えた結果が、米国の2000年代の、5人以下のミニ事業1300万社、1人の個人事業2400万社、フリーランス1650万人、在宅勤務1000万人でしょう。流通はチェーン店の規模がコストダウンに有利なので、大規模化の方向ですが、製造業とサービス業の21世紀産業の方向がこれです。現在、わが国では20世紀型の、量産家電企業の分解が起こっています。

アップルも大企業なのは、個人と台湾の工場をつなぐEMS（受託生産）のネットワークによってです。9億人のユーザーがあるというフェイスブックも、8年前の2004年に、マーク・ザッカーバーグがハーバード仲間で始めたものです。米国には、類似の新事業が山のようにあります。これらが知識産業に、必然的にともなう事業の個人化です。

知識とノウハウは個人のものであり会社のものではない。客の立場で考える、個人の頭脳のなかのマーケティング知識が、資本財になったのが21世紀です。マーケティングは需要のある商品をつくることです。ロジスティクス（流通）は、その商品をより短時間と低いコストで届けることです。

【商品開発がマーケティング】

マーケティングはジョブズのように「こんな商品があったら自分は買う」という商品の外形デザ

インと内部設計です。情報産業では、家族需要ではなく個人が使い、個人が欲しくなる商品を作ります。機能的な面では、100円ショップで売られるデジタル時計のように、充足しきっています。

なぜ時計では、超量産のデジタル化（価格で1万円以下）のあと、個人が組み立てるスイスの優れたデザインの、しかも超高額な機械式時計（19世紀の産業）が、1・5兆円の大きな産業（いずれもミニ企業）になったのか？　超有名ブランド商品も、多くは19世紀型の職人型生産です。iPodやiPadと共通する個人の需要趣向からです。携帯電話もおなじ方向です。21世紀の商品が向かっている方向は全部おなじです。マーケティングに優れたスイスの機械式時計の、最大のユーザーは中国です。（注）なお、小売業で言えば、店頭の商品構成がマーケティングです。

【米国の、情報、金融、サービスの大組織の中身も、個人事業】

金融業で言います。いつもやり過ぎて最初に問題を起こすゴールドマン・サックスです。ファンド・マネジャーがデリバティブ（金融の新商品）をつくり、販売して、怪しい利益を出しています。ファンド・マネジャーは、ゴールドマンの社員ではありますが、委任契約の個人です。

固定給はなく運用利益のうちから個人報酬を受け取ります。1年に数十億円を稼ぐ人が出ます。目的が個人利益であるため、不正も起こします。自分のマネーを賭けていることも多いからです。運用益の20%が個人所得です。個人プロデューサー型の組織とも言えます。頻繁にリストラを繰り返す金融業には、2億円の住宅をマンハッタンに買った直後に明日はホームレスという人も多い。潜在損が大きな米欧の金融業は、大リストラに向かいます（2012年現在は、リストラの初期です）。

社員は、ゴールドマン・サックスという会社ブランドを使い（ブランド賃借料が約2％）、個人のファンドでは無理な金額を動かしていますが、産業としては個人産業です。金融業では、大きな組織（社員数が多い）は、新商品を生めず、かえって弱くなっています。ヘッジ・ファンドも少人数です。デリバティブは、パソコンを使い、統計学と数学の知識から個人（クォンツ）がつくります。ゴールドマンの社員組織がつくるものではない。大きな損や不正のとき、JPモルガンのようにどの金融業も、経営者は「認識がなかった。知らなかった」と右往左往します。個人の仕事の詳細を、幹部が把握できていないからです。詳細こそが、デリティブの販売や先物取引です。

1990年代から金融業も、新しい商品では個人化しています。繰り返しますが知識産業、情報産業、サービス業、そしてデリバティブ化した金融業は、個人のノウハウによる産業です。以上を示すのが、米国における雇用の60％（1億2000万人）もの「個人事業化」です。

今後たぶん5年で、大きな資本が必要だった出版、マスコミ、サービス業も、パソコンとインターネットという新しい資本財（生産手段）によって、どんどんミニ企業化し、個人事業化して行きます。一例を挙げます。書籍です。インターネットで販売する電子出版なら、英語や中国語に翻訳すれば世界に向かった販売も、著者個人と販売の数名の仲間で事業ができます。現在、著者が受け取る著作権料は8～10％ですが、これが30～40％にはなり得ます。そうすると発行部数が少なくても本が出せます。個人事業化とは、こうした変化です。

当方も5年くらい前から、自分用の商品は、海外のものを含み、ほとんどをインターネットで買っています。コトラーの『マーケティング3・0』とするまでもなく、まともに現実を見れば、年々巨大になる変化はすでに起こっています。世界経済の成長部分は、数年前からインターネットです。既存店、既存事業では成績がいいところでも前年比100％がせいぜいでしょう。

さらに個人的なことを長女に詫びつつ加えると、NYからマイアミに移住し日本に帰ってくる気配はありませんが、やっているのはファッションや化粧品の個人輸入代行です。日米の商品の価格差がとても大きいので、パートで勤めるくらいの小遣いかせぎの収入はあるようです。買う人が使っているのは携帯電話でしょう。技術ノウハウは、パソコンが使えることくらいです。時代は転換しています。

日本には、個人の技術資源は残っています。以上は、たぶん多くの人の常識から、かけ離れた事実です。このため、事例を含んですこし詳しく書きました。結論だけでは、多くの人が「はてな?」と思うことと恐れたためです。

【長い論述のあとの短い結論】

資本を個人事業に与える仕組みをつくらないと、先進国の21世紀は、経済成長がなく、所得の増えない経済になってしまいます。もっとも大きく資本提供の仕組みと構造の転換を図るべきが、日本です。日本は、個人金融資産が1513兆円もあるのにこれが国債に使われていて、経済成長をひっぱる投資に使われていないことが、根本問題です。政府政策への圧力団体である経団連は、もうこれからは伸びない大企業の集団です。政府が、既存の大企業寄りの政策をとっていることを改めねばならない。

第5章

ゴールドとFRBの40年戦争と最終勝者

中央銀行によるマネー創造と、銀行システム内での信用乗数によるマネー量の増加、マネー量の増加によって生じる経済成長を見てきました。本章では米国FRBの、隠然とした、しかし「悪の金属」とまで言う歴々《れきれき》な金との戦いに触れざるを得ません。なぜ、FRBは表で金を撲滅するための運動をし、裏では自国の金を守ることに必死だったのか?

【基軸通貨の巨大特権】

国際通貨と認められるため、世界の金融資産を略奪できる基軸通貨の利権、つまりシーニョレッジの特権は、「隠然たるもの」であるため、FRBの金との戦いも、目的が隠れたものになります。論理で言えば「不換紙幣のドルを、FRBと米国にシーニョレッジの特権をもたらす基軸通貨と認めさせ続けるための手練手管《てれんてくだ》」です。金融論はFRBの意図を知るのか知らないのか、ゴールドとマネーについての論究を、ほぼ不問にしています。マネーの信用構造を根底から知っていたケインズも、「金は馬鹿げた通貨だった」と言う。1930年代の大恐慌は、金本位制から起こったという曲論もおなじです。

米ドルが世界の基軸通貨になったのは、連合軍の勝利が見えた1944年(ブレトン・ウッズ協定)です。当初は1ドルと1グラム弱の金が交換できる金準備を、FRBに義務づけるものでした。ところが1971年には、経常収支の赤字(原因はベトナム戦争の戦費)による、FRBの金の流出のため、防衛する目的で金・ドル交換停止を発動しています。

【金価格の高騰】

ＦＲＢが主導した金戦争のため、90年代までは沈黙していた金価格は、なぜか２０００年代の12年で5倍に高騰し、ヘッジ・ファンドが仕掛けるための数ヵ月での騰落《とうらく》はあっても、長期トレンドとして、一層上昇の気配もあります。現在価格は１グラム４２００円から４４００円の範囲（12年8月）です。いったい何があったのか？　だれでも疑問に思っていることです。すこし回り道をします。このテーマも詳細を書けば、ページ数が増えるので骨子を書きます。

（注）ヘッジ・ファンドは、期間損益を投資家に示す四半期決算（3月、6月、9月、12月）のサイクルで売買し、利益確定するため、数ヵ月の価格サイクルが生じます。３ヵ月内の価格変動の50％部分は、多くのヘッジ・ファンドが買ったか、売りに出たかによると見ていいでしょう。金が下がるときは、ヘッジ・ファンドが資金繰りに窮して売っているときが多い。

1．基軸通貨ドルの成立から

【最初は英国ポンドだった】

第一次世界大戦（１９１４～18）のあと、19世紀の基軸通貨だった英ポンドは、英国が植民地での利益を失うに比例し、世界がもっともその価値（購買力）を信用する基軸通貨（key currency）の位置を失います。

基軸通貨は、通貨のちがう国の間の貿易に使われる、もっとも信用の高い通貨という意味のマネーです。国際的に流通する基軸通貨は、英国政府の信用より、金準備（金の信用）を背景にするものでした。国際通貨発行の利権（シーニョレッジ）は比肩《ひけん》するものがないくらい巨大です。働かなくても印刷した紙幣を海外に渡せば、他国の金融資産から、その価値を略奪できるからです。

英国の経済力（商品生産力と利益）が世界の頂点だったのは、夏目漱石も留学し、華やかだったビクトリア朝（1837～1901）の60年です。産業革命によって20世紀産業の基が、この時期につくられています。日本の議会制度は、欧化のひとつとして英国流の二院制を倣《なら》ったものです。この時期以降、英国は100年の停滞にはいります。1991年以降の日本に似ていると言えば救いがあるでしょうか。20年後の日本は、現在の英国かもしれない。英国では、日本と違い国内の労働人口は減りませんでしたが、安価な資源と労働力を提供していた植民地（帝国主義）を失ったからです。

【1944年から米ドル】

ほぼ50年をかけ、英ポンドに替わって基軸通貨になったのが米ドルです。連合国（44ヵ国）が1944年7月に、600人の田舎町ブレトン・ウッズのホテルに集まり、金1オンス（31・1グラム）を35ドルと決めます。1グラム約1ドル（戦後の為替レートでは360円）です。1ドル（金証券）が1グラムの金コイン（現在価格は4300円）だった時代です。1ドル札の交換を求めれば、1グラム金貨になっていました。ゴールドは中央銀行の準備通貨です。準備通貨の4倍のドル紙幣を発行することができると決めたのです（のちに準備率は無視）。

『貨幣論』と『一般理論』のケインズは、米国に基軸通貨の発行益を独占させないため「バンコール」を提案しています。バンコールは金を中心に、ほぼ30種の基礎資源の価格をベースにする資源バスケットの通貨です。ケインズの提案は米国代表に否定されます。戦乱で破壊されていた英国や欧州に対し、米国の国力（経済力・軍事力・文化力の合計）は圧倒的でした。それにFRBは、基軸通貨の発行権が生む特権が、他のどんな国際事業より巨大な権益であることを知っていたからです。

バンコール（IMFの通貨SDRに類似）なら、米国も輸出をしてバンコールを稼がねばならない。海外からの商品輸入の決済は米ドルではなく、バンコールになるからです。しかし国内のドルが貿易通貨になるなら、価格競争力のある商品をつくって海外に売らずとも、印刷とドル国債の海外への売却ですむからです。シーニョレッジの特権についての議論はなかったでしょう。しかし『貨幣論』を書いた英国のケインズは知っていたはずです。英ポンドが、ほぼ100年もシーニョレッジの特権を得ていたからです。この意味で、通貨の思想家は国家にとって肝心です。基軸通貨の発行は、マネーの帝国主義の利益をもたらします。会議は、武器を使わない熾烈《しれつ》で隠然とした戦いでした。知識はパワーです。

1944年からのブレトン・ウッズ体制は、米国が国際通貨の発行によるシーニョレッジの特権を独占するという宣言でした。欧州はこれに従います。

敗戦国のドイツと日本は発言力がまるでなかった。

ドイツを経済力の中心にする大陸欧州が2000年から統一通貨ユーロをつくったのは、米国が独占したシーニョレッジによる略奪からぬけて、自分たちの通貨圏をつくることが本当の目的です。ユーロ17ヵ国の合計GDPは、米国とほぼおなじ$14兆（日本の2・4倍）です。ニセの金証券を発行し、利益を得ていた金細工師を考えると、通貨発行の巨大利益がわかるでしょう。

【その後40年の金価格】

現在、1グラムの金は、［4232円÷78円＝54ドル］です（12年8月）。紙幣は、金価格に対し、54分の1に下がっています。金とドルが交換停止されたのが1971年です（ニクソン・ショック）。その後41年間で米ドルは1・8％、つまり年率の平均ではほぼ10％下げています。すごい勢いでのドルの価値（購買力）の下落です。

ほぼ40年前に、金100キログラムを10万ドル（当時は3600万円）で買っていた人は、途中の騰落《とうらく》はあっても労働や追加の貯蓄もなく、54倍の540万ドル（4億3000万円）の金融資産をもっていることになります。これは同じ期間の不動産、賃金上昇、積立預金よりはるかに大きなものです。

資源の代表である原油の価格も、1バーレル（159リットル）で90〜100ドルであり（WTI：12年8月初旬）、1970年に比べ50倍に上がっています。長期で見ると、金価格と原油価格は、奇《く》しくも比例します。金や資源価格はドルで価格がつき、為替レートで円に変換するため変動要素が2つになり、傾向の推移はドル価格で見ないとわからなくなります。

1ドル札が1グラム金貨だった1971年までは、FRB（連邦準備銀行）にとって、ドル紙幣の発行は、金と交換を求められることがある負債でした。ベネチアの金細工師とおなじと言えば、本書のここまでの読者なら意味が了解できるでしょう。ところが不換紙幣なら、金準備の義務という負債を負わないのです。

【一方的だった金・ドル交換停止】

１９７1年に、米国が金とドルの交換停止をした理由は、ベトナム戦争（１９６０〜75）の戦費によって、米国の貿易・サービス収支（正確には海外からの所得収支を入れた経常収支）が赤字になったからです。当時の貿易黒字国はドイツや欧州です。日本が世界最大の黒字国になったのは20年後の１９８０年代からです。まだ、国際的な為替取引の主たるプレーヤーではなかったのです。

［対外資産］　現在、日本（金融機関、政府、企業、個人）が世界最大のドルを主とした資産（５８２兆円：11年12月）をもちますから、悲喜の諸念にうたれます。対外純資産２５３兆円はもちすぎであり、赤字が続くため下がるドル・ベースの資産をもち続けることは国民の金融資産の損です。対外資産（５８２兆円）と対外負債（３２９兆円）はバランスさせることが、国民経済と日本人のためにいいことです。

日本が米国債を売ることは、米国政府の要請で事実上禁じられていて、保有し続けて低い金利を受け取る利用しかできないからです。

日本政府は、これを「国際社会」からの要請と言っています。政府が言う国際は米国政府をさします。それも米国民ではない。米国の対日担当官が、国際社会です。対日構造協議（１９９４年以後は、毎年の年次改革要望書、現在は日米調和対話）に見られるように外圧は、日本政府の官僚が米国の虎の威を借りて、実行するためのものです。ＧＨＱ（占領軍）以来、ほぼ60年、日本政府の上に米国政府があります。これも変えねばならない。

「政府の政策は米国から」その証拠に、2011年の報道されない「日米調和対話」の内容を知れば、驚きます。政府の産業政策はすべてこの線にそったものだからです。野田政権も、米国の利益に貢献する政権です。このため共和党（武器商人のアーミテージ）からは、「小泉首相以来の偉大なリーダー」と賞賛されています。野田政権が、機能欠陥のあるオスプレイや兵器でも米国から買うからです。http://www.mofa.go.jp/mofaj/gaiko/tpp/pdfs/tpp04_04.pdf

【貿易赤字は通貨の海外流出】

1960年代当時の米国の貿易赤字は、ドルが欧州に流出することでした。欧州が印刷されたドル（いわば金証券）の価値下落を恐れ、ドル紙幣と金の交換を求めるのは、自然の理《ことわり》です。FRBの金庫（フォート・ノックス）に、約8000トンのインゴット（60年代価格で$90億：現在価格で34兆円）があるとされますが、当時ならわずか$90億の交換要求で、FRBの金がなくなってしまいます。破産した金細工師とおなじです。ドルと金の交換要求をしたのは、米ドルを貯めていたフランスとドイツです。

【米国の金を防衛したニクソン】

以上を「金委員会」で聞き、米国の金の流出を恐れたニクソン大統領は、一方的に金ドル交換停止の大統領令を発動します（1971年8月15日）。暑い夏の盛りでした。世界は驚愕します。基軸通貨の根拠が、ゴールドから、米国経済の信用を担保にしたものに替わったからです。

その後、世界は、スミソニアン体制（１９７１〜１９７３：１ドル３０８円）の３年の固定相場を経て、第四次中東戦争を機にした第一次オイルショック（原油価格はほぼ10倍：１９７３年）から、現在の変動相場制に突入しています。ドルの価値が不安定だから、これもまた不安定な変動相場にならざるを得なかったのです。「本来、基軸通貨は固定相場でなければならないものだ」と言えば、変動相場以外を想像できない人は戸惑うでしょうか？

過去を調べると国際的な金融の大きな変化は、多くが8月15日を中心に起こります。理由は、８月は、米欧のファンド・マネジャーが長期バカンスでリゾート地にいて、緊急の売買に遅れるからです。政府や中央銀行が相場を動かしやすくなるからです。15日は、第二次世界大戦終結のシンボルの日です。今年はなぜか、まだ起こっていません。本書が出る時期でしょうか。

以下は、金と米ドルをめぐる20世紀のイベントの年表です。他の情報を筆者が加えていますが、いちばん参考になったのはフェルディナント・リップスの『Gold War』（２００２）です。邦訳《ほうやく》は『いまなぜ金復活なのか？』（抄訳）です。著者はロスチャイルド家のエージェントであり（自ら公表）、スイスに「バンク・リップス」（出資はロスチャイルド家）をつくっていました。リップスがこの本を公開した理由は不明です。たぶん、２０００年代の世界に金の買いをうながすことでしょう。通貨発行益を独占している米ドルを、20年かけて（２０２２年）基軸通貨から引き降ろす目的があると見ても、否定はできません。基軸通貨になるのも没落も、英ポンドのような時間を要します。かっては1000円付近だったポンドは、124円です（12年8月）。変動相場では、通貨の下落も高騰も、これくらい大きなものです。「これで、価値を保存する通貨と言えるか？」という想いでしょう。こう思えないなら、皆の通貨への感覚が麻痺してしまったのか？

2000年以後の、金価格の約5倍への高騰は、リップスの予言的な断言どおりです。年表をたどって、歴史的な出来事の目的と意味に想像をめぐらせれば、米国FRBが、金価格の上昇と戦ってきた戦争の理由と、その態度の変更がわかるはずです。

現在までに至る金価格は、100年の歴史をもちます。金は長期で見ないと価格の理由がわかりません。カギは、米国FRBの動きです。なお現在の、世界の地上の金は、前述のように総量で約16・5万トンとされます（WGC：2011年）。50メートルプール3杯分と言われるのがこれです。現在価格では、670兆円くらいです。とくに断らない限り、1トロイオンス（31・1グラム）の価格です。

2.ドルと金の戦争の歴史

【FRBの設立から、第一次世界大戦、そして1920年代の好況と、29年の株価暴落までの16年】

1913年：米連邦準備法で、FRBを民間銀行の資本で設立：金1オンスを$20・67ドルとする。

1914年：第一次世界大戦：米国は戦費の必要のため、金本位を放棄します。国債の発行。

・対敵通商法で、国民は強制的に金証券と金貨を米政府に売却、金の保有は犯罪になります。

フランス王立銀行が行った金吸い上げ、金貨の流通禁止とおなじです。

・60年後の1974年に米国民の金保有は合法化されますが、政府は反ゴールドキャンペーンを続けます。

・FRBは、「紙幣の発行に金の裏付けは必要ない」とします。政府信用がドルの裏付けということです。

1922年：金為替本位制の採用。ドル紙幣とポンド紙幣が金と同じ準備通貨になります。

1920年代：FRBは通貨を大増発し、20年代の好況が起こり、株価はバブル価格になります。

1925年：フロリダの不動産が暴落し、米国の株と不動産バブル崩壊の先駆けになりました。

1929年：米国株価が突然暴落し（暗黒の木曜日）、米国と世界は、30年代の大恐慌に進みます。

株価と不動産の暴落が恐慌になった理由は、FRBが破産状態の銀行にマネーを供給しなかったからです（フリードマンによる実証的な証明）。

【1930年代の世界の大恐慌から、第二次世界大戦】

1930年：恐慌の初期にBISの設立（現在の国際決済銀行：所在地はスイスの小都市バーゼルです）。

1931年：英国が、ポンドの金兌換を停止します。貿易赤字で、金が英国から流出したためです。

1933年：ルーズベルト大統領就任。ケインズの影響で公共投資のニュー・ディール策を実行。

1934年：金準備法で、1オンス$20・67だった金を$35の公定価格にし、紙幣のドルを59%に切り下げます。

1939年：第二次世界大戦。金は米国の、国益を守る戦略物資とされ、政府は輸出を禁止します。

【ブレトン・ウッズ体制から、米国の独壇場へ】

1944年：すでに述べたブレトン・ウッズ会議で米ドルを世界の基軸通貨にします。金1オンスは$35の公定価格でした。通貨ドルによる金融帝国主義の宣言と言っていいものです。米国が国際機軸通貨になったドルの発行によるシーニョレッジを独占できるからです。シーニョレッジの利益は、各国がもつ金融資産からの略奪分に等しいからです。戦後の米国の金保有は、2万トンと言われました。

1949年：米国財務省の金保有は$1246億と発表されます。数値が事実なら、戦勝国として、ドイツ、イタリア、日本から集めた分を含み、11万トンという空前絶後の金（当時の、世界の金のすべて）を、米国が保有したことになります。

（注）ただし、金についての政府数値はいつも信用できません。米国FRBが各国中央銀行から預かった金も、米国の所有とされることが多いからです。しかしこの時期、多くの金を米国政府が保有していたことは事実です。米軍による略奪所有と言っていいかもしれません。米軍が日本を占領したとき、最初に行ったのは、日銀の地下金庫でした。目的は言うまでもないでしょう。日銀には、日清戦争で中国から得た賠償のゴールドが残っていたはずです。

【米国経済の黄金期の1950年代】

1950年代：米国が圧倒的な経済力を背景に、金融規律を守った唯一の時代が1950年代です。

・米国経済の、まさに「黄金時代」が、この10年でした。

1950年代末：早くもドルの下落危機です。米国の財政赤字と、経常収支の赤字のためです。

【キューバ危機から、共産主義とのベトナム戦争、米国の経常収支が赤字化する60年代】

1960年：ソ連がベルリンの壁をつくり、第三次世界大戦の恐れから金価格高騰の予想が生じます。

1960年：スイス銀行は、戦争の危機から顧客に金を買うように奨めます（市場の金価格は$40に上昇）

1961年：金プール制（米欧7ヵ国の協定）。金が高騰したときは、7ヵ国の中央銀行が協調して、ゴールドを市場に売り、価格を下げる協定。プールされた金は、2億7000万ドルでした。

1962年：キューバで、核戦争の危機（ケネディ大統領とフルシチョフ首相）。ソ連の航空母艦の退却で、米ソ核戦争を回避。ソ連は軍事費のため金を売却します。

1960年代末：米政府の金準備は、公称で$180億へ減少。金の量では1万8000トン相当です。

1964年：ベトナム戦争の激化。米国は戦費の増加で財政赤字が増加。金プールをとり崩します。

1965年：仏大統領ドゴールが米国の財政赤字と米ドルを非難し、ドル紙幣と金の交換を要求しました。共産中国も、金の買い手として登場していました。

・1965年まで物価上昇は年1％であり、通貨の増発によるインフレはまだなかった。

ドルの金準備制度がFRBによる通貨の増発を、抑制していたからです。

1966年：ベトナム戦費としてのドル増発を原因に、米国の物価は3・4％上昇します。その後、原油が上がった1970年代は年率5・5％（10年で1・7倍）、第二次石油危機の1980年には15％のインフレになります。金準備制度はインフレをおさえていましたが、はずれたとたん、1971年から米国と世界経済は、その後、約25年間のインフレに向かっています。

この事実も、重要です。

1968年：金流出で米国の金準備は、＄105億（3億オンス：9300トン）に半減します。

・金価格を調整していた金プールが廃止されたため、金は1オンス＄44に上昇します。

1969年：FRBは「ドル紙幣発行は金準備の4倍（準備率25％）が限度」という条項を廃止します。

・金とドルのつながりが切れたということです。つまりブレトン・ウッズ体制の放棄です。

・米政府はベトナム戦争の軍事費のため、ドル紙幣の増刷をしていたからです。

１９６８年：スイス３大銀行が世界の金現物取引の80%を占め、スイスが金購入の中心地になります。

・ソ連と南アはスイスで金を売却します。ソ連は、財政赤字のため１９７２～80年に２０００トンをスイスで売っています。ドゴールは、仏の金本位復活をねらい、ゴールドを集めます。１９６９年ＩＭＦで、ＳＤＲ（特別引出権）を創設。ＳＤＲをペーパーゴールド、いわばドルに替わる新しい金証券とします。

発案者は後のＦＲＢ議長ボルカーでした。金に替わるものを発案すると、ＦＲＢ議長にも任命されるようです。ＩＭＦの通貨ＳＤＲの発行には、一定量の金を準備します。この金証券の発行によって金は$35に低下し、投機家（銀行）は金から手を引くようになってゆきます。

ＳＤＲは、金貨ではありませんが、国際的なバスケット通貨として、金証券を増やす機能を果たしたからです。ＩＭＦのＳＤＲは、ケインズのバンコールとほぼおなじです。

ボルカーはＳＤＲをつくり、グリーンスパンはデリバティブの推奨者です。現バーナンキは、ヘリコプターからお金をばらまけばいいと言ったことから「ヘリコプター・ベン」と言われます。通貨増発の推進論者です。事実、２００８年から「量的緩和」を二度行っています。ＦＲＢ議長の任期は12年（大統領の3倍）と長い。その間の金融政策は、長期で見ると１００%、「事前に、言われていたとおり」になっています。

【1970年代の転換：基軸通貨は、ペーパー・マネー】

1970年：米国は$107億の財政赤字と、赤字幅を大きくします。米国債は欧州で売れました。この当時、金はロンドンに集まるようになります。

1971年：4半期で$50億（年間$200億）の経常収支の赤字になった米国政府は、この後、現物の金保有高を公開しなくなります。

1971年8月：米国のドル建て債務短期証券は$600億で海外が3分の2を保有するようになります。当時はドル・金の交換ができたので、米国の金準備は$97億に減少していたことになります。1万トンです。金の市場価格は$43・94へ上昇し、経常収支の黒字が大きかったドイツ・マルクは7%上昇します。米ドルが、7%下落したという意味です。

スイスと英国は、ドルを金と交換するよう要請します。ドル下落と金上昇の動きは急でした。

この当時、米国の金はロンドンで金を買った国際通貨マフィアに集まっています。

1971年8月10日：米政府は金の防衛のために、学者を集めて緊急会議（金委員会）を開きます。

8月15日：ドル金兌換停止（ニクソン大統領令）でブレトン・ウッズ体制が終《しゅう》焉《えん》します。

1971年12月：スミソニアン博物館での、国際通貨会議（固定相場のスミソニアン体制）。
　・金1オンスは＄38へ。しかし市場価格はこれより高い＄44でした。
1972年2月：米政府は1オンス＝＄42とします。しかし市場では＄75に上がっていました。
　・米国はドル紙幣を印刷しすぎたため、マネー・サプライが過剰に増加します。

【この後、金とのリンクが切れてペーパー・マネーになった米ドルの、金戦争が始まります】

1970年代：70年代から80年代は、FRBが金を打ち負かそうとする、20年間の金戦争でした。
　・米国政府とFRBは、「金は悪の金属」とし、通貨制度から除外しようとしたのです。
　・目的は、米国から金が流出することを防ぐためです。
1972年末：米国のダウ平均は＄1000でした。12年8月現在＄1万3187ですから、13分の1です。
　・「企業体の価格」である株価上昇は、通貨の下落をおぎなう作用もあります。

【基軸通貨米ドルの価格が浮動する変動相場制へ…】

1973年：米国は固定相場（スミソニアン体制）を放棄します。変動相場へ→ドル価値の下落へ。
　・この年から米ドルは、金と交換ができなくなりました。
　・為替ヘッジの先物、デリバティブが登場します（ブラック・ショールズ方程式の開発）。

（注）１９９９年には金現物1オンスに対し、１００倍の１００オンスが金の証券化取引です。

１９７３年〜　産油国が金購入へ（イラク、リビア、カタール、オマーン、インドネシア）。

・アラブ人は株や債券を理解せず、スイスで金を購入しました。米ドルが金と交換できなくなったからです。

・米国にとっては、金とドルが交換できれば、ドルを印刷しすぎると、価値を保つ金との交換が増えて、米国から金が流出し続けます。不換紙幣ならいくら印刷しても、金は守れるからです。

（注）この時期、日本人にとって米ドルがすべてであり、ＦＲＢの金戦争は見えていません。通貨も、金も、レートも見えていなかったと言えます。突如、ドルが下落したということでした。日本製品の輸出が減って、日本は円高不況になってゆきます。

１９７３年：第四次中東戦争の勃発《ぼっぱつ》（イスラエルと中東諸国）。

・ＯＰＥＣ（産油国連合）はドルの減価のため、原油価格を約10倍に吊り上げます。

・これが世界にインフレをもたらした、第一次オイルショックでした。

・世界の物価は、二桁も上昇しました。つれて金価格も２００％上昇しています。

産油国にとってみれば、石油危機ではない。ドルの下落危機だったのです。

１９７３年〜74年：石油危機のインフレで、米国株は戦後最大の暴落をします。

【FRBが、再びの金戦争の宣言から、6年後に敗れる1980年まで】

１９７４年：ＣＯＭＥＸ（ＮＹ商品取引所）で金先物取引開始。このとき、ドル紙幣が金より強いとします。

・米財務省は金の売却を発表。金上昇による、世界からのドル不信を恐れたからです。

１９７５年：米国民が、60年ぶりに、金保有を認められます。

・ただし米国では、主流派エコノミストとマスコミが、金の価値を否定します。

・ＩＭＦ加盟国の協力で、米国は金を売り崩します。「金は野蛮な通貨」と言いながら…。

・ＩＭＦ加盟国は、金準備を増加させないことを決定（当時のＩＭＦの金準備は１５５５トン）。

１９７５年：金は、１オンス１２８ドルの底値に下がります。

（注）１９７８年が１０３ドルの底値です。

・金価格の下落は、投機の金先物売りが増加したからです。

１９７６年：米政府は金価格を壊滅させる好機ととらえ、財務省が金売却を発表します。

秋：金は１０３ドルの底値へ下がります。

【米政府が、イラン革命後、イランのドル預金を凍結したことから、金が1オンス$850に暴騰】

１９７９年：ドル預金の封鎖を恐れた中東の産油国の買いで金１オンスが４３０ドルへ暴騰しま

す。
12月：金1オンス＝510ドルに上がり、米財務省の金売りでも、冷めなくなります。
1979年：イラン革命から第二次オイルショック。原油価格は4倍へ高騰します。
・ボルカーがFRB議長へ。ボルカーは物価沈静のため15％以上への利上げを行います。
・物価上昇を15％レベルから、のちの3～4％レベルに下げることに成功します。
1979年12月：FRBはイランの預金を凍結します。イラン、イラクはスイスで金を購入します。
1980年1月：中東危機、石油危機から、中東の買いを原因に金価格は850ドルへ高騰します。
（注）2012年8月は、この約2倍の1600ドル付近です。
・金価格をピークと見た金売りの殺到で、600ドルへ下落します。
・米国の物価上昇は、15％と高いインフレになり、FRBは21％の超高金利に上げます。
FRBは、さらに強烈なマネー引き締め策をとります。
・国際基軸通貨米ドルの、必死の信用回復策が、この金利上昇策でした。
・高金利で米国経済は不況へ→サッチャー、レーガンの新保守主義（新古典派経済学）へ。
・米国の大減税（最高所得税70％を25％に下げて、富裕者の高金利ショックを和らげます）。
・レーガノミクスはドル紙幣の増刷によって、財政と貿易赤字をおぎなうものでした。

１９８０年までの70年を概観すれば、ＦＲＢの金と戦いが、凄《すさ》まじいものだったことが了解できるでしょう。２０１０年まで、あと30年あります。論述すれば、経済との密接な関係があるのでページ数を多く使います。再び、年表で圧縮して示します。このほうがわかりやすいかもしれません。

【１９８０年代は、金価格低迷で、株価上昇の時代：日本は不動産と株のバブル経済】

１９８０年代：金は＄３００（１９８２年、１９８５年）～＄５００（１９８７年：ブラック・マンデー後）のレンジ。

・米国は、ついに純債務国へ転落します。債務国の通貨が、基軸通貨である矛盾が、この後の錯綜した米国の金融政策を決めます。米国が基軸通貨特権を是が非にも維持したいからです。無理なことを通せば、金融政策も無理なものになります。１９８０年代からは、米ドルに忠実な日本が貿易黒字でドル保有を増やしたので、米国は基軸通貨特権を維持できました。２０００年代は、中国がこの役割を果たします。

・米国は住宅購入が多く（ベビー・ブーマー）、もはや「今後は不況なし」の意識でした。

・金鉱山の生産技術の革新で、金の生産量増加へ（１９８０年９６２トン→１９９０年１７６４トン）。

インドやイタリアの宝飾需要を、金の生産が吸収できるようになっていきます。
・1980年代の10年の金価格安定は、供給量の増加が原因でした。

1981年：米国のインフレ。金本位主義のレーガンは、金委員会を開きます。しかし金本位復帰には、否定的な結論が出ました。米国の保有金が金戦争での売り超で少なくなっていたからです。商品、資源価格のピーク年で、以降は金融引き締めで物価上昇は低下（→1999年に上昇）。

1982年：米株式の大相場へ（ダウ平均$800が、1999年の$1万1000まで14倍も上昇）。
・米国企業はリストラが猖獗《しょうけつ》を極め、現場労働の大量切り捨てを実行します。この後、米国はワーカー（雇用の80％）の実質賃金が上昇しない30年間に向かいます。
・株価の連続的な高騰で、金は投資対象からはずれて、価格は低迷します。

1985年：プラザ合意で、ドルの協調切り下げ→ドイツマルクと円が、2倍の水準に高騰します。
・切り下がったドルは、その後も、さらに下がり続けます。
・米国FRBは、金価格が低迷したままで株価が上昇したので金戦争とは言わなくなります。

1985年：日本は、日銀による金融緩和を起点に、世界史上最大の資産バブルの経済に突入します。不動産担保の銀行貸付制度でした。地価が上がると、信用乗数が上がったからです。

1987年：ボルカーのあとをうけ、デリバティブを推進したグリーンスパンがFRB議長に就任します。

10月：米国株の大暴落でブラック・マンデー。米国と世界は、金融緩和策をとります。

日本の資産バブル経済は、１９８９年が頂点でした。90年からまず株価が崩落します。

１９８９年12月：金価格は＄４００。日本はバブル経済の頂点で、日経平均は3万８９００円。

【1990年代の共産圏の崩壊、日本のバブル崩壊、米国は、10年間株が上がる大相場へ】

１９９０年代：米国のペーパー・マネー債務の、累増の時代。しかし、金価格は下落。

要因①スイス銀行の投資ポートフォリオで、価格が低迷する金はほぼゼロになります。

②共産圏の崩壊後、資源は原油も下がって、デフレ基調

③他方、株式は、米国の、10年間の長期大相場で好調（これがＩＴ株バブルです）。

④金のだぶつきは、各国中央銀行からの売りと、リースの貸出しによって生じたものです。

重要なことを言えば、ＦＲＢを筆頭に、90年代は各国中央銀行が金を放出しています。

⑤ＦＲＢの反ゴールドキャンペーン以降に生まれた若年層は、金を買わない。株を買う。

⑥90年代の資源・商品デフレ。旧共産圏の資源が流入し、中国の安価な労働力。

１９９２年：ＢＩＳ規制の日本への適用。

・ＢＩＳ規制は、１９８４年の米国コンチネンタル・イリノイ銀行の倒産から始まっています。

・日本の資産バブル経済は、銀行に対するＢＩＳ規制もあって、急激に崩壊します。

この年から日本は、経済成長のない20年の低迷に向かいます。

1996年11月：スイスも、金を売却（当時金は$386）。後にこれは失政だったとされますが遅かった。

・各国の金準備は34・726トン（$4160億）金価格は、1オンス$300水準へ下落します。

1999年：イングランド銀行の金売却（252ドルの最低価格に下落）。各国公的準備は$2700億、金の底値が1999年の1オンス252ドル（当時の円では1グラムが917円）でした。

イングランド銀行も、この時期の金の大量売却を、後悔しています。

・1940年代末は、金の公的保有は地上の金総量の70%でした→現在は25%に減っています。

1971年まで、宝飾以外は、金塊の全部が、中央銀行の金庫にはいっていました。

・1971年から20年の売却を続けたことによって中央銀行の持ち分は大きく減少したのです。

［現物の金の価格決定］　金の現物価格を決めているロンドン市場に言及します。金を売買する銀行がブリオン・バンク（Bullion Bank）です。ブリオンは金の延べ棒の意味です。金は、ドル、ユーロ、円、人民元と同様、通貨と考えられています。ブリオン・バンクは欧州に多数です。日本でも

1978年の金自由化以来、銀行で金現物を取り扱っています。

日本の場合、銀行法によって貴金属取引の範囲が限定されブリオン・バンクはない。売買の代役は、商社が果たしています。国際的な金現物の取引における指標価格は、午前と午後の2回、ロンドン金市場（黄金の間）でフィクシング（Fixing：値決め）されます。フィクシングにあたっている07年現在のメンバーは、①デル・バンコ系のスコシア・モカッタ銀行（ここがメインです）、②バークレイズ、③ドイツ銀行、④HSBC、⑤ソシエテ・ジェネラルの5社です。なお、金証券の売買である先物市場ではNYが中心です。現在、金でも差金決済の先物市場が、現物市場より何倍も大きくなっています。この先物市場（COMEX）は、欧州に金取引を独占させないため、米国がつくったものです。

「ウソを言う中央銀行」　1973年以降、中央銀行はペーパー・マネーの発行機関に変わりました。そして金融危機の急場では中央銀行が銀行を救うため、金は必要ないとしています。マスコミも加担し「ゴールドは終わった」と言っていたのが1990年代まででした。金融や金にかぎらず、大手マスコミは政府にすり寄った報道をしてきています。初期の原発報道も、消費税報道もおなじです。玉石混交《こんこう》ではありますが、21世紀は、個人化したメディア、インターネットの記事が、これを突き破ろうとしています。

3. ワシントン条約での金の売却制限

2014年末までを規制（重要）

1999年、欧州15ヵ国の中央銀行（EU加盟国）がワシントンに集まり、不思議な決定が行われます。向こう5年間、中央銀行の金売却を400トンまでに制限するという条約（ワシントン条約）です。

1980年には、イランのイスラム革命の後、米銀へのドル預金を米政府に封鎖された中東の買いを原因に、1オンス$850（当時の円価格では1グラム6495円が頂点）まで高騰した金価格は、80年から90年代の20年間、欧州の中央銀行の協調による金売却で、1990年代は$252（1グラム917円）の底値をつけるくらい下がっていたからです。

再び、金が高騰することはないと中央銀行が考えたためでしょう。ところがこの1999年の売却制限を機に、金価格は$330へ上昇したのです。奇妙なことに、ワシントン条約の最初の起草には、FRBは、日銀と同様に参加していません。欧州の中央銀行間の条約だったのです。参加15ヵ国の金保有は、1万5994トン（現在時価で69兆円）です。なおFRBと日銀は、このワシントン条約に従うという参加でした。

ワシントン条約の条項は、以下です。

1．金は今後も、世界各国の重要な準備資産であることを確認する。

2. 署名した中央銀行は、決定済みの売却を除いて、売り手として参加しないこと。
3. 決定済みの金売却は、今後5年間にわたり協調プログラムのもとで実施されること。年間の売却量は400トン以下、5年間の合計売却量は2000トンを超《こ》えないこと（2000トンには、売却決定済みの1715トンが含まれている）。
4. 署名した中央銀行は金の貸出（リース）と、金のデリバティブ取引を拡大しないこと。
5. 協定は、5年後に見直されること。
6. IMF、BIS、米国FRB、日本も同意を表明。

【2000年代に金価格が5倍になった原因】

以上により、世界の公的保有金の90%近くが制限に含まれるところとなりました。背景には、1999年までの約30年間で、FRBを筆頭とする中央銀行が、金を売却し続けて、金保有が少なくなったことがあります。年表に示したように、1940年代末に、FRBを中心にした中央銀行がもつ金は、世界の金（インゴット：宝飾品は別）の、総量の75%を占めていました。現在は、25%に減っているでしょう。

金塊の50%は、中央銀行が売り続けた1999年までに、どこかが、エージェントを使って買い占めたのでしょう。金の現物保有者の、継続的な大量移動を考慮すれば、1999年になぜ金の売却を制限するワシントン条約がむすばれたか、理解できるでしょう。これがどこか？　リップスも決して言いません。しかし推測はつくでしょう。

〔金の用途〕　地上の金16・5万トンのうち、宝飾品が52％です。インゴットは48％であり、7万7000トン付近です。世界の中央銀行がもつのは公称で、①米国FRBが8133トン、②ドイツが3402トン、③IMFが2907トン、④イタリアが2451トン、⑤フランスが2435トン、⑥中国が1054トン、⑦スイスが1040トン、⑧日本が765トン、⑨ロシアが726トン、オランダが612トン、インドが557トン、ユーロを発行するECBが507トンとされています。世界の中央銀行がもつのは約3万トンというのが公式発表です（世界金評議会WGC：2008年）。

しかし古来、ゴールド現物の常として（金細工師の伝統をひいて）、数値に嘘があるように思えます。米国のFRBは、ドイツ、日本、フランスの金の多くを預かっています。このため日銀の金庫には、765トンの金現物はありません。あってもごくわずかな見せ金です。そして海外がもつ米国債も、FRBが預かっているのです。保護預かり（custody《カストディ》勘定）と言います。FRBのバランス・シートのメモ欄に、国債の保護預かり勘定が$3・5兆（280兆円）もあることが示されています。目的は、海外（とくに日本と中国）が自由にドル国債を売ることができないよう監視するためです。

http://www.federalreserve.gov/releases/h41/current/

FRBは、はたして自分のものとして、長年公表している8133トン（いつもおなじ数字）の金現物をもつのか疑問です。いつもおなじ量であるわけはない。米国議会で共和党の上院議員が、「FRBの本当の資産と銀行貸し付け」の公開を迫ったことがあります。FRB議長のバーナンキは、公開義務はFRBにはないと拒《こば》み、訴訟になっています。しかし最高裁でうやむやになるのは、きまっています。

論理での推理ですが、ＦＲＢの金塊は、そのほとんどが敗戦国のドイツや日本等の海外からの預託分であり、ＦＲＢの自己所有の金は、40年間に売り払って消えている感じです。これによって、なぜＦＲＢがワシントン条約づくりに参加せず、あとで従ったかの謎が解けます。タングステンに金メッキをすると比重はおなじで金のインゴットに見えます。分析すればわかりますが、刻印されたインゴットのままなら中はわかりません。

（注）論理ではこうなるという憶測です。現物は、世界のだれも確かめ、分析していないので、わかりません。金塊を見ても本当の所有者は見えない。売買の都度、名前が刻印されているわけではないからです。預かった金を、金細工師のように自分の金だと言ってもだれもわからない。まさに、ベネチアやフランス王立銀行です。

事実を言えば、期間5年間のワシントン条約のあと、金は高騰の10年にはいります。市場で売られる金が減ったからです。世界の金生産は、①中国（14%）、②オーストラリア（10%）、③アメリカ（9%）、④南アフリカ（8%）、⑤ロシア（8%）、⑥ペルー（7%）の順であり、総計が約２５００トンです。

埋蔵量は世界で5万１０００トン、（オーストラリアが最大で７３００トンの埋蔵）とされます（ＵＳＧＣ：鉱物資源概要）。ほぼ20年分しかありません。鉱物の推計埋蔵は、原油のように概算です。しかし金は古来、人類が世界の隅々まで行って発掘してきたのでほぼ正確に思えます。金鉱山の株は、この［推計埋蔵量時価－産金費用＝金鉱山の未来利益］を、株にして売るものです。

生産された金の用途は、①宝飾用60%（１５００トン）、②工業用16%（４００トン）、③インゴット

44％（1100トン）です。この1100トン（時価で4・7兆円）が、1年に増える金塊です。金も、株や他の商品のように買いが超過すれば上がり、売りの超過で下げます。

［金証券がETF］　金の先物とETF（上場投信）は、市場の、仮想金（金証券）の売買量を増やす効果があります。なお高くなったため、金はリサイクルが1年に約800トンもあります。このため産金量は2500＋800トンで、3300トン（現在時価で14兆円）はあると見ていいでしょう。金価格が上がると、リサイクル費用は相対的に安くなるので、2000年代はリサイクルされる金が増えてきました。ただし原油（40年とされる）と比べると可採《かさい》年数は20年であり涸渇《こかつ》が近い。金は、天然ガスやシェールガス、太陽や地熱の自然資源がある原油とちがい、他に変わるものはありません。

【2回の更新】

金の売却を制限するワシントン条約は、金が高騰したあとも2004年、2009年と2回更新され、現在の有効期限は2014年末です。これは、FRBを筆頭とする米欧の中央銀行の金がなくなっていることを証明するものに思えます。金が十分あるなら、史上最大の2000年代の高騰に対し、基軸通貨を発行するFRBが売りに出て、価格を下げるはずだからです。金価格は米ドルに対して、$1600～$1700（31・1グラム）付近であり、1980年の最高値$850の、2倍に高騰したからです。

需要では、投資用が40％のシェアに増えています（WGC：公式統計）。推測では、1980年から1999年の20年、一貫して金現物を買い占めたのは、イタリアが本拠のデル・バンコ系のスコシア・モカッタ銀行とされています。日本人には「すこしは、もうかったか?」と聞こえる、滑稽《こっけい》な銀行名です。深刻さのきわみに、笑いもあっていいでしょう。なおデル・バンコは、ＢＩＳの大株主です。もしデル・バンコなら、買い占めてきた金の5倍への高騰で現在、世界中で最大の純資産（最大資本）の銀行です。古来、長期投資の方法は、「羊は太らせて食え」です。

【各国の金購入の本当のデータはわからない】

ほぼ２０１０年から中国の政府・民間も、ユーロとドルを売り、金と円債を買っていますが、金を買った実際量は不明です。用途を工業用や宝飾用とすれば、公式の申告はしなくていいからです。しかも香港、マカオのカジノを経由すれば、マネー・ロンダリング（違法な資金洗浄）になり、だれにもわからない。世界の投資・投機的な資金量の流れの50％を占めるオフショア（世界で約60ヵ所のタックス・ヘイブン：香港もオフショアです）からの売買も、だれが買い売ったか、各国政府の監視をはなれますから、不明です。

世界の麻薬の取引は、ロシアや米国が関与した軍事紛争が続くアフガンなどで、金現物で行われていますが、これも不明です。推計値で世界の麻薬（アヘン、ヘロイン）の取引は、＄１・５兆（１２０兆円：１９９４年）とされます（国連によるはじめての推計）。これはすごい金額で、わが国の原油輸入額（＄２４００：19兆円）の６・３倍もあります。金《ゴールド》への換算では１年の新規生産量の10倍、２万７０００トンです。麻薬は、世界の医療用医薬にも使われるからです。ともかくゴールド現物の本当の、国際移動の数字はわからない。価格がつかないくらい高価な古代の美術品やゴールドには古来、戦争での強奪と闇取引が混じっていて、怪しい謎が多い。これと似ています。

金も、短期での（3ヵ月内）のヘッジ・ファンドの買いとヘッジ売りで、原油価格のように短期変動します。原油と同じく50％部分の価格変動はヘッジ・ファンドの短期売買によるものでしょう。金がヘッジ・ファンドから売られて下がるときは、他の投機（通貨・株・証券・国債・商品の合計）で損をしていて、利《り》食《ぐ》いと当座の現金が必要なときです。このため、株価が下がる時期は売りの傾向が勝って下がります。

方法はどこかにならって「（金融危機のとき）羊が痩《や》せている間に買い、太らせて食え」です。買ったら忘れて売らない。現金が必要なときは、金担保で銀行から借りれば、20％の源泉税や総合課税はかかりません。

マネーの根源は、金との関係では謎めいています。示した年表の各イベントで、了解できるでしょう。現在のワシントン条約が切れる２０１４年以降はどうか？　中央銀行の金売りの規制は続くでしょう。金は重要な準備通貨と確認し合っているからです。

１９７１年以降、41年間も、世界の中央銀行が金とは交換できない不換紙幣を大量に発行しつつ、あえて金を重要な準備通貨と言うのはとても変ですが、この妙なところの狭間に現代のマネーがあります。おそらく中央銀行の中央銀行、ＢＩＳ（国際決済銀行）の意向がからんでいるからです。

第6章

21世紀の新しいマネー
巨大デリバティブはどこへ向かうのか？

1.5京円に膨らんだデリバティブの問題と行く末

銀行システムによる信用創造の効果と、ＦＲＢが隠れて戦ってきた、約40年にわたる金戦争を見たあとは、21世紀の新しいマネーである、①デリバティブの構造、②展開、③問題、④行く末を見ます。金融取引の主流になっているにもかかわらず、全容と構造は、ごく一部の人にしか知られていないからです。

米英の銀行でも、全体から言えば一部の直接担当だけです。デリバティブ証券の製造を行うのは、すくないクォンツ（数理統計者）たちですが、金融工学を駆使するのは３０００名くらいでしょうか。

【21世紀金融の主流デリバティブは、オフショア金融】

21世紀の金融における大きな変化は４項、①オフショア（租税回避地：タックス・ヘイブン：世界に約60ヵ所）を経由する投資銀行、②ヘッジ・ファンド、③プライベート・バンク、④米英の証券会社を兼務する投資銀行によるデリバティブ取引の増加です。全体をシャドー・マーケット（影の金融市場）ともいう。新聞では、投機筋と表現されます。日本の株式市場でも、日々の売買額の70％で市場を動かし、ガイジンがすくなかった国債の債券市場では、とくに２０１１年から40％くらいに増えています。

世界の通貨、金利、国債、株式、国際商品《コモディティ》、社債など、あらゆる相場の上げ下げを拡大し、主導する要素になっています。使うのはほぼ、すべてデリバティブです（先物、オプション、スワップ、複合化した証券）。ただし後述しますが、一般に思われているような高い利益率ではない。相場の、平均指標程度の利益、または損でしかありません。ノーベル賞をもらったマイロン・ショールズ、ロバート・マートンが取締役であり、天才たちが運用すると言われて人気を誇ったヘッジ・ファンドのＬＴＣＭ（Long-Term Capital Management）も、１９９８年の金融危機のとき、ロシア国債のデフォルト確率を１００年に一回と見誤って１週間で破産しています。

虚実の伝説にまみれている中東や欧州の王族と、事業創業者、相続者を含む世界の富裕者が使うとも多く、預金額に対して2％くらいの運用手数料をとるプラベート・バンクもこれです。１人１００万ドル以上の純金融資産をもつ世界の富裕者（約１０００万人）の、60ヵ所の租税回避地での隠れ金融資産は、＄32兆（２５６０兆円：１人平均２・６億円）ともされます（マッキンゼー：12年7月）。

金融の資産額は、所得よりはるかに格差が大きい。これも世界の金融資産が膨らんだ21世紀の、格差の特徴です。長期間勤めた大企業のトップ（全体から言えばごく少数）を除けば、所得の貯金からではなく株の公開、不動産保有、相続等からであり、金融資産の運用から増えたものではない。むしろ、２０００年代の運用では損が多い。運用する金融資産のシェアが大きくなると、原理上、市場の平均に近づくからです。

（注）うち日本人は１８０万人、金融資産は２８０兆円（平均１・６億円）とされ、成人の１・８％（55人に１名）が日本の全個人金融資産の約2割をもちます。しかし、これは預金が多く、デリバティブはまだすくな

いでしょう。

シャドー・マーケットは、伝統的な銀行部門の投資ファンドやMMF（預金に近いマネー・マネジメント・ファンド）も含むため、その50％、07年の推計で＄60兆（4800兆円）ともされています。

しかしケイマン島（キューバの南：英国領）に行っても、シャドー・バンキングや取引場は見えません。大手銀行の子会社（特定目的会社SPC）、ファンド、プライベート・バンク、投資顧問業の、トンネル会社の登記、私書箱、小さな現地事務所があるだけです。

どこまでも青いカリブ海と美しく輝く砂浜があり、観光客や本当は得体のしれない正装の紳士・淑女がまじり、ホテル、レストラン、ゴルフ場があります。普通の観光地と変わらない。日本の企業年金の運用を預かった投資顧問業も、あやしいコネをたどって、うろついているはずです。

親族の関係でマイアミに行き、目の前のカリブ海をホテルの窓からしばらく眺め、思ったことです。埠頭《ふとう》にはカリブ海クルーズの大型客船が、どこまで続くかというくらい多く繋留《けいりゅう》されています。

巨大な金額の、実際の金融ビジネスは、島とコンピュータでつながったシティ、ウォール街、デラウェア州（悪名も高い）、スイス、香港、シンガポール、東京の金融機関の一室で行われています。マネーも証券も画面に映り、光速で世界をめぐる目に見えないデジタル信号だからです。現金はない。当然に、島は独自の法域です。マフィア的な守秘義務があり、倫理観から税逃れなどをばらせば、あるいは顧客名をメールで漏らせば、命の危機にもさらされるという。このため、中身はだれも言わない。世界にはこんなところがあるということです。歓待され信用されるのは、金融資産をもった人、あるいは動かせる人です。

オフショアという影《シャドー》の金融《マーケット》の巨大化

①世界の貿易取引（推計800兆円／年）のうち、半分以上がバージン諸島、カリブ海、香港のような、オフショアのファンドを経由した代金決済であること、②世界の銀行資産（推計1京円）の50％（5000兆円）以上が、オフショアにあること、③グローバル企業の海外投資の30％以上が、オフショア経由の投資であること、④国際的な銀行間取引と、デリバティブの製造・発行の85％が、オフショアであると、勇気をもって個人で調査した国際金融ジャーナリストのシャクソンは推計しています。推計は当たらずとも遠からずでしょう。オフショアは、世界金融（金融資産1京5000兆円）の、半分近くの取引（つまり証券の売買と貸付）の見えない金融帝国です。資産の所有で言えば、米国人と米国銀行が最大です（数値は『タックス・ヘイブンの闇』より：ニコラス・シャクソン：邦訳2012年1月）。

一般には聴き慣れないオフショア（off-shore）は各国の政府と国税庁にとって「海外」です。課税と調査権が及ばない。女王の金融資産の運用を経て70年代の、英国シティの金融資産の無税運用から始まりました。規制緩和の80年代から増えています。米国、英国、スイス、香港、シンガポール、そして東京支店などのプライベート・バンク（私的な銀行）やヘッジ・ファンド（私的な投資組合）の運用は、ほとんどがオフショア経由です。

取引額の総本山は、大小のヘッジ・ファンドが集まるシティです。ヘッジ・ファンドとプライベート・バンカーは、顧客と資産に対し守秘義務があると言い、内容を明らかにすることはありません。産油国や、新興国、そして米欧日のマネー・ロンダリングもまじっています。何をやっているのか不明な、ブティック・バンクというように瀟洒《しょうしゃ》な個人住宅を使う私的銀行が、NYのマジソン街や横丁などを散歩すると、ところどころで目につきます。銀行のように大袈裟《おおげさ》な建物でなくていいのです。

日本の株式売買（1日平均で1兆円から1・5兆円の薄商い：時価総額270兆円）の約70％（7000億円から1兆円／日）は、ほぼ全量がタックス・ヘイブンを経由したヘッジ・ファンドや投資顧問業による売買です。新聞で投機筋と言われるものがこれです。

IMF《国際通貨基金》も2010年に、オフショア金融（約60ヵ所）の合計資産は、18兆ドル（1440兆円：世界のGDPの25％）と推計しています。しかし、これも相当な過小評価だと付け加えています。世界の銀行資産（推計1京円）のうち50％（5000兆円）はオフショアにあるとIMFも見ています。日本の銀行・保険・証券の、簿価の全資産（1765兆円：12年3月末：日銀資金循環表）のうち25％（440兆円）はオフショアに移されているかもしれません。

85％のデリバティブがMade in off-shoreです。人口2万5000人のバージン諸島（英国領の160の小島：カリブ海）にも60万社の金融業の登記と私書箱があります。マネーとデリバティブの信号だけが通過、あるいは取引されるトンネル会社です。

2. 金融資産の未来価値を確定しようとする試みがデリバティブであるが…

デリバティブのほぼ全部はオフショアを経由し、ロンドンのシティやウォール街などで取引されています。全容がわからないのはこのためです。投機筋の売買の正体です。

デリバティブ（原資産から派生した金融商品）は、

①対象とする原資産（国債、社債、証券、株、住宅ローン債券など）から得られる、期待キャッシュフロー（返済金と利回り）を、

②将来のリスク確率と、将来の期待金利で割り引いて、現在価値にしたものです。

単純化して考え方を示せば、「デリバティブの価値＝証券から得られる、期待キャッシュフロー×（1－予想リスク率）÷（1＋期待金利）」です。

期待×期待÷期待と、将来への不確定な要素が3乗になって、計算結果の数字は…あやしく思えます。この直感は正しい。確かに思える1万円札も、名目数字は永久に1万円でも、1万円の10年後、30年後の実質価値（商品購買力）がいくらかわからない。「未来は確定できない」という経済の本質があるため、デリバティブが、「自分は未来を確定する」と言い登場しました。

一歩すすんで考えれば、日常的な生命保険も、デリバティブの構造《スキーム》や仕組みとおなじです。30年後、40年後におりるかもしれない保険金の実質価値がいくらか、本当はわからない。しかしかける

人は、日本で数千万人です。いつ終わるかわからない命のリスクをさけるためです。デリバティブの本質も、おなじ性格です。

近い、あるいは1年後のリスクをさけようと考える人が、オプション料（ブラック・ショールズ式かそれと同等の方程式で計算）と同等額を保険料として払って買い、リスクを引き受ける人が、オプション料と同等額を受け取って売っています。両者は等価です。人々の予想が異なるため、ある人は買い別の人は売って、そのときの価格が決まります。ファッション産業が買う天候デリバティブもあります。近年は気象で売上が大きく変わるため、天候が大きく変化したときの損失を保証する保険です。

株や国債を含む、相場性のある金融商品の売買は、人々の間で未来価値の予想が異なるために生じます。全員の予想がおなじなら、①上がるときは天井知らずに上がり、②下がるときは現在のＭＢＳ（ローンの償還金と金利を、毎年の配当にした住宅証券）のように底値知らずに下がって、ついには買い手が消え、価格がつかなくなります。未来価値に対し、全員がおなじ予想をすれば、価格がつかず市場取引は消えるからです。

（注）２０１２年8月現在、世界の株式売買が前年比で30％くらい減る薄商いです。世界の、ＧＤＰの不調から２０１２年から２０１３年の株価に対し、下がる予想をしている投資家が多いからです。上がる予想のときは、例外なく出来高が増えます。

【掛け捨て保険とＣＤＳの対比】

デリバティブは、リスク確率と期待金利によって将来価値を計算する点で、前述の掛け捨て保険と構造はおなじです。この保険が銀行間で売買されているのが、ＣＤＳ（Credit Default Swap：債権の回収を保証する保険）という仕組みのデリバティブです。ＣＤＳは、①対象とする債権（原資産）が、②借り手の倒産によって回収不能（デフォルト）になったとき、③額面の金額の回収を、保険料をもらっていたどこかの金融機関《カンターパーティー》が保証する保険です。相手に払うのは保険料です。

●代表的なデリバティブ：ＣＤＳの特徴

ＣＤＳは自分が保有しない債権や債務にもかけることができます。第三者にかける生命保険とおなじです。保険料の金額が、ＣＤＳの価格（最初の価格）です。ＣＤＳの流通価格は、金利のように、銀行間の取引のなかで、毎日変動しています。ここが独立証券としてのＣＤＳの特徴です。たとえば、三菱東京ＵＦＪ銀行の負債にかかるＣＤＳの保険料率は１・２％です（12年7月）。金利も将来リスクですが、金利より高いことも多い。同行の１兆円の負債を対象の原資産としたとき、ＣＤＳの現在価格が１２０億円という意味です。

株価に似た価格変動をするＣＤＳを、銀行間で売買しています。１年内の破産《デフォルト》の確率（１・５％など）は、過去の経済指標からクォンツたちが計算し、ＣＤＳ証券を製造します。日常的なもので言えば、１・５％は70年に一回という地震の確率とおなじ性格のものです。

ギリシャ国債（たとえば1兆円）を、向こう1年に30％の確率で、デフォルトする可能性があると計算したとします。額面1兆円の国債の回収を保証する保険の価値は、3000億円（額面の30％）です。

①ギリシアが1年内に破産しなければ、生命保険がおりないこととおなじようにCDSは無価値になります。②1年内に破産すれば、保険料（3000億円）を受け取っていた銀行《カウンターパーティー》が、負債を負ったギリシャ政府に代わって1兆円をわたすという契約がCDSです。3000億円という高い保険料を払えば1兆円のギリシャ国債も安全証券になります（12年8月）。

【CDSの本質的な問題】

CDSの問題は、実際にデフォルトになると、住宅証券や国債のように金額が大きいと、保険金の支払いを引き受けた銀行や保険会社が払えないことです。08年9月の米国金融危機は、これが原因で起こりました。

事例を言えば、住宅証券のCDSと、CDSの複合証券であるCDOの損で、1ヵ月くらいで破産したのが、世界最大の保険会社だったAIGです。09年3月の損失は50兆円で、雇用10万人でした。このAIGを破産させれば、世界の信用恐慌に連鎖するため、FRBと米政府は、東電のように緊急公的支援を行い、決済の問題を先送りしました。

われわれが認識すべきは「危機の先送り」です。リーマンやAIGだけではない。原発を稼働できない東電の危機は、沖縄を除く日本の8大電力会社の原発が、不良資産になる危機であることとおな

――じです。

ギリシャ債の危機（２０１１年）のときも、ＥＵ（欧州経済連合）が、ＣＤＳによる回収権の行使を「先延ばし」するか、あきらめるように銀行に依頼しています。解け合い（債権・債務の、無理な相殺）もあるでしょう。しかし、このＣＤＳの製造と売買の禁止はできない。当局が禁止すれば、今度は、保険料を払っていた側が安全資産としていたＰＩＩＧＳ国債がリスク証券に変わるからです。

２００８年９月以降、ＣＤＳやＣＤＯ《債務担保証券》こそが、世界金融がかかえつつも隠蔽《いんぺい》され、将来に先送りされた金融危機の火薬庫になっています。大地震のように、いつ暴発するかわからない。ＣＤＳの対象証券は２３２０兆円、その時価価値は１２８兆円（流通価値率５・５％）です（11年12月：図2）。これが意味するのは、２３２０兆円の債権（国債、証券、社債、住宅ローン債券）に対し、１２８兆円が、その債権の回収の保証を受けるために払われた保険料率になっているということです。

（注）２０１１年12月のＣＤＳ残２３２０兆円は、米国金融危機の前の２００７年には、４０００兆円もの原資産にかかっていました。その後の４年で、図表に示した２１６０兆円に減っています。２００８年からの米国ＦＲＢと欧州ＥＣＢによる約５００兆円の金融危機対策費によって、清算されてきたことを示します。しかし残りはまだ、２１６０兆円もあります。

【ＣＤＳの掛け合いで、不良債権が安全資産に見える】

ＣＤＳは、銀行間でかけ、銀行間のみで売買されている保証証券です。

Ａ銀行が例えば額面10兆円の不良債権をかかえ、Ｂ銀行にもおなじ10兆円額面の市場価値が下が

図２　金融危機以後の、世界の店頭取引のデリバティブ残高（BIS：2011 年 12 月）：1 ドル 80 円換算

出典：http://www.bis.org/statistics/otcder/dt1920a.pdf より計算

	対象となった金融原資産					デリバティブの時価価値（店頭売買価格）				
種類	08 年 12 月	09 年 12 月	10 年 12 月	11 年 12 月	円換算の 2011 年 12 月残（$1 ＝ 80 円）	08 年 12 月	09 年 12 月	10 年 12 月	11 年 12 月	円換算の 2011 年 12 月残高
	ドルベースの、対象原資産額の推移					ドルベースの、店頭価値（契約残高）				
外為関連	$50 兆	$48 兆	$58 兆	$63 兆	5040 兆円	$4.1 兆	$2.1 兆	$2.1 兆	$2.6 兆	208 兆円
金利関連	$432 兆	$450 兆	$465 兆	$504 兆	4 京 320 兆円	$20 兆	$14 兆	$15 兆	$20 兆	1600 兆円
株式関連	$6.5 兆	$5.9 兆	$5.6 兆	$6.0 兆	480 兆円	$1.1 兆	$0.7 兆	$0.6 兆	$0.7 兆	56 兆円
商品関連	$4.4 兆	$2.9 兆	$2.9 兆	$3.1 兆	248 兆円	$1.0 兆	$0.5 兆	$0.5 兆	$0.5 兆	40 兆円
CDS	$42 兆	$33 兆	$30 兆	$29 兆	2320 兆円	$5.1 兆	$1.8 兆	$1.3 兆	$1.6 兆	128 兆円
その他	$63 兆	$63 兆	$40 兆	$43 兆	3440 兆円	$3.9	$2.4 兆	$1.5 兆	$1.9 兆	152 兆円
合計	$598 兆	$603 兆	$601 兆	$648 兆	5 京 1840 兆円	$35 兆	$21 兆	$21 兆	$27 兆	2160 兆円

種類別の内容と、デリバティブ種類別の対象金融商品・証券の残高（2011 年 12 月末）：BIS（国際決済銀行は半年に 1 回公表）

①外為関連　$63 兆　：為替先物と先物交換（$30 兆）＋通貨交換（$23 兆）＋通貨オプション（$10 兆）
②金利関連　$504 兆：金利先物（$51 兆）＋金利交換（$403 兆）＋金利オプション（$51 兆）
③株式関連　$6.0 兆　：株式先物と先物交換（$1.7 兆）＋株式オプション（$4.2 兆）
④商品関連　$3.1 兆　：金先物（$0.5 兆）＋金以外のコモディティ先物と先物交換（$2.6 兆）
⑤ CDS（保証保険）　$29 兆　：1 社の社債やある国の国債（シングルネーム）の CDS（$17 兆）＋複合 CDS（$12 兆）＋指数 CDS（$10 兆）
⑥その他の　$43 兆　：上記のいずれかを複合し、組成された複合証券。

デリバティブの総額 5 京 1840 兆円（残高）は、世界の全金融資産の約 3.4 倍にかかっている

→その価値 2160 兆円は、米欧の銀行の自己資本（200 兆円）の 11.5 倍

った証券があるとします。両行が、話し合いをし、お互いが1兆円（額面の10％）の保険料と見積もって、CDSを掛け合うとします。保険料は1円も払う必要はない。

結果はどうなるか？　A銀行とB銀行の不良債権には、デフォルトのときに回収できるCDSがかかったので、「安全資産」に変わります。つまり、公表されるバランス・シートでは見かけ上の不良債権が、ゼロになります。

世界の銀行の、2160兆円の債権に対してかかっているCDSのうち、「掛け合い」が相当部分にあると見ます。CDSも、その80％以上は、オフショアでの作成と売買ですから、その内容は、当時者以外は、だれにもわかりません。銀行のトップにもわからないことが多い。このため、不良債権債権の本当のことは、だれにもわからない。どうにも処理ができず、清算を迫られたものが、その都度、表面化しているにすぎません。

不良債権の総体は、世界の株価の下落、商品相場の下落、国債金利の上昇、社債金利の上昇、住宅価格の下落、GDPの成長率の低下があると増えます。逆に、相場での好転があると減ります。CDSでは、本当の不良債権の額が減るまで、こうした「飛ばし」が続くでしょう。

●CDSの価格（時価価値）は、平均株価よりはるかに大きく変動する

ギリシャの財政が、破産するかどうかの予想は、日々の、新しい情報（ECBの援助、ギリシャのGDP予想、税収見込みや増税、財政、ユーロの価格、ドル価格、ギリシャ国債の売買傾向、暴動やゼネスト等）の見方で、変わります。

アテネにはギリシャ中央銀行のカンバンはあります。しかしユーロの印刷は、本店が行う規定であり、ギリシャ中央銀行はそれを借りる機能だけです。

ギリシャ中央銀行が印刷すればユーロの偽札になります。ユーロの中央銀行であるECB（本店：フランクフルト）が、仮に大きく援助し、破綻確率が15%に下がると、額面1兆円の国債に対して3000億円（30%）だったCDSの流通価値は、1500億円に下がります。結果として、CDSを3000億円で買っていたA銀行は、1500億円の損をします。一方で儲けるのは、3000億円で売ったB銀行です。

すべてのデリバティブは将来の予想を売買しています。CDSは銀行間、証券会社間、そしてヘッジ・ファンド間の、相対《あいたい》取引（OTC：店頭売買の意味）です。株のような公開市場はないので、一般の人は参加できません。ここがわかりにくい理由でもあります。

（注）ギリシャは小さいのですが問題はスペインとイタリアです。PIIGS国債の5ヵ国合計はGDPの1年分400兆円くらいです。200兆円は不良債権になっていずれ債務カットされる可能性も高いと見ます。

図2の、その他で示される複合証券（対象原資産$43兆：3440兆円）は各種のCDSと、他のデリバティブを複合して組成したもので、もとの資産が何なのかつくった本人にとっても理解不能なものも多い。さらにその上の複合の複合という、何が何だかわからなくなるCDO（Collateralized Debt Obligation：優先・劣後の構造をもつ債務担保証券）もあります。

わからないのが普通であり、当然です。低い格付けの債券も集め、高い格付けの優先債をつくるものです。あとで示すサブプライム・ローンのMBS（住宅ローン担保証券）に似ています。これを、

「利回りが高い」として買っているのが世界の金融機関です。

【突然の巨大損】

買った人や売った人が、「反対売買してヘッジ《損失回避》していたのに、ある日突然、なぜか自行に損が出た」ということになる。価格変動（ボラティィリティ）の標準偏差の標準偏差、そのまた上の標準偏差をとって、意味不明になるようなものです。意味不明の新商品、つまり証券をつくるのは、未来の損失ヘッジのためですが、それ以上に、つくって売った側に、手数料がはいるからです。21世紀の世界金融は、行き着くところで来てしまっていて、デリバティブの債権・債務の処理ができなくなってしまったのです。

問題は金額の大きさであり、ＣＤＳを含むデリバティブ全体（ＯＴＣ《店頭》取引）では、対象となる金融原資産が5京１８４０兆円（11年12月）、その流通価値（売買された価格）が２１６０兆円もあることです。

この２１６０兆円は、２０１１年12月末の帳簿上の価格であり、株価のように日々、変動しています。21世紀の、新しい種類の株価と見ればわかりやすいでしょう。

２１６０兆円は、米欧の主要銀行の、全自己資本（約２００兆円）の11・5倍です。これが意味するのは、デリバティブの保有（含み益と含み損）または決済日到来による清算（損益の確定）が、途方もなく巨大であることです。

デリバティブの価値は、世界の経済指標や金利、為替、株価、国債価格、ＧＤＰの数値で日々大きく変動します。清算日が来るまでは、保有証券の実際価格がわからない（机上の理論価値は計算できます）ため、オフ・バランス（簿外の資産や負債）がほとんどであり、本当の損益の内容とリスクへのエクスポジャー（リスク債券の額）がわかりません。

【清算日までは損益が見えない】

取引に参加している仲介業の銀行自体も、自分の本当の、現在資産と潜在損がわかっているとは思えません。

（注）本書では、類似の用語ですが、債権は貸付の回収権、債券（国債、社債、証券、株などの有価証券）は、債権を証書にしたものという意味で使っています。債権と債券の合計額（つまり金融資産額）が、借り手の負債です。

繰り返しますが、オフショアで85％がつくられるというデリバティブは、相対《あいたい》の店頭取引（ＯＴＣ）であって、一般の公開市場はありません。部外者と銀行自体にも、清算日まで、価格そのものがわかりません。このためリーマンや最近のＪＰモルガンのように、決済日になって突然、銀行を破産させることもある金額の巨大損が出ます。公開株式市場や、債券市場の先物やオプション取引もデリバティブですが、これには一般の投資家が参加できるため、図２のＯＴＣ（Over The Counter）には含まれず、各市場が集計しています。

銀行のＣＥＯは、「われわれは知らなかった。自行が主導したものではなかった。担当が行っていた」と異口同音に繰りかえします。半分は本当で、半分は嘘でしょう。デリバティブでは、とくに大手金融業に、発覚した損の５倍や10倍の潜在損があると見るのは、常識です。なぜ、こうしたデリバティブ取引が、２０００年代に５倍以上も急増し、対象原資産が５京円（１兆円の５万倍）にもなっているのか。いくつかの理由があります。

(1)デリバティブ証券の、製造・販売をする金融機関やファンドに、概略でほぼ２％の手数料（純益）がはいる。これを仕入れて、一般の投資家に転売する金融機関にも、手数料収入がある。金利の利ザヤが０・１％からせいぜい１％台と低く儲からないので、２０００年代の金融機関にとって手数料収入が生命線になった。これが２＆20の原則です。金額の２％が投資銀行やヘッジ・ファンドの手数料であり、運用利益の20％がファンド・マネジャーがもらう報酬です。これが大きいため、デリバティブが増えたと言えます。

保有デリバティブは、同額を反対売買（ヘッジ）しておけば、利益はすくなくなるがリスクはさけられると米英の機関は見ています。そして最後はたとえば日本の、お金はあるが運用に困っている農林中金、年金基金、銀行、あるいは外貨があふれる中国に売れればいいともしているのです。

(2)損失の飛ばし（繰り延べ）に使うことができる。発生した潜在損を、３ヵ月決算で開示しないために、回収保証保険のＣＤＳをかける。保険料を払いＣＤＳをかければ安全証券になる。

(3)すくない元金で、大きな取引をしたい（人間の本能）。先物、オプションでは、相互信用で、30倍からときに100倍のレバレッジになる。1兆円の元金で、数十兆円の売買ができる。利益も損も巨大になる。

(4)リスクの高い証券のCDSをたくさん引き受ければ、受け取った保険料を3ヵ月決算の利益とすることができる。売りオプションでもおなじである。決済日の結末がどうなるかわからないが、短期の利益なら、いくらでも捻出ができる。大きな潜在損をかかえたデリバティブ証券の清算日前には、銀行をやめればいい。それに備えた高額報酬だった。ファンド・マネジャーは、前記のように、利益の20%を受け取ることができる契約が多い。

まったく、信用度の低い債券もまぜて、信用度の高い証券につくり替えるデリバティブは、魔法です。魔法ではないのですが、謎に見えます。しかしわかりにくい金融でも、魔法はありません。

●グラス・スティーガル法の廃止でメガ投資銀行が誕生：1999年～

米国政府は、1930年代の大恐慌のとき、再びの大きな危機をさける目的で、①証券の売買と、②国民から預金を預かって貸す銀行業務（リテイル・バンキング《一般顧客への取引》）を分離する「グラス・スティーガル法」を制定しました。銀行が、国民から預かった預金で、多くの証券を自己売買すれば、株価と証券の下落のとき、巨大損で銀行のシステミックな危機（連鎖危機）が起こることがあるからです。お互いに貸し借りしている銀行の連鎖倒産は、実体経済の恐慌を生みます。

ところが、この証券と銀行を分離する法は、1999年のグラム・リーチ・ブラリー法で廃止されました。

【証券と一体化したメガ投資銀行の誕生】

この後、米国のシティ・グループ、ゴールドマン・サックス、モルガン・スタンレー、メリル・リンチ、リーマン・ブラザーズ、スイスのＵＢＳ、クレディスイス、フランスのＢＮＰパリバ、ドイツのドイツ銀行、英国のバークレイズなどの、証券会社と一体になったメガ投資銀行が登場します。日本では遅れて野村證券、大和証券、ＳＭＢＣ日興証券、みずほコーポレート銀行、三菱ＵＦＪモルガン・スタンレー証券などです。世界の主要な全部の証券・銀行と言っていい。

（注）株価がほぼ10分の1に下がっている野村證券の惨状は、ご存知でしょう（12年8月）。

米国政府が「グラス・スティーガル法」を廃止した目的は、米国の金融業がデリバティブの販売によって、世界から利益を得るためです。ウォール街が起案したのです。製造業が空洞化している米国と英国経済にとって、２０００年代中期には、世界から上げた金融利益は全企業利益の30～40％を占めるくらいに大きくなりました。21世紀のメガバンクは預金を預って貸す伝統的なバンキングではなく、デリバティブをつくって証券を自己売買する投資銀行に変質したのです。

デリバティブという金融の新商品を、米英の政府が、規制を廃して国益のためにつくらせたと言っていいものです。世界のデリバティブは、２０００年代の急増の時期を迎えます。これとともに、銀行資産の、本当の内容が、わからなくなりました。

前述したようにグリーンスパンは、デリバティブを推奨し、世界に金融が行き届いて経済が発展すると言っていました。リスク融資が増えることができるからですが、経済成長はウソです。米国GDPになる金融業の利益は増えましたが、それは日本などの低金利国と、中国などの貿易黒字国、産油国、北欧から、金融資産の価値をそれと知られず米英が掠奪《りゃくだつ》するものでした。

●PIIGS債のCDSの事例

現在、世界で数千兆円の債券にかかっているCDS（1年契約の例）の仕組みをPIIGS債で見ます。

1年内に7%のデフォルト・リスクが予想できるスペイン国債があるとします。これが、たとえば額面10兆円のスペイン国債にかかったCDSの7%（7000億円）という保険料です。最初の保険料率は、CDSをつくる金融機関がスペイン経済の将来を計算して決めます。12年7、8月時点で、スペイン国債へのCDSの料率は約6・5~7%です。

（注）全国債にCDSがかかっているわけではありません。

［1．保証］

10兆円の7%の7000億円を払ってCDSをA銀行が買えば、スペイン財政のデフォルトのときは、このCDSの引き受け手《カンターパーティー》のB銀行（7000億円を受け取っている）から、10兆円の償還を受けることができます。CDSは、このA、Bの銀行がスペイン債に関与していなくても、売買できます。競馬場の外で売る、違法な場外馬券のようなものと言えば、わかるでしょうか。第三者にかける生命保険ともおなじです。

［2．流通価格の変化］

スペイン経済が改善し、あるいは別の好転情報が出てデフォルトの予想確率が5％に下がると市場で認識される（金利もほぼ5％に下がる）と、CDSの流通価値も5000億円に下がり、A銀行には2000億円（投資7000億円の29％）の含み損が出ます。CDSの証券は、単独で、株のように売買ができます。

他方、今よりスペインの経済状態が悪くなり、あるいはギリシャがいよいよひどくなって、関連してスペイン国債の金利が9％に上がると、CDSの流通価値も9000億円に上がって、A銀行に2000億円（投資7000億円の29％）の含み利益が出ます。

［3．仮定：スペイン財政の破産］

実際にスペインが破産し、スペイン政府が弁済できない国債に対するカット率が、仮に50％とされたときは、スペイン政府の代わりに、10兆円をA銀行に支払ったB銀行に、欧州経済連合（EU）やECBから予想配当があるので、実損は［10兆円×50％－受け取っていた保険料7000億円＝4兆3000億円］です。

事実、ギリシャ国債では、2011年末にEUの呼びかけで、満期が来ていた国債についてギリシャが払えないため、約70％の債務カットが行われています。

［4．決済の繰り延べが行われる］

スペインやイタリアのようなEUの大国がデフォルト（国債の利払いと満期弁済の不能）になり、CDSがギリシャ（30％：2012年）のように高騰すると、その不良債権《バッド・ローン》の金額が100兆円規模になるため、ECB（欧州中央銀行）やドイツを含んで、だれも損を埋めることが無理になります。

［5．世界の金融の現状］

このときCDSやCDOの決済は、お互いの話し合いで、清算日を将来に繰り延べます。起こった危機の将来先送りがこれです。

2008年以降の米国、10年からの欧州で、こうした繰り延べが大規模に行われています。これを当局の対策と言います。われわれが認識しておくべきは、問題が先送りされたのであり新聞報道のように解決したのではないことです。銀行の資産には、大きな潜在損が残り続けます。

これが世界金融の2012年、2013年、2014年、2015年でしょう。今後、欧州、南欧のGDPが低下すると、ユーロ国債の危機はますます大きくなります。GDPが上昇するなら（可能性は小さい）、バット・ローンも減ります。

●米銀のCDSでのエクスポジャーは100兆円

事実を言えば、米銀はPIIGS債の100兆円の回収を、保険料をもらいCDSを売って保証しています（2012年の年初）。つまり米銀は、PIIGS債100兆円分を、過去に3兆円（3％）くらいの保険料を受け取って連帯保証しています。

CDSによって、PIIGS債の問題は、米国の銀行の問題にもなっています。2012年現在、このＣＤＳをどう移転するかが、米銀の最大課題です。いつも遅れる日本の銀行が買わないといいのですが…ギリシャ、スペインは破産（または債務カット）するから、その前に、どう売り抜けるかという課題です。ユーロの大国イタリアの国債も、スペイン並みの問題です。欧州の当局もひどいことを言います。「ＥＣＢがマネー印刷をして、ＰＩＩＧＳ債の価格を上げて安心させ、ＣＤＳの料率も下げて、日本や中国に売ればいい」実際にＥＵの高官がこう言ったことを、ＦＴ紙が小さく報じました。これが、欧州共同債と言われるものの実体です。

デリバティブの取引が増えた投資銀行の利益が、いかに将来リスクを含んだものか、以上でわかるでしょう。確認すれば、こうしたデリバティブが、世界の金融資産（原資産＝通貨、金利、国債、株、債券、社債、資源）に対して、５京１８４０兆円分もかかっていて、デリバティブの流通価値が２１６０兆円もあります（図２：ＢＩＳ統計）。

【政府への甘えと倫理的障害】

世界の全部の銀行には、いざとなれば政府・中央銀行が「Too Big To fail」と言いつつドル・ユーロ・円を増発し、通貨増発で生まれるシーニョレッジの利益で救ってくれるという甘えがあるのでしょう。08年と10年以降、金融システムの救済に、米欧日で５００兆円もが注がれたからです。幹部に、深刻なモラル・ハザードが巣くっている米英欧の金融機関には、「つぶすならつぶしてみろ。あとがどうなるか、知ったことではない」という居直りがあります。

世界金融は、デリバティブ（対象金融資産５京円＝互いの債権・債務、金額は世界のＧＤＰの10年分）で、一蓮托生になってしまったからです。Aがつぶれて決済ができないと、Bも即日につぶれ、Cにも及ぶというチェーン・ストアのような構造です。世界金融は一体です。

［隠れたOTCのデリバティブ問題の、最終解決には、長期がかかる］

08年から大統領経済回復諮問委員会委員長である、古典的銀行家のボルカー《元FRB議長》は「グラス・スティーガル法」の復活と、OTCのデリバティブの売買制限を起案しています。グリーンスパンは逆であり、規制廃止の推進者でした。当方は、規制に賛成です。ただし急に規制すれば、金額がとても大きすぎるので、一瞬で信用恐慌になります。

シャドー・バンキングによって増えてきた世界金融の、網のようにもつれた債権・債務の糸を、時間をかけて一個ずつ解きほぐして、段階的に行わねばならない。これは、もう無理かと思える作業です。世界の金融機関が平静に見えるのは、決済せざるを得ないために露呈した不良債権分（4年で500兆円）は中央銀行が資金を貸していて、残りは、正常債権を装った潜在損（推計1000兆円）のままだからです。

店頭デリバティブの流通価値が2160兆円（11年12月）なので、このうち1000兆円が潜在損でしょう（推計）。1年に200兆円ずつ世界の中央銀行の公的資金で、決済完了しても5年はかかるでしょう。はたして、これができるのか？　その間、銀行の潜在損が表面に現れるため、金融危機がどこかで続くということです。

そして向こう5年に、GDPの低下からPIIGSや別のところ（欧州の銀行からの東欧への債権200兆円も危険）、あるいは、米国や欧州そのものの他の危機（国債金利の上昇）が起こると、必要な資金が増えます。まさにこうした時期の、ＢＩＳによる世界の金融機関への自己資本規制（10・5％：２０１９年が期限）は、いったい、何をねらっているのか？

数歩先も言います。米国の金融危機からの恐慌は、１９２９年から１９３３年でした。この金融危機の真相は、不良債権で危機になった米国銀行に対して、創立15年目のＦＲＢが、十分なマネー印刷での、インフレ誘導を行わなかったからです（再々掲：フリードマン：『大収縮１９２９－33』）。

●２０１９年に向かい強化されるＢＩＳ規制の目的への、推理

現在は世界の、中央銀行と民間銀行に対するＢＩＳ（国際決済銀行）の位置が、当時のＦＲＢの役割です。ＢＩＳが、世界の銀行に対する自己資本規制を、今後7年にわたって強化するということは、銀行のリスク債権（分母）を減らすこと、つまりマネー・サプライを、減少させる要求です。［２０１９年に向かう要求10・5％÷過去の要求8％＝１・31倍］です。しかも、デリバティブを含み自己資本にいれるものを厳しくします。日本の金融庁の説明はここです。http://www.fsa.go.jp/policy/basel_ii/36.pdf

［１．４５００兆円もの信用恐慌］　約30％と言っても、世界のマネー・サプライは１・５京円くらいあるので、４５００兆円（世界のＧＤＰの90％）の、リスク資産の減少（貸付債権、証券、株）に相当します。日本の１９９８年以降の何倍も強烈な信用恐慌です。経済のなかのマネー量が減るため、実行されればデフレ型恐慌になります。

（注）ＢＩＳの職員（６００名）には当然に金融のマネタリスト学派が多い。このため、マネー・サプライと

経済の関係についての原理（既述のMV＝PT）は知りすぎるくらい知っています。日本で言えば、約500兆円のマネー・サプライが、減少に向かうことです。

［2.BISの権限］　BISは、世界の民間銀行に対してだけではなく、1日800兆円の外為取引の決済をおさえることによって、世界の中央銀行（いわばBISの子分）と銀行への強制権をもっています。

端的に言えば、BIS規制を、自国の銀行に対して守らせることができない中央銀行は、核疑惑からのイランの銀行が現在そうであるように、外為取引、銀行間の融資、預金取引、送金、受け取りから排除するということです。

［3.1929年との対比］　1929年からの30年代の世界恐慌では、米国のマネー・サプライ（＝マネー・ストック）は、$500億から$300億へと40%減っています（『大収縮1929－1933』）。これに匹敵します。つまり、BISがその意図なら2019年までに、100%の確率で、世界経済の大収縮が起こります。

［4.推測］　この準備ため、どこかによる、金の買い占め（1990年代）だったのかもしれません。2014年まで延長されているワシントン条約の、第1条を思い出してください。「1.金は今後も、世界各国の重要な準備資産であることを確認する」。

［5.BISのみが知る］　図2の店頭デリバティブの統計と全容は、BISしか知りません。状況証拠は、十分です。

（注）以上のことは世界の銀行が損失の多さから、本当の増資や自己資本の積み増しが十分にできないという

前提です。

ＢＩＳが、この強烈な規制を強行することができるとは思えませんが、どうでしょうか。ここ数年、注目してみておく必要があります。まったくもう、と思われるかもしれませんが、世界の銀行による史上最大モラル・ハザードの犯罪が、最近、また発覚しました。この事件も、ＢＩＳによる金融規制が国際世論の錦の御旗になることを助けます。

●担当は犯罪の意識がなかった、世界の銀行の談合によるＬＩＢＯＲ《ライボー》の不正

英国の資産額2位の、投資銀行バークレイズ（当面の罰金は３６０億円とすくない）が主導し、大手銀行との談合として発覚した銀行間取引金利であるＬＩＢＯＲの不正は、デリバティブでは、外為取引５０４０兆円の残高、金利の取引残４京３２０兆円、ＣＤＳ残２３２０兆円の、全取引の基礎の金利計算に直接にかかわります。不正は、２００５年から7年続いていたとされますが、７年は、犯罪の法的時効になる期間なので、実際はもっと長く10年以上と見ます。

London Inter-Bank Offered Rate（ＬＩＢＯＲ：ロンドン銀行間短期金利）は現在、１日で年率換算０・２％付近、３ヵ月で０・４％付近です（12年8月）。ライボーは、金融機関の間の１日から12ヵ月以内の短期融資の金利です。０・01ポイント（％）のライボーのごまかしでも、［デリバティブ５京円×０・01％＝５兆円］です。これが、デリバティブの買い手または保有者の1年間の損になり、その５兆円が売り手の不当利益になってきたということです。デリバティブはライボーの金利をもとに、ボラティリティの要素を加えてつくるからです。

世界中で低い金利で損をしていた銀行からの訴訟と、賠償請求が相次ぐでしょう。

世界金融は、本当はデリバティブの潜在損の大きさ（推計1000兆円）でこわれていますが、LIBOR不正も、必要賠償額の大きさが明らかになると、うやむやにされるでしょうか。ライボーの不正には、三菱UFJも含み、世界の主要銀行がかかわっています。

【ライボーの申告不正による、詐欺的利益の推計】

基礎金利になっているLIBORについて、世界のマネー現物と、現物から派生したデリバティブ証券との関係を理解する記者がすくないため、日本のマスコミでは記事の扱いが小さいように思います。世界の金融史上、最大額でしかも関係した大手銀行が多いスキャンダルです。根が深く、長い。

東京では、全銀協が談合（日本では慣習的に合法とされますがこれも問題）で決めているTIBOR（タイボー）です。シンガポールはSIBORです。タイボーやサイボーの短期金利は、ロンドンのライボーの動きで左右されます。ライボーが世界金融の基礎金利です。世界の「公定歩合」のようなものだと考えればいいでしょう。

全容が不明なので、試算では0・01％の不正（低く申告）と仮定しますが、0・02％なら詐欺の金額は2倍です。0・1％なら10倍で…これはどうにもならない。

ライボーは、参加の大手銀行が報告した銀行間の短期金利をもとに、英国銀行協会（BBA）が、毎日集計して決めています。世界の銀行預金は、5000兆円くらいでしょう。仮に0・01％低く申告する不正が続いていたとすれば、５０００兆円×０・01％＝５０００億円／年が、ライボーの金利で借りる大手銀行の、詐欺的な合計利益です（人件費換算では、ほぼ7万人分です）。

世界の預金者が受け取るべき金利から、1年に５０００億円分（10年で5兆円：これが０・01％の金利の意味）を損していたということです。銀行があなたの預金口座から、払うべき金利を、長期間、毎日１００円ずつ、わからないように抜き取っていたのとおなじ犯罪です。コンピュータに不正プログラムを組んで、預金金利を抜き取る行為とおなじです。不正が何年続いていたか、まだ不明です。

デリバティブでは、顧客の預金金利よりもっと巨大な不正額になります。全デリバティブは、その証券を製造（組成）するときの基礎金利として、ライボーの、今日の金利を使います。

(1)ライボーの金利が０・01％高くなると、全部のデリバティブ証券（総額で5京円の対象資産）の流通価値（２１６０兆円：11年12月）は、価格が下がります。たとえば、ごくわずかな金利ですが、０・01％高くなると、［5京円×０・01％＝５兆円］もデリバティブの流通価値が下がるのです。

(2)逆に、今回のような不正申告でライボーを０・01％下げると、デリバティブの流通価値は5兆円上がって、製造元と売り手の1年間の利益になります。世界の金融機関の利益は、とんでもない不正のなかにあったことになります。

金融業に雇用されている人の人件費換算では、70万人分になるでしょうか。10年続いていたとすれば、不正な利益額の累計が50兆円です。知らなかった銀行員には、可哀想なことです。

以上のように金融の基本を知ればこの不正は、巨大犯罪（刑事犯）だとわかります。損をしていたのは申告の談合からはずれていた世界の銀行です。しかし最終的に損をしたのは、預金金利が不正の分低くなっていた、世界の預金・年金・証券・国債の現物資産もつ個人と企業です。英国銀行協会の推計では、ライボーを基準にした金融商品は＄360兆（2京8000兆円）としていますが、銀行間の店頭デリバティブを考えるとそのほぼ2倍でしょう。

賠償を求めたいところです。日本の国民は、預金だけで1年間で個人金融資産1500兆円×0・01％＝1500億円。10年間なら1・5兆円の損をしたはずです。時効にかからない7年分の損（約1兆円）を、正当に個人訴訟ができます。日本の金利も、ライボーで影響を受けるからです。

以上の仕組みを、日本の弁護士と立件する検察官が理解できるかどうか？　読者の方はわかるはずです。米欧の銀行では全容の広さと深刻さがわかるとともに、日々大きな問題になっています。発覚は、インターネットの電子メールからです。ちくる勇気をもった、健全な倫理観をもつ銀行マンがいたからでしょう。記者は、金融をクリアにするため基礎の仕組みとともに、もっと報じるべきです。本書のように1200字くらいで足ります。

（注）三菱ＵＦＪファイナンシャルグループはライボーの不正への質問には一切答えません。

●ＢＩＳのデリバティブ統計：２０１１年12月時点：図２

国際決済銀行のＢＩＳは、金融機関やファンドからの申告をもとに、図２のような、金融機関の間のデリバティブ取引残を集計しています。表は、6種の、デリバティブ証券（つまり、A行とB行の、清算日に反対売買を行う契約）に分けています。今まで読んだことを思い出しながら、1枚にまとめた表を仔細《しさい》に見ると、読者の方にも、いろんな考えが浮かぶでしょう。

①外為取引関連（対象資産5040兆円：流通価値208兆円：価値率4・1％）
②金利取引関連（同4京320兆円：1600兆円：4・0％）
③株式取引関連（同480兆円：56兆円：11・7％）
④商品取引関連（同248兆円：40兆円：16・1％）
⑥CDS（同2320兆円：128兆円：5・5％）
⑦複合証券（同3440兆円：152兆円：4・4％）
合計　5京1840兆円：2160兆円：4・1％

［流通価値が2160兆円］　全体の、5京1840兆円（デリバティブの残高：店頭取引分）で言えば、その流通価値は、2160兆円です。2160兆円（4・1％）の意味は、デリバティブが2160兆円の価格として、金融機関の間で売買されたこと、あるいは契約されているということです。

［製造・販売の利益］　ABS《資産担保証券》と、複合して組成されたCDS《回収保険》やCDO《債務担保証券》では2％部分（300兆円）くらいが、製造元の付加価値や手数料（証券製造の付加価値）になっていると推計します。巨大な手数料利益です。米英の大手銀行が、四半期ごとに上げる利益の累積がこれだと考えていいでしょう。この巨大利益があるために、膨らんできたと言えます。

［一般の先物やオプションは除外］ ①株価、商品、国債指数の先物を売買して、限月内《げんげつない》に反対売買をして清算する先物取引、②ほぼ1年内の近い将来に（限月内に）、一定価格で売るか、または買うかの権利を買う（または売る）、オプション取引も、デリバティブに属します。
しかし、これらはオープンな公開市場があるので、前記のＯＴＣ（金融機関の間の店頭取引）には含まれていません。個人も参加できる商品は、先物やオプションで売買（差金決済）される資源、穀物、金等を言います。

【金融商品の価格変動幅を示すＶＩＸとは？】

価格変動が大きな株と商品証券（図２）は、将来価格のリスクが高いため、限月《げんげつ》（清算日）までのオプション価格も高くなります。金融商品のリスクは、価格変動《ボラティリティ》であり、その概略の計算は単純化すれば［一定期間の価格の標準偏差÷平均価格＝変異係数］で、近い数値を出すことが可能です。標準偏差は、価格変動の幅の広さを示すものです。

価格変動の幅が大きいとＶＩＸが高くなり、価格の動きが少ないときは、価格が安定しているので小さくなって、デリバティブの流通価値（時価）も下がります。投資家のリスクへの心理を示す恐怖指数と言われるＶＩＸ（価格変動指数：Volatility Index）が、ほぼこれです。金融危機の直後は、大きく高まります。ただしこのＶＩＸも過去の統計（価格変化の標準偏差）であり、未来のＶＩＸは原理上あり得ません。日本語はないのでＶＩＸの作り方の英文解説↓

http://www.cboe.com/micro/vix/vixwhite.pdf

ＶＩＸが高くなったときは、ＣＤＳを引き受けた金融機関に、大きな損が生じています。下がった

――ときは、多くの金融機関が幸せです。

3．デリバティブ証券の作成方法　事例ＭＢＳ（不動産ローンの、返済金と金利を担保にした証券）

どういう方法で、付加価値のあるデリバティブ証券をつくるのか？　サブプライム・ローンの例で言います。サブプライム・ローンは、住宅を担保にとって、低い所得や無職の人にもローンがおりるようにした金利の高い、言い換えればリスクの高いローンです。

（注）サブプライム・ローンだけでなく、他の住宅証券、国債、全証券株式、社債でも、方法は全部おなじです。

２０００年代の初期のように、全米の住宅価格が上がっている時期は、債務者がローンの支払いができなくなっても、担保の住宅が高く売れることが期待できます。このため、金融機関にとって利回りが大きいのに、リスクの小さなローンとされていました。しかし住宅が下がる時期になると、一挙にあぶないローンになりました（２００７年から）。

米欧では２００７年を頂点に住宅価格が30～50％下がって、担保流《フォアクロージャー》れの物件はもっと下がり（大都市近郊では50％の価格以下）、不良債権を生んで、２００８年から金融危機をまねいたのは、すでによく知られています。

知られていないのは、サブプライム・ローンから、ＭＢＳ（Mortgage-Backed Securities：不動産ローンの回収権を担保にした証券）をつくって売る方法でしょう。デリバティブの製造・販売・結果の事例として、概要を書きます。前述のように、他の複合証券も、これとほぼおなじ方法でつくります。

(1)ローンを買い集める

まず住宅ローン債権を、住宅ローン会社から、たとえばゴールドマン・サックスなどが買い取ります。3000万円のローンなら債権価格は3000万円です。この資金は、日本などのゼロ金利の金融機関から借りたものです。日本の銀行は、相手がゴールドマンなら、たぶん年率0・3％以下の短期金利で貸します。LIBORで借りてもおなじで、0・2％から0・4％と低い。この意味でもLIBORの金利は重要です。

ローン債権を売った住宅ローン会社（最大手ワシントン・ミューチュアルやカントリー・ワイド等：いずれも倒産）は、MBSをつくるゴールドマン、リーマン、メリル・リンチなどにローン債権を売ればいくらでも資金がはいるため、どんどんローンを組んでいました。こうした大小の住宅ローン会社が、ローンの直接の貸し手です。大小の地域ローン会社が、ローン債権を大手銀行に売るのが、住宅ローン資金の流れの仕組みです。

全米で、こうしたローンがふんだんに供給されたため、本当はローンを払えない人も住宅を買いました。これで需要数が増えたため、2000年代の住宅価格は上がっていたのです。とりわけ米国には、移民人口が4000万人（2012年）であり、1000万軒くらいの住宅の潜在需要があったのです。

２０００年代の住宅ローンの増加は、米国、南欧、フランス、英国に共通です。２０１２年現在、南欧の不動産（住宅、商業用）は、米国以上に激しく下がっています。スペインやイタリアには、南米と中東からの移民が多い。サブプライム・ローンは、貧困者から、銀行が収奪する仕組みでもあります。

⑵広く買い集めたローンを、たとえば1万本混ぜ合わせる

ゴールドマンが買ったローンが1万本なら、３０００億円のローン債権です。ここで大数の法則を使います。米国の住宅価格が下がったのは、過去は１９３０年代しかありません。その後、70年間はなかった。これを「確率」にすれば、住宅が下がる確率は、「1年÷70年＝1・4％」になります。値下がりのリスク率は、わずか1・4％／年とされたのです。仮に下がっても80％は抵当権で回収できるでしょうから、「1・4％×0・2＝0・28％」が、総平均のリスク率になります。70年に1回というのは、首都直下地震のようです。

この「合成」と「過去の統計データを、延長しただけの未来確率（デフォルト確率の1・4％）」に、理論的な誤りがありました。確率は過去の、経済のなかのデータでしかない。

そもそも、あらゆる統計、経済データ、価格は過去のものです。明日や1週間後の新聞がないように、未来のデータはどこにもない。

過去70年、米国の住宅の値下がりがなかったから、将来の70年も値下がりはないとなぜ言えるのか。これは無理です。70年に1回という地震の確率とおなじです。突然、予告がなく起こるもので

す。

過去のデータ（1・4％等）を未来に延長する確率原理の誤りは、オプション価格、先物取引とともに、拙著『国家破産』（PHP刊）に詳しく書いています。

ケインズも『確率論』と『一般理論』で述べていますが、「経済の確率的な未来は、想定できないということであって、たとえば40％の確率というなら、それは40％確実だという無理な想定」としています。このケインズの確率論は、数理経済学の無理も示しています。

条件が異なる過去の住宅価格統計を、将来に延長したのが、MBSの誤りです。これは、過去の価格変動指数をもとにする5京円の全デリバティブの根本での誤りにも通じます。もし、過去の価格変動幅を、そのまま未来に延長できるなら、前述したVIX（ボラティリティ指数）の変化は、ないはずだからです。

事実では、VIXは、毎日変化します。過去のボラティリティは20％だった。だから未来の価格変動幅も20％と想定できるとするのが、デリバティブの確率です。

すさまじいことを、あっさりと言います。確率の原理を無視したから、低い信用の証券（サブプライム・ローン）が、高い信用のデリバティブ（MBS）に化けて、その下落で金融危機が起こります。

つまりこの無理は、米国の住宅は、70年間も下がらなかったから、未来も下がらないという共同幻想（集団心理）のなかで無視されたのです。そして回収の総リスクは、抵当権を使えば0・28％（1年間：仮の数字）しかないとしました。

これが、証券をつくった金融機関の、付加価値2％のもとになっています。このためMBSを最初に開発したチーム（約10名）は、ゴールデン・チームと讃えられていました。このＭＢＳを２００兆円とすれば、投資銀行に４兆円もの手数料が入ったからです。

過去のリスク結果は含んでも、未来のリスクを原理上含み得ないＭＢＳの根本欠陥のため、２００８年の米国金融危機が起こったと言えます。慣習的な心理（現在が続くとする考え）が、未来を無視したのです。赤信号、皆で渡ればこわくない（皆がＭＢＳを買う）と思っていたら、２００８年に、その隊列に突然トラックが突っ込んできました。

⑶買い集めた３０００億円のローン債権を３つにトランシェ（層を切り分け）して、３種のＭＢＳ証券をつくる

①優先債　２０００億円（１本１億円のＭＢＳなら２０００本分）
②メザニン債　５００億円（同：中二階債５００本）
③エクイティ債　５００億円（同：劣後債《れつごさい》５００本）

債券では、株とおなじように「優先、劣後」という構造をつくることができます。住宅ローンの支払不能があったとき、劣後債から、差し引きます。ローン３０００億円のうち大きく、５％の１５０億円が支払不能になったとします。担保の住宅を再販売したときの損害も大きく見て50億円（ローン額の33％）だったとします。そうすると、リスク部分は、［１５０億円－回収額１００億円＝50億円］です。

このリスクを、５００億円のエクイティ債（劣後債）にもっとも多く、つぎにメザニン債に分割

する契約の証券にします。優先債には、損は及びません。つまり、この2000本の優先債は、米国債並みにリスクが低く、しかし金利は高い証券になります。10%のリスクがある危険なエクイティ債の利回りはたとえば13%とする。このエクイティ債はヘッジ・ファンドが好んで買っていました。

当時は信用されていた格付会社からは、米国債とおなじAAA格を得ることができます。金融危機のあと、格付け会社は、いいかげんな格付けだった、申し訳ないと認めていますが賠償の義務はない。投資の参考情報の提供にすぎないとされているからです。自らの仕事への誇りはどうしたのか?

(4)3種のMBSを、世界と国内の銀行や年金ファンドに、手数料を取って売る

MBSの優先債（AAA格）は金利が低い。メザニン《中二階》債（A格など）は中くらいの金利です。エクイティ債（BBB格）は、リスクが高い代わりに金利も高い。もとになった債権、金利が6%から8%くらいの住宅ローンですから、いずれも国債（たとえば金利3%）より、はるかに金利が高い。住宅ローンだけではなく、商業用不動産ローン、そして消費者のカードローンなどを加えて、混合されました。そして、わけがわからなくなってゆきます。

世界の銀行やファンドは、2007年までは、競って期待利回りが高いMBSを買っていました。リスク率が高いエクイティ債も、保証保険のCDSをかければ、国債並みの安全証券になるからです。農林中金（全国の農協の上の金融機関：農村の預金）が、MBSの40%下落で5兆円の損をした

のは、世界に知られています。今、どうなっているのでしょうか？　日本政府か日銀が支援しているのでしょうか。

天下った農林中金の役員は当時、「国債とおなじ安全度で、しかも金利は高い。君たちは知らない」と威張っていました。

国債とおなじ安全度でしかも国債より金利が高いのは、金融ではあり得ません。これは期待金利の、原理的な常識です。10％の期待利回りの証券は、10％のリスクがあるのが金融です。この原理を知らないなら、あるいは無視すれば金融音痴です。

本当の中身はわからなくてもゴールドマンなどがつくった高度な証券ＭＢＳ（新商品）というブランド価値から、誤った確率論でつくられた金融商品が、２００７年までは飛ぶように売れていました。ＭＢＳも、市場での転売と買いの量で、価格が決まります。

ＭＢＳの価格は、２００７年初頭まで、皆がほしがるため、どんどん上がっていました。低金利のなかの高金利期待商品だったからです。２００７年までは、買った金融機関や世界の年金ファンドは、ＭＢＳの価格上昇で、利益を出していました。

●２００７年３月からの金融危機

米国住宅がピークをつけたあと、下落期にはいった２００７年３月から、何が起こったか？　最初はニュー・センチュリ・ファイナンシャルの倒産です。８月にはフランスの大手銀行ＢＮＰパリバがＭＢＳで巨大損を出します。08年５月には、全米５位だったベア・スターンズの破産、08年８

月には、住宅ローン証券の、作成・発行会社フェニーメイ、フレディマックの事実上の破産と国有化、そして08年9月15日の、リーマンの倒産と、世界最大の保険会社ＡＩＧのＣＤＳによる事実上の破産です。原因はいずれも、期待金利の常識、「高い金利率＝高いリスク率」の無視です。

翌２００９年には、ＡＡＡ格だったＭＢＳが60％の価格に、メザニンは30％くらいに下がり、エクイティ債には価格がつかなくなってしまった。しかも住宅証券（デリバティブ）の流通市場は、米国から消えてしまったのです。

米国の住宅ローン債権残は１０００兆円、欧州も１０００兆円でしょう。合計２０００兆円の証券市場が、２０１２年8月現在も、ほとんど機能していません（Financial Times紙）。

米国ＦＲＢと、欧州ＥＣＢだけが金融機関の破産を避けるため、買い取っている、あるいは不足分を貸付けしているだけです。

米国ＦＲＢのＱＥ３（量的緩和第3弾）が予想されていますが（12年8月時点の観測）、買い取るのは、この住宅証券だと見られています。理由は、住宅証券の不良債権が増え続けて、ＭＢＳの売買市場が消えているからです。住宅価格が底打ちして上昇に転じない限り、ローン金利の累積で、不良債権額が大きくなります。これは、米国より南欧のほうが、２０１２年現在はもっと激しい。

損失の清算を行えば、お互いに巨大な不良債権が確定するため、飛ばして、米国ＦＲＢと欧州ＥＣＢの合計の紙幣印刷５００兆円で、蓋をされたままです。

住宅ローン債券（米欧合計で額面は２０００兆円）の不良債権に、商業用不動産の下落も加わって（２０１２年スペイン、イタリアで激しい）、ＰＩＩＧＳ債（４００兆円）と、株や他の証券の不良債権も加わっています。株価が下がると、あるいは、金利が予想外に上がると、全デリバティブの不良債権額も増えます。

逆に、株価が上がると、あるいは金利が下がると不良債権は減ります。

このため、中央銀行と政府は、株価の維持と利下げにやっきになります。

ただしもう利下げはできません。日米欧とも、短期がゼロ金利だからです。中央銀行は、金融の仕組み上、短期金利の低め誘導にしか関与できません。あとは、国債、住宅ローン債券、住宅ローン証券、商業用不動産ローン等を買い取って、マネーを印刷する量的緩和しかない。そして、事実、この方向です。

（注）ここを書いた後、ＥＣＢは南欧債（1～3年債）の無制限買いを、米国ＦＲＢは、ＭＢＳの無期限買いを表明しました（12年9月14日）。住宅が上がらない限りは、こうならざるを得ないのです。

［デリバティブの潜在損］　総額がいくらになるのか？　潜在的な損を含む不良債権の現在額は毎日動くので、世界のだれも知らない。米国ＦＲＢと欧州ＥＣＢが言う「必要資金」から、その3倍、あるいは5倍かと推計するしか方法はありません。多くの不良債権は、投資・運用を仲介する金融機関にたまります。多額の不良債権で金融機関の信用がこわれると、取りつけが起こって、金融システムがこわれるため、銀行、証券、ファンド、保険は、常に不良債権を過小にしか公開しないという本性があります。

図2で示したデリバティブの流通価値（2160兆円：11年12月）で、ほぼ1000兆円分は、すでに不良化し、飛ばされ続けていると見ています。ＣＤＳは、銀行間のお互いの了解で、決済日を

先に延ばすこともできます。先に延ばせば、損失は潜在的な損であり表には出ません。ただし時間が経てば、いずれ表に出ざるを得ない。このときは、ＦＲＢやＥＣＢがマネー印刷をして貸します。

　高額の報酬が続く米英欧のＣＥＯは、損の確定前にやめているでしょう。担当もおなじです。最終的な損は、世界の金融資産１京５０００兆円（名目価値）の、価値の減少か、増税に転嫁されます。この方法しかないのです。表面では、08年からずっと「不良債権の空洞にかかった藁（わら）の上の回復」が続いています。世界金融の問題は、ＰＩＩＧＳ国債（４００兆円）だけではありません。２００８年から続いています。

●どんな対策があるのか

　ところが…金融機関の不良債権は、中央銀行が紙幣の増発をして銀行に不足する資金を貸せば、減るのではありません。それは、借りた金融機関にとっては借金の増加です。そしてその間も、正常債権を装えば金利がつき続け、不良債権額は増え続けます。サラ金ローンのようなものです。じゃ、債権カットはどうか。カットされた側の金融機関に、カットと同額の損失が出ます。つまり、①名目ＧＤＰが成長して、②もとの証券が再び上がり、③銀行が利益を出して返済しない限り、マクロ経済で見た不良債権は消えません。

　２０１２年、２０１３年、２０１４年、２０１５年という、日米欧の、名目ＧＤＰの今後の増加が肝心です。実質ＧＤＰではない。物価上昇を含む名目ＧＤＰです。負債は、名目ＧＤＰが上がると、つまりインフレでマネー価値が下がると減るからです。ただし同時に、金利が上がれば、借りた人の利払いが増えるため不良債権は減りません。

わずか2～3ポイント（％）でも、金利の上昇は、日本のようなＧＤＰの2倍の債務（１０００兆円）をかかえる政府財政を、破産させてしまいます。

①名目ＧＤＰが上昇して、インフレで、
②資産価格（不動産と株）も上がって、
③しかも金利は下がったままでなければならない。

金融危機の解消には、この３つの条件が同時に必要です。

単純と言えば、単純です。ただし普通は、「人々の期待インフレ率＝長期金利率」です。このため、インフレになると、期待金利が上がります。このため中央銀行にとって、この問題の解法は、むずかしい。可能性が高いのは、いずれもマネー増発によるインフレでしょう。デフレ型の信用恐慌は、インフレ（マネー価値の低下）によって、実質の債務を減らすしか方法はありません。

（注）デリバティブである先物やオプション取引方法は、『国家破産』（11年12月：ＰＨＰ刊：アマゾン等）にページを割いて書いています。興味がある方は、参照してください。一例を短く言えば、デリバティブの一種である先物取引（futures）は、数ヵ月後あるいはほぼ1年後までの先物価格（日経新聞などに出ています）を、①相場が期限日（限月）までに上がると予想するなら買って、下がると予想すれば売って、③決済日に、反対売買（これは、絶対的な契約義務）を行って清算するものです。上がるにせよ下がるにせよ、相場が予想どおり動けば、利益が出ます。予想に反して動けば、損です。先物に限らず、デリバティブの全取引は、差金の決済ですから、少ない元金で、10～１００倍の投機ができます。

4. ヘッジ・ファンドの運用結果を考える この結果は、なんとしたことだ！

一般に、ヘッジ・ファンド（世界で約8000本：預かり元本$2兆（160兆円））は、個人投資家の運用より、はるかに高度・複雑な運用を専門家が行っているから、利回りも高いだろうと思われています。これは、専門家と高度な方法ということへの期待がまじった幻想にすぎません。

ヘッジ・ファンドは、一般の人も買う投資信託とほぼおなじ運用をしますが、両者は区分されています。理由は、個々のヘッジ・ファンドは、顧客に富裕者が多い私的な投資組合であり、投資の結果（利回りや損失）を公開する義務がないからです。他方、証券会社や信託銀行が新聞広告等で顧客を募集する投資信託は、その損益結果を、公開する義務があります。

両方とも損のときの保証はありません。仮に保証をつけるなら上がったときの利益も、なくなります。結果は、ゼロ金利の預金と、おなじ金利になります。

つまり確実な運用は、利回りがもっとも低い預金です。10%の利回り期待（予想）なら、10%の損失リスクがあると認識しておいてください。過去、現在、そして未来、いつまでも変わらない運用の基本原理です。証券会社がこれとちがうことを言えば（法的に禁止されていますが）それは真っ赤なウソです。以降でこれを証明します。

●ヘッジ・ファンドの運用方法は8種

ヘッジ・ファンドが行っている運用は以下の8種です。謎めいた業界語なので、短い解説を加えています。

（注）ヘッジ・ファンドの売買はほぼ100%がオフショア経由です。

(1)**株式ニュートラル**…割高と思える株（A銀行等）を売って、割安と思える株（B銀行）を買うヘッジ投資。日経225種やS&P500などの平均株価よりいいパフォーマンスをめざす。

(2)**相対価格戦略**…株や債券市場における、割高、割安の市場によるミス・プライシングを発見して、価格の歪みの解消をねらう投資戦略。株式ニュートラルと似ているが、国債、社債、金利、通貨、商品など対象が幅広い。

(3)**転換社債裁定戦略**…一定価格で株式に転換できる転換社債で、株価と転換社債価格のズレや差異を探し、高いほうを売り、安いほうを買う戦略。具体的には、株価変動が激しい時期には、割安になることが多い転換社債を買い、割高になることがある株を空売りすることなどの方法。こうした市場間、市場内の、価格差を探す裁定戦略をアービトラージュとも言う。

(4)**合併裁定戦略**…合併を予定する会社が発表した合併比率（A：B＝1：5等）より、株式市場で割高になっているAを売って、割安な価格がついているBの株を売る裁定取引。

(5)**イベント分析戦略**…合併の裁定戦略を含んで、株価をめぐるいろんなイベント、たとえば、新商品、新技術、設備投資、リストラ、海外投資、新事業、事業提携、研究開発等を知って、成功が予想されるときは買い、失敗が予想されるときは売る戦略。

(6)**破綻証券戦略**…破綻したあとの会社の株や債券を買い、経営を再建したあとに売って利益を上げる戦略で、高いうちにCDSを売ることも含まれる。

(7)**株式ロング《買い持ち》・ショート《売り持ち》戦略**…株式先物などの買いポジション（買い持ち、ロング）と、売りポジション（売り持ち、ショート）を組み合わせてヘッジする。要は、値上がりが期待される株の先物を買って、値下がりが予想される株の先物を売る戦略。目的は、株式市場全体（指数）の下落からの影響をさけて、平均指数より大きな利益をめざすこと。1950年代に開発され、もっとも多い投資方法。

(8)**グローバル・マクロ戦略**…世界のマクロ経済の、各市場の動向を、ファンダ・メンタルズ（経済の基礎指標）の情報から判断し、通貨、株、債券、商品、デリバティブ、CDSを売買する。実際には、それぞれの投資でのロング（先物の買い持ちなど）、ショート（先物の売り持ちなど）になることが多い。

【まとめ】

一見ではフクザツに見えますが、

「①市場の期待が低く、安い価格をつけているものを買って（先物なら買い持ちし）、

②市場の期待過剰から高く、価格をつけているものを売る（先物なら売り持ちをする）。こ

れを同時に行って（ヘッジという）、リスクを避ける」という方法です。

もっと単純に言えば、市場がつけている「価格の歪み（理論価格より高すぎること、あるいは安すぎること）」が、理論価格に近いところで収束する傾向をねらって、レバレッジ《信用借り》をかけた短期投資をしているということです。さらに言えば、

①集団的な市場が共同幻想でつけている現在価格が、高すぎるように感じられ、近い将来は安くなるだろうと期待されるものを先物等で売って、

②逆に、安すぎると「感じられる」ものを先物で買うという、裁定取引（アービトラージュ）です。

上記の(1)から(8)の戦略を、いろんな市場、通貨、金利、債券、国債、株、商品、デリバティブで組み合わせる（ポートフォリオを組む）から中身が複雑になります。戦略は、成果のねらいをもった方法を言います。以上が、「高度な運用」と言われるものの全貌《ぜんぼう》です。成績はどうだったか？

●市場の平均指数と、ヘッジ・ファンドの運用結果の比較

英エコノミスト誌は、大きな預かり基金をもつヘッジ・ファンド（69本）の、合計での運用結果を、03年から公開しています（２０１２年８月11日号）。これが、つぎに示すＨＦＲＸ（グローバル・ヘッジファンド指数）です。インターネットにもあります。

http://www.hedgefundresearch.com/hfrx_reg/index.php?fuse=login_bd

これと、以下の(1)〜(8)として比較するのは、いずれも基軸通貨のドルベースで、11年12月末から

HFRX （ヘッジ・ファンドの運用成績）	+2.1％ （11年12月末から7ヵ月間の運用結果）
【おなじ期間の、指数の比較】 （1）米国S＆P500種株価	+11.5％（同：500社の合計株価指数）
（2）日本東証株価指数	+0.5％（同、東証の時価総額：ドルベース換算）
（3）欧州FTSE300種株価指数	+4.2％（ドルベースであるためユーロ安が低下要素）
（4）MSCI（世界の合計株価指数）	+7.9％（世界の株の平均指数）
（5）うち新興国MSCI	+5.9％（新興国だけの株価指数）
（6）CDS：欧州のCDSの価格指数	−14.4％（CDSの価格は下がっている）
米国のCDSの価格指数	−12.1％
（7）資源等の商品価格指数（全商品）	−4.6％（資源も下がった）
（8）米国30年国債の利回り	+2.9％（これが30年もの長期金利）

12年7月末までの7ヵ月のおなじ期間での利回りです。HFRXの指数は、世界の投資家の利益基準になっています。これを、他の8種の、考えがなくてもだれでも買える価格指数と比較しながら、2012年の結果を見ます。8種のなかでCDS以外は、個人が買うことができます。

比較は以上で十分でしょう。ヘッジ・ファンドが、既述した(1)から(8)の戦略を組み合わせた結果利益は、7ヵ月で+2・1％です（2％の手数料控除後）。しかし、米国のS＆P株価指数は+11・5％です。だれでも工夫や技術がなく買える米国S＆Pの指数を買っておけば、ヘッジ・ファンド平均より高い利回りだったということです。世界の合計株価のMSCI指数は、+7・9％です。ヘッジ・ファンドの運用結果は、平均指数よりも劣っています。工夫が要らない米国債（30年もの）

を、売買せずに持ち続けても、ヘッジ・ファンドの2・1％より高い2・9％の利回りです。

上記のヘッジ・ファンドの運用利回りは2％の手数料を引いたあとです。これが2・1％の利回りということは、実際は4・1％で、2％部分はヘッジ・ファンドの収入になっています。

●なんとしたことだ、この結果は！

「なんとしたことだ、これは！」という結果です。利益を求め、短期で、いろんなものを、激しく売買するヘッジ・ファンドも、ほぼこうした結果しか示しません。

（注）ある期間をとると、ヘッジ・ファンド内での格差はありますが、それが続くことはむずかしい。

2012年だけではない。ずっと前からおなじです。今後もおなじです。「デリバティブを使いながらも、市場の指数以上に、長期で、いつも儲けるヘッジ・ファンドや投資信託はなかった」というのが真実です（『敗者のゲーム』：チャールズ・エリス）。

相場の指数が上がるときはだれでも儲かるが、下がるときは損をしているということです。だれでもできる指数を売買する結果と、専門家とされる人がつくった複雑なポートフォリオ投資（分散投資）の結果は、短期で成績がちがうことはあっても、中期や数年の長期ではおなじになるということです。

人間の考えは、金融運用の構造を見れば、ベニスの商人の時代から、変わるものではない。われわれの考えは15世紀より進歩したというのは、マルクスのような進歩的歴史主義の幻想です。進歩したのは、商品の種類と量です。人の観念は進歩していません。確実なのは、通貨発行益でした。

●本当のことを言えば

以上が、投資での本当のことに思えます。ある人が、ほかより儲ける方法を開発すると、それをまねる人がすぐに出て、結局、利益も損も、平均指標に近づいてゆくからです。大きく儲かっているヘッジ・ファンドには、鵜の目鷹の目で、有利な資産運用を探している投資家が、多く資金を預託します。このため、その方法での投資額が増えて、おなじ方法の売買が増えた結果は、市場の平均に収束してゆきます。

このため、こうした資金運用で、ほかより大きな利益を出すには、「先行する」こと、「逆を行く」ことしかない。ところがこれは、高い期待利益とおなじ割合で、損のリスクも高い。以上を知って、安心でしょうか？　不安でしょうか？　20％の期待利益は、20％のリスクです。ヘッジ・ファンド自身は、手数料が収益である証券会社のように、運用の手数料（ヘッジ・ファンドではほぼ2％と高い）で自己利益を出します。

●長い論証の、まとめた結論

ヘッジ・ファンドの運用は、ほぼ全部が、先物、オプション《売買権の売買》、スワップ《金利交換等》、CDS《保証保険》、CDO《債務担保証券》等を含むデリバティブの差金決済です。ここで示した運用の結果は、21世紀の新しいマネーであるデリバティブも、世界の個人投資家が自分の金融資産で行う、少額で素朴な運用の平均以上に成績を上げるものではないという事実です。個人投資家では、大きな金額を動かすヘッジ・ファンドに買いや売りの速度に負けて、そのため自分の運用のパフォーマンスが悪いと考えている人が多い。実際は、そうではない。ヘッジ・ファンドの運用結果は、個人の平均と、何ら変わるものではありません。1ヵ月では別でも、数ヵ月や1年でみればいろんな相場の平均指数を、ヘッジ・ファンドが上回ることはないということです。

これも、当然のことです。前述したように投資家は、過去も現在も、そして未来も、成績の悪いヘッジ・ファンドからは預託金を引きあげて、成績のいいファンドに運用を移すからです。このため、結局、あれこれ行った結果は、平均利益率に収束します。これが日本のTOPIXや米国のS&P500等の株価指数に、ファンドの成績が似ている理由です。平均指数を見れば、ヘッジ・ファンドのマネジャーの、歯ぎしりする呻吟《しんぎん》もわかります。多くの取引をまぜれば、当然にミックスジュースになって、利益も、「まぜた果物の味のように平均化し美味しくない」からです。

じゃ、なぜヘッジ・ファンドへの預託金が＄2兆（160兆円）に膨らんでいるのか。理由は3つです。

(1)経済学者、アナリスト、個人投資家が、ヘッジ・ファンドに対し高度な運用で利回りが高いという幻想を抱いていること。

(2)ヘッジ・ファンドのほぼ全部が、オフショアを本拠とする運用であるため、富裕者のなかには、短期では規制逃れや税逃れの特典が生じることがあること。税をさけることとは、数%の利回りより、はるかに高い（20%～40%）運用益をもたらすからです。この目的が大きい。オフショアで上がった利益も、本国に普通に送金すれば、課税されます。世界を流転する『永遠の旅行者』（2005：橘玲）になれば、話は別です。

(3)ヘッジ・ファンド側に、投資家が損をしても運用手数料の2%がはいること。なおファンド・マネジャーは、ファンドの手数料以外に、利益分の20%くらいを、自分が受け取る配当収入にするものが多い。

以上のあからさまな結論が、個人投資家に希望を与えるものとなることを望みます。ヘッジ・ファンドの運用結果は、ほぼ手数料やファンド・マネジャーが受け取る利益配当の分、平均指数より低くなるからです。

全相場の平均指数は、世界のいろんな人（日本で700万人：世界で1億人か？）がランダムに売買した結果を示すものです。たとえばＭＳＣＩ（＋7・9％：11・12〜12・07）は世界の株価指数です。現在、書いたことを含む、ほぼあらゆる数値情報のもとは、判断力ある個人が、公開や会員制インターネットで時間差なく得ることができます。

●個人にとっても、ふんだんな情報がある

大量の情報へのアクセスが容易になったインターネット時代には、情報のすくなさを嘆くのは、われわれの心に巣くう、責任の転嫁です。ヘッジ・ファンドが有利な点は、オフショアやシャドー・バンキングの仲間内での、ガセネタも含むことがあるインサイダー情報ですが、それも運用結果を見れば、なんでもない。ファンド・マネジャーの個々人のなかでは、意図してまちがった情報を流し、他を誤らせることは行われます。相対《あいたい》の店頭売買ですから、高く買わせて自分の運用で利益を得るためです。

【ヘッジ・ファンドとオフ・ショアの目的】

ヘッジ・ファンドのために言えば、①損失の回避をするヘッジ、②多種の相場への分散運用、③本書で示した8種の投資方法での平均化を行うため、個人が行うような「ひとつのカゴに卵をいれる」より大きな損をすることは少ない。しかし、大きな利益もない。金融の原理、「20％の期待利回りは、20％のリスク率と等価」に照らせば、単独相場より、利益も損も少ないでしょう。ごく短期（ほぼ3ヵ月内）は別ですが、中期で見ても、この原理をのがれる投資はありません。

本章の最後に、言いにくいことですが、はっきり言えば、ヘッジ・ファンド内のオフショアにある預託期間は、利益への課税を逃れることができます。これが富裕者と金融機関がヘッジ・ファンドを使う目的でしょう。以上は、5京円のデリバティブ運用の、総計での行く未来を示すものでもあります。もともとデリバティブは、原理的に言ってリスク回避のヘッジに使うものだからです。デリバティブも、租税と規制をさけるオフショアで製造されるものが85％です。オフショア金融とデリバティブは一体のものです。

金融資産が数十億円や数千万ドルと大きくなると、課税や特に相続税をさけることが、運用で肝心になるはずです。つまり、資本主義が前提としていた「投資の利益」より、課税を回避することを目的とした運用になっていきます。

せいぜい数％しかない利益より50％や70％にもなる相続税がはるかに大きい。これがオフショア金融の拡大（年率20％増か？）の理由でしょう。当方とは無関係な、ある人の言ですが、金融資産が10億円になると、普通の買い物では「使い切れない」。2％という低い利回りでも、1年に2000万円

——増えるからです。

10年後はどうか？　オフショア金融とデリバティブは大きすぎます。金融危機を繰り返す原因にもなる。前述したボルカーのような古典的思想をもつ銀行家によって、次第に、銀行と証券会社の自己売買は禁止に向かうと見ています。検索サイトGoogleのように、金融の全通信をサーバーに集める仕組みをつくり、キーワードで自動検索すればいい。プロセスが問題です。銀行と証券が、自己資本のすくなさと潜在損（推計1000兆円）をどう解消するかです。バーゼルⅢの規制は2019年です。

デリバティブの短期損益は、全体で言えば、ゼロサムです。A銀行の損は、B銀行の利益で、両者は一致します。しかし銀行、証券、ヘッジ・ファンドは大きな損が出ると繰り延べます。発覚する損が大きいと預金の解約と、預託者の引き揚げになってポジション《取引残》を解消せざるを得ず、結果としてつぶれるからです。

このため、「デリバティブ取引の利益は、3ヵ月決算に計上されるが、潜在損は飛ばされて先送りされる」という、全金融に共通の傾向を生みます。事実を言えば、08年9月15日に、一夜で倒産したリーマン・ブラザーズのCEOは、わずか2週間前に、「当行は、史上最高の利益をあげることができた」と発表していました。直後が破産です。決済を迫られていた潜在損を無視すれば、どこでも、いくらでも最高利益になるからです。

マクロの経済、金融、証券指標に着目してください。その変化の何倍、何十倍の巨大損が、先送りされていることを想定しながら。LIBORで示される短期金利のわずか0・1％の変化で、元本５京１８４０兆円のデリバティブには、51兆円もの潜在損益が生じるからです。ＥＣＢ、ＦＲＢ、日銀などの中央銀行が、公定歩合を０・25％上げ下げするのは、普通、小さいと見られますが、デリバティブは金額が大きいため、大きなショックになります。

第7章

われわれのお金はどこへ、どう流れているのか

1. 世帯の金融資産、1513兆円とは言うが…

日本人の世帯は、年間所得の3年分、1513兆円を貯めています（12年3月：日銀）。所得の3年分という貯蓄金額は、日米欧に共通です。日本人の貯蓄は、2000年代初頭から1400兆円から1500兆円と言われ、12年間、ほとんど増えていません。

米欧と中国ではその間、世帯の金融資産を増やしています。2000年代は、日本を除く世界経済は産業のグローバル化と、株価および不動産価格の上昇も伴って、年率5％くらいで成長していました。

日本が成長しなかった理由を端的に言えば、企業が設備投資を増やさず、逆に減らしたからです。他方、赤字国債は、年30兆円から40兆円のペースで、変わらず増え続けました。公共事業では、経済の低下を短期的におさえることはできても、その後の、乗数効果での成長はうながしません。

現金・預金は835兆円、株を含む証券が194兆円、生命保険と年金準備金422兆円、その他の金融資産が63兆円です。5200万の世帯平均では、ほぼ3000万円になります。平均額が実感より大きい理由は、生命保険と年金基金として積み立てられた分が422兆円であることと、預金額の大きな個人事業主がはいっているためです。

世帯平均で1500万円（ほぼ大手企業の退職金分）というのが、60歳以上の実感的な金融資産でしょう。日米欧の、世帯所得の3年分という貯蓄額は、2010年代には、共通に退職者が増え、世代会計では取り崩しに入るため、現在水準がピークに思えます。

普通世帯の金融資産額の中位は、1024万円です。前記の平均額3000万円の3分の1が、金融資産で真ん中の世帯であり、預金額だけでは600万円付近でしょう。

分布では、金融資産600万円以下が34%（1700万世帯）、600万円から1200万円が23%（1400万世帯）、1200万円から3000万円が27%（1300万世帯）、金融資産が大きいと言える3000万円以上が16%（800万世帯）です（04年：総務省）。

子育て・教育費・住宅購入の40歳代までは少なく、増えるのは50歳代からです。とくに退職金をもらう60歳以上で2400～2500万円に増えています。

1億円以上の金融資産をもつのは、わが国では180万人（世帯の3・6%）であり、その総資産額（負債控除前）は、150兆円付近です（06年：野村総研）。親からの相続が含まれると同時に、1990年以降の資産バブル崩壊前に売り抜けた人、損をした多くの人が含まれるため大きな偏りがあります。なお、日本よりはるかに不平等なのは、欧州、米国、中国です。

第1章で、毎月5万円の定期積立預金を30年続けたとき、

①3%の金利（税引後2・4%）なら、元本1800万円と累積金利1100万円で、元利合計2900万円、

②1%の金利（税引後0・8%）なら、元本1800万円円と累積金利298万円で元利合計2029万円、

③現在の預金金利の0・3％であれば、元利合計で、1840万円であることを示しました。

2000万円という金額は、65歳以上で毎月10万円を取り崩すと200ヵ月分（17年）、8万円取り崩したとき250ヵ月分（21年）で、ほぼ平均寿命をカバーします。

自分の手もとにはない生命保険、年金基金、退職金以外に、最低でも2000万円の金融資産（預金＋証券）を65歳で持ちたいと思うのが共通の願いでしょう。なお積み立て型以外の生命保険は、60歳以降は、ほぼゼロの資産価値になります。65歳から支給開始の年金である月15～20万円（厚生年金のとき）は、後述する政府財政にかかっています。

現在の50歳以上の世代にとって、予定した資産として大きかったのが退職金です。しかし、15年後以降を想定すると、雇用の短期化と企業寿命の短縮化が進み、次第に欧米型に近づけてゆく会社が増えます。つまり、米欧のように企業年金化されながら、平均額は少なくなります。

1990年代まで、1年に約40兆円も増えていた世帯の金融資産は、金利もゼロのため00年代には、ほとんど増えなくなっています。

今度、長い年数、預金ゼロ金利が続くのかどうか。われわれの金融資産1513兆円の価値は、今後どうなるのか、このふたつの課題に対しては、国全体で、マネーがどう流れているかを知る必要があります。分析され論評されることはほとんどない「国の資金循環表」（日銀：12年3月）です。

2．わが国の資金循環表で見る、マネー全体の流れ

資金循環表（図３）は、わが国の全体のお金が、どこに貯まり、どう流れているかを示します。われわれは、預金したあとあるいは年金や生命保険に積み立てたあと、それがどうなっているかを知りません。資金循環表を読めば、明らかになります。金利がどう向かうかも、予測できます。

国の経済では、主体を、①５０００万の世帯、②２５０万社の企業（民間非金融法人とも言う）、③政府部門（政府、自治体、社会保障基金）、④海外部門の４つに分けます。

金融機関（銀行、生保、証券、政府系）は、日銀以外は金融の仲介（集めて貸すこと、あるいは運用）です。それ自身は、留保利益以外のマネーは生みません。

国の資金循環表の全体は、一見では複雑に見えます。４つの主体別の、「資産－負債」のバランス構造から見てゆけば、単純になります。純金融資産は、負債を引いたものです。

⑴世帯

世帯は１５１３兆円の金融資産をもちます。３６８兆円を、住宅ローンや消費者ローンとして借りています。世帯は、［１５１３兆円－３６８兆円＝１１４５兆円］のお金の、純出し手です。つまり銀行や保険、証券を通じて１１４５兆円を貸しているのが世帯です。

前述したように、家計の金融資産は１９９０年代までは1年に40兆円増えていて、この40兆円

図3　わが国の資金循環表（2012年3月：日銀）　　単位は兆円

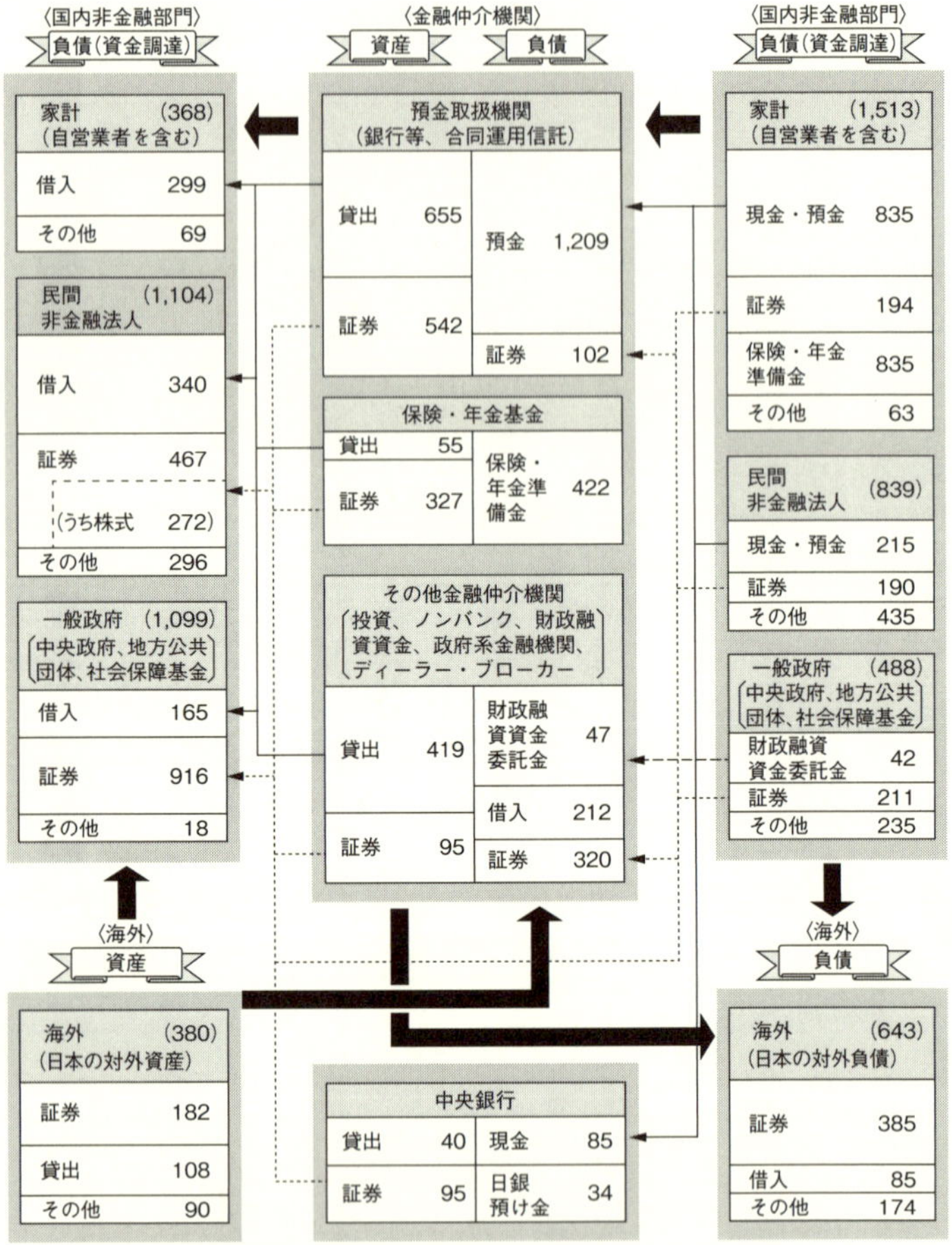

（注1）　主要部門、主要項目を抜粋して資金循環のイメージを示している。
（注2）　貸出（借入）には、「日銀貸出金」「コール」「買入手形・売渡手形」「民間金融機関貸出」「公的金融機関貸出金」「非金融部門貸出金」「割賦債権」「現先・債権貸借取引」が含まれる。
（注3）　証券には、「株式・出資金」および「株式以外の証券」（「国債・財融券」「金融債」「事業債」「投資信託受益証券」「信託受益権」等）が含まれる（日本の対外負債のうち証券については、「対外証券投資」）。
（注4）　「その他」には、合計と他の表示項目の差額を計上している。

が、銀行や生保、および政府系金融機関（郵貯、社会保障基金等）を通じて、毎年40兆円の国債を買う原資になっていました。2000年代からは、世帯の純金融資産の増加は、ほぼ株価の上昇分のみになっています。これが理由で、2000年代の国債問題が生じています（後述）。

⑵民間非金融法人

企業部門は839兆円の金融資産をもちます。負債は1104兆円です。［1104兆円－839兆円＝265兆円］が、企業部門の純負債です。家計の純金融資産（1145兆円）が、金融機関を通じて、企業部門に265兆円貸しつけられています。

成長する経済では、所得が増える世帯の預金も増えて、銀行を通じて企業に貸しつけられ、設備投資の増加になります。第4章で示した「信用乗数」によって預金・貸付がともに増えます。世帯の預金と企業部門の負債が、同時に増えてゆくのが成長経済です。

1990年代以降は、企業の経営者が、将来経済（GDP）の成長を低く見ています。企業の投資は、古い設備をおぎなうくらいの更新しかありません。

企業が設備投資を減らしたため、企業部門は逆に1年に20兆円から30兆円の資金余剰（設備投資に使わないマネーの増加）になってしまったのです。

国債との関係で言えば、00年代に、世帯の預金の増加が減ったことをおぎなったのが、企業部門の余剰資金の増加です。00年代は、1年に30兆円から50兆円（平均40兆円）は発行された政府の赤字国債を買う資金は、250万社の企業部門からきています。

自分の会社は、国債は買っていないと言われる方が多いでしょう。会社が預金を預けている銀行が、企業への貸付金は増やさず、増えた企業のお金で国債を買っています。こうした資金循環の構造が続く限り、日本経済は成長しません。企業部門に世帯の増加預金が貸しつけられるようにならないと、経済成長はなく、雇用と世帯の所得は増えないからです。

２０００年代の企業部門で金融資産が増えているのは、輸出する上場企業３０００社を中心とする大企業です。

わが国では、大企業は１０００社に１社です。雇用の70%（３５００万人：２５０万社）を占める中小企業ではないことを付記します。中小企業は、全体で資金不足です。しかし赤字経営が70%であり、地価下落で担保が少ないため、担保主義を続けている銀行は、貸付を増やすことができないのです。

⑶ 一般政府

一般政府は、霞が関と地方自治体、政府系機関（独立行政法人）です。一般政府は、４８８兆円の金融資産をもち、負債は１０９９兆円です。負債額は、国債、地方債そして短期借入です。

この４８８兆円の金融資産には、社会保証基金（年金、医療費、雇用保険等の基金）が２５０兆円含まれています。この所有者は、本来、国家ではなく国民（世帯）です。国家は、預かって管理しているにすぎません。社会保険庁が、預かっている年金は自分のものだと主張したら、国民は暴動を起こすでしょう。年金基金は、掛け金をかけた国民のものです。例えば生命保険の基金は、生保の会社のものではなく、保険をかけた国民のものです。

ところが政府と日銀は、これを国家に帰属させています。学者や財務省官僚のなかにも、政府は負債が１０９９兆円あっても、４８８兆円の金融資産をもつから、財政破産はないという論を展開する人がいます。社会保証基金は、生命保険の基金と同じく国民のものであるということを無視した暴論です。国民のものは国家のものという混同が見られますが、ここでは、この批判はおくこととします。

日銀の資金循環表のように、社会保障基金を意図的に間違えて、国家のものとした場合、一般政府の純負債は、「１０９９兆円－４８８兆円＝６１１兆円」です。

純負債は、毎年40兆円から50兆円ずつ、確実に増えています。１９９０年代は世帯の預金で、２０００年代は企業の金融資産で、発行国債の消化ができていました。後述しますが、ここに今後の日本経済の問題があります。

新規国債の発行を消化する預金の増加が、年々、少なくなっているという問題です。新規の国債発行をまかなうに十分な預金（世帯＋企業）の増加がないと、債券市場で国債が売れ残るため、売れる価格にまで金利が上がり（既発と新発の国債価格は下がって）、国家財政は破産に向かいます。

国家破産を短期的にふせぐ方法は、日銀がマネーを印刷して、１年に少なくとも40兆円は増える国債のうち、10兆円から20兆円くらいを買い受けることです。事実、２０１２年は、日銀が「資産買い入れ基金」を65兆円から70兆円の枠に増額し、国債を直接に買い受けるという表明をしています。これは、40兆円から50兆円の新規債を、国民の預金では引き受けきれない事態が発生していることを証拠づけるものです。

今後の問題は、「いつまで、いくら、日銀が国債を買い受けることが可能か」です。１年に20兆円ずつ買い受けると3年で60兆円、5年で100兆円です。これに向かうことがはっきりすると、2010年から、ユーロ債を売って日本の短期国債を30兆円も買い越しているヘッジ・ファンドに、「空売り、先物売りの利益の機会」を与えます。空売りと先物売りは、いずれも国債金利の上昇（国債価格の下落）によって、レバレッジの利益を得ることです。

政府は、消費税を2014年に8％に、2015年に10％に上げ、約12兆円の増税をすることで、国債の新規発行を10兆円減らし、30兆円水準にまでおさえようとしています。

消費税を上げる前は駆け込み需要が増え、GDPと税収は増加します。問題はその後です。2015年になると、相当に大幅な、5％（25兆円）くらいのGDPと税収の減少が想定できます。国家破産がいよいよ現実的になるのは、そのときだろうと想定します。これは国民の金融資産にとって重要なことなので、後述します。

(4) 対外資産

日本経済の他国にない特徴は、海外に債権を643兆円ももつことです。GDPの1・3年分ですから、これはすごい。言うまでもなく、海外資産（主はドル債）は、1980年代からの大きかった日本の経常収支の黒字（貿易黒字と配当収支等）によって、30年をかけてたまってきたものです。

これは、米ドルがシーニョレッジ（通貨発行益）を発揮して、日本に渡したドル債券ということができます。米国は基軸通貨特権を利用して、ドルベースの紙幣と債券（国債、社債、住宅ローン証券、株）を2000兆円も印刷して、貿易の黒字国から商品を受け取り続けてきました。このうち、643兆円が日本にあるということです。

他方、海外の日本の債券保有（株、国債、他の証券）は、380兆円です。［643兆円－380兆円＝263兆円］が、日本国民がもつ海外純債権です。日本国民のマネーが263兆円、海外に流出していると言っても同じです。

前述したように、米国FRBは、海外がもつ米国債を保護預かりしています（Custody 勘定）。このカストディ勘定は$3・5兆（280兆円）もあります（12年8月29日：FRBのバランス・シート）。

http://www.federalreserve.gov/releases/h41/current/

FRBが保護預かりをする目的は、日本、中国、スイス、産油国を含む海外が、米国債を売ることを監視するためです。米国は、連邦政府の財政赤字のため、1年に100兆円規模の新規国債（日本の2倍から2・5倍）を発行しますが、米国内で買い受けることができるのは50兆円規模であり、残り50兆円は、世界の経常収支の黒字国に売る必要があります。

海外が、今まで買ってきた米国債を売り越しするような逆流を起こすと、

①その瞬間に米国債の価格は下がり、
②米ドルも暴落して、
③米国の金利が高騰します。

こうした米国の財政破産を防ぐために、FRBが国債を保護預かりして「売られることのないように監視」していると言っていいのです。このため日本にとっては、対外純債権263兆円は、ドルベースの金融資産ではありますが、「利用できない」金融資産です。

1997年に橋本首相が、「政府財政のために、米国債を売りたい思いがある」と発言したとき、

米国政府の慌てようは大変なものでした。橋本首相が、米国筋から首相解任の外圧を受けたことは、すでに知られています。「タブーを言っちゃった」というのが、首相をやめたあとの橋本議員でした。

基軸通貨のシーニョレッジの特権を利用する米国経済にとって、「あってはならないこと」が、日本や中国による米国債の売りです。日本政府にとって、現在も「米国債を売って国内のマネーとして利用すること」は禁忌（タブー）になっています。もうひとつのタブーは、日銀によるゴールドの買いです。

確か2008年ころ、当方のメール・マガジン（『ビジネス知識源』）で、日本の年金基金（運用はGPIF：108兆円：2012年第1四半期では2兆円の運用損）では、ドル安で下がるドル債券ではなく、逆に上がる金を買えば、消費税の上げも必要がないと提案したことがありますが、ある議員の筋から「それはできない」ということでした。なぜなのか不思議に思えます。108兆円の残の年金基金は、株とドル国債の運用で損をすることが多い。

［不胎化《ふたいか》を解除しない日銀］日本（政府＋銀行）が保有する米国債を、債券市場で売らなくても、利用する方法はあります。日銀が、財務省が外貨準備としてもつ米国債を買って、円を発行すればいいのです。ところが日銀は、日本が経常収支の黒字として受け取ったドル紙幣とドル債を、日銀が買って円を増発すれば、「日本にインフレが起こる」と言いながら、実行しようとしていません。これを、普通の人にはわからないむずかしいコトバで「不胎化《ふたいか》」と言っています。

不胎化は、貿易黒字による自国通貨の増加を抑える、円マネーの緊縮策です。不胎化を行わず、日銀が貿易黒字のドル紙幣とドル債を買って円を印刷すれば、為替は円安に向かい、国内はインフレ傾向になります。デフレと円高の日本経済にとって、必要な策です。

しかし、なぜか日銀は不胎化政策を続けています（小幅には非不胎化を行っています）。日銀がとっている不胎化政策は、米国FRBからの要請でしょう。あるいはBIS（国際決済銀行）が求める禁止事項か？　前述したように、BISは、銀行の自己資本規制の強化（バーゼルⅢ：10・5％：2019年が期限）によって、世界に緊縮マネー策をとらせようとしているからです。

日銀の資金循環表をもとに、われわれの金融資産のゆくえを追求しました。兆円の単位では、やはり、実感のともなわない非日常です。5000万世帯の平均金融資産3000万円（合計1513兆円）のゆくえに置き換えます。世帯の金融資産以外には、企業部門の金融資産839兆円（1企業平均3・3億円）と政府部門の488兆円があります。以下は、これら合計の、行く先です。合計で2840兆円が、日本全体の金融資産です。

(1)世帯の負債：730万円（うち世帯の金融資産分が390万円）が、世帯の住宅ローンや消費者ローンになっています。
(2)企業の負債：2210万円（うち世帯の金融資産分が1170万円）が、企業への貸付金になっています。
(3)政府の負債：2200万円（うち世帯の金融資産分が1160万円）、政府への貸付金です。
(4)海外の純負債：530万円（うち世帯の金融資産分が280万円）が、海外への純貸付です。
以上が、国全体で見た世帯の金融資産のゆくえです。

●預金金利は、日銀の政策としては、永久に上げることができない

政府は12年3月末時点で、1099兆円の借金をしています。このうち53％分（550兆円）は、世帯からの借金です。2000年代の国債金利は、0・8％から1・5％付近ときわめて低い（12年8月現在は長期金利0・8％）。日銀による短期金利ゼロの誘導が主因です。

債券は金利が上がると価格が下がり、金利が下がると価格は上がります。国債の買いの勢いが鈍り、金利が上昇しそうになると、日銀が国債買いを発動して（買いオペレーション）、金利下げを誘導しています。

銀行や生命保険が、国債を安全資産として保有し、毎月、新発債も買っている理由は、日銀がゼロ金利誘導をしているため金利は上がらない（国債価格は下がらない）と予想しているからです。

この低い国債金利のため、1099兆円の債務がある政府の利払いは、年間10兆円付近ときわめてすくないことが続いています。平均金利が1％程度だからです。GDPの2・4倍の政府債務がありながら、財政が破産していない理由はこの低金利です。

［金利と国債価格］　現在、国債の平均残存期間は7年です。仮に、現在の国債金利（0・8％）が、3％に上昇するとどうなるか。国債の価格が以下のように下がります。100×（1＋0・8％×残存期間7年）÷（1＋3％×残存期間7年）＝100×1・056÷1・21＝87…現在は100万円の国債が87万円へと13％も下がります。1099兆円の政府債務の価値が、［1099兆円×87％＝956兆円］に下がってしまうのです。

これは国債をもっている金融機関に、［1099兆円－956兆円＝143兆円］もの含み損が生

じることです。現在、わが国の金融機関の自己資本はほぼ１００兆円しかありません。金融機関は、国債の潜在損によって、実質的な債務超過に陥ります。これが意味するのは、国債金利が上昇すれば、再び１９９８年のような金融危機が生じるということです。

同時に、政府の利払いも、借り換え分（１２０兆円）と新規債（40兆円）が毎年３％に上がる金利によって、利払いが10兆円ではなく13兆円、17兆円、21兆円、25兆円と増えていきます。これが国家財政の破産です。国家財政は、現状の国債金利（1％付近）が、わずか2ポイント（％）上がっても破産に向かいます。

【国債の金利が上昇に向かうと、その速度は速い】

期待金利の上昇が債券市場で予測されると、金利は数年をかけて上がるのではなく、ほぼ半年の間に5％、10％と上がっていきます。国債を保有する金融機関が損を恐れて「遅れてはならじ」と売りを急ぐからです。保有したまま下落すれば自分が破産するからです。

１０９９兆円という政府債務は大きい。この負債の大きさのため1年の借換債と新規債の発行は合計で１７０兆円にもなります。このように負債の大きな財政の破産は、数年をかけて起こるのではありません。

国債の売りをきっかけに「国債の引き受け難と金利上昇の予想」が、債券市場で生じると時間が早い。これは、ＰＩＩＧＳ債で金利が上がった期間でも、実証されています。

日本の国家財政は、債務が１０９９兆円という巨額であるため、債券市場の期待金利が２ポイント一（%）上がるだけで、短い期間で破産に向かいます。

金利が上がると国家財政が破産するため、日銀は今後、ほぼ永久に金融を引き締めて利上げを決定することはできないでしょう。金利を上げることは、日銀が保有国債を売ることです（売りオペレーション）。これを行えば、国債をもつ金融機関（銀行、生命保険）は、国債価格の下落からの損失の恐怖にかられて、保有国債を売りに出て、日銀の買い支えも無理になっていくからです。

現状の預金金利は、今後、日銀の政策としては上がることはない。

つまり日銀が自分で2％以上に利上げをし、金融引き締めに転じることは、永久にないということです。

ただし毎年40兆円から50兆円は増える国債が、金融機関の1年の預金（世帯＋企業）の増加を大きく上回って、金融機関が買い切れなくなって起こる金利の上昇と国債価格の下落、つまり国家財政の破産があると金利は大きく上がります。

3．日本は対外純債権を263兆円もつから、ドル債を売れば国家財政は支えることができるという論について

【日本と中国による買いに依存するドル国債】

「日本は対外純資産を263兆円ももつ。対外純債権をもつ国の財政は破産しない。これが、対外債務が多いＰＩＩＧＳと異なる点だ」という識者の論があります。これは誤りです。以下で理由を

言います。

日本が、ドル債を売りに出すと、ドルの下落を恐れる他のドル債の純保有国（中国、産油国、スイス、ドイツ）も、ドル下落での損を恐れて、ドル債売りに出ます。

これは、中国が大きく売りに出ても同じです。

「日本は、国内の国債を引き受けるに資金が不足していて、すでにドル国債の買い手ではない」と市場が認識すれば、米ドルは大きく下がって（$1≒60円レベル）、米国の1年に100兆円が新規に発行される国債が売れ残ります。これはドル国債の金利上昇、言い換えれば米国の金利上昇です。

米国債は、海外で50%を売らねばならないため、ドル債の保有で最大である日本と中国が、買い続けるか、あるいは売るかで、世界の債券市場での認識が変わってしまうのです。

(1)日本がゼロ金利と長期国債の金利1%を維持したまま、米国債を売れば、米国の金利の上昇によって、日米の金利差（スプレッド）が拡大します。例えば、日本の国債金利が1%、米国が4%なら、国際的な資金の動きはどうなるか？

(2)今度は、日本の金融機関のマネーが、金利の高いドル債を買うように向かいます。このため、国内で資金不足が起こって、金融機関が、円の新発国債を買い受ける資金に不足を来すようになります。

第3章で示したように、世界の外為取引額（通貨の売買額）は、1日で$5兆（400兆円）と巨大です。国際的なマネーの流れが、レバレッジ《信用借りによる売買》もかかって、だれも防御できないくらい大きいということです。つまり、日米で金利差（スプレッド）が拡大したときの、日本から米国債の買いは、ごく短期間で大きくなります。

【まとめ】

以上が、「日本がドル国債を売るという意思決定」を見せたとき、起こることです。

①最初、ドルが大きく下がり、

②つぎに米国債の金利が上がって金利差が拡大すると、

③今度は、日本からのドル債買いが起こります。

こうした三段階が、容易に予測できるのです。

重要なことは、実際に日本がドル債を売らなくても、「売るという意思表明をした」と債券市場に認識されると、ごく短期間で、以上のことが起こることです。

結論は、日本にとって不幸なことですが、対外純金融資産263兆円（ドル建て）を市場で売って、そのお金で日本国債を買い支えるという選択肢はないということです。

これはドル債そのものを発行する米国の財政が大きな赤字であるためです。

ただし、前述したように、日銀が、日本の金融機関と政府が保有するドル債を買って、円を供給するという手段は残っています。この場合は、金融機関が売った米国債は市場には出ないので、ドル債が売られる要素にはなりにくいでしょう。

――しかし、この場合でも、日銀が円の新発国債を金融機関に買わせるために、ドル国債を買い取って円を供給したということが、広く知られると、「日本国債もそこまで来たか」という認識から、円の短期国債を買い越しているヘッジ・ファンドに、円国債の先物売りと空売りの利益の機会を与えることになります。

いずれにせよ、「日銀が、新規国債の過半（20兆円以上）を買い受けねばならない」という事態になると、①国債の下落を恐れた売り、②国債の下落によって利益を得る先物売り、③空売りを誘発します。その売りによって、日銀が買い支えても、国債は下落して金利は上昇に向かうでしょう。

以上のように、日本の対外純資産263兆円は、それを売って円国債を買う資金として使うことはできますが、その円国債の買いの効果はないのです。

●国家の財政破産は、どういったことか？：以下は、仮想風景です

国家の財政破産とは、国家の予算の支払いに政府資金が不足し、払えなくなることです。政府資金は、税収と国債の新規発行です。政府が赤字国債を発行して、日銀が買い取ってマネー印刷をすればいいのではないかという考えがあるでしょう。確かにその通りです。

第３章で述べたように、第二次世界大戦後の日銀は、戦時国債の償還と利払い、720万人の復員軍人への退職金の支払いのために、円を大増発しました。戦後政府は、支払うべきお金を支払わないデフォルトを起こすことはなかった。政府財政の破産は、なかったのです。その代わりに、物価が300倍に上がるハイパー・インフレになり、国債の価値と国民の金融資産の価値は、物価に対し300分の1に下がったのです。

（注）現代の国家の財政破産では、戦争のような生産力の破壊がないため、こうしたハイパー・インフレには

なりません。むしろ現在は、世界に余剰生産力があります。通貨が下がって、輸入物価が上がることは起こります。物価の上昇は30％でしょう。

【政府の財政が破産すると】

現代ではどうなるか？　まず現在は０・８％の国債金利が、数ヵ月で5％、７％と上がって、現在のイタリアやスペインのようになります。金利が７％になると、国債を保有する金融機関は、国債価格が30％下落し、３００兆円の含み損が生じるため、ほぼ全部が同時に破産します。銀行間金利も７％に高騰して、資金の調達ができなくなります。

これは、銀行が預金の支払いに応じることができなくなることを意味します。このため預金引出額に、当座の生活に必要な数十万円等を上限とする制限が加えられるでしょう。日銀は、銀行へは不足資金を貸しつけ、政府にも貸しつけます。

おそらく、日銀の円の増刷は支払いを途絶させないため、２００兆円や３００兆円に達するでしょう。現在は１１８兆円ですから、この2倍から3倍です。

物価はどうなるか？

まず、外為相場で円が大量に売られて、円は暴落します。日本の財政が破産したとき、日本のドル買いが支えている米ドルがどれくらいの価値を維持できるか疑問ですが、世界からのドル買いによって現在の実効レート（世界の通貨に対するドル価値）を維持すると仮定すれば、１ドル２００円という相場でしょう。

この円安は、輸入物価を約2・5倍に上げること（たとえば原油が2・5倍、中国輸入商品が2・5倍）です。このため日本の物価は、30％は上がるように変わるでしょう。15％から20％の上昇かもしれません。ただし、世界大戦のあとのような生産力の破壊はないので、多くの人が言うようなハイパー・インフレ（物価300倍）にはなりません。

（注）以上のような事態は、1997年のアジア通貨危機のとき通貨が売られたタイ、マレーシア、インドネシア、韓国が経験しています。現在で言えば、PIIGS諸国です。

【その後は、マネーの緊縮策】

その後は、政府財政の緊縮が来ます。金利の上昇によって国債の増発ができなくなるからです。これは国家からの支払いを税収に合わせて減額し、国債の新規発行に依存しないように、順次、減らさざるを得ないということです。

年金（現在額53・6兆円：対象は3703万人）と、医療費（33・6兆円）、介護費や雇用保険（20・6兆円）、合計で107・8兆円（09年）の社会福祉は支払いが困難になります。年金の支給開始年齢は70歳に向かって上がって減額され、医療保険の支出も削減されます。

総額40兆円の公務員人件費（国家、地方、独法の官僚345万人）は、すくなくとも30％は減らさざるを得ないでしょう。以上の合計で40兆円の赤字の政府財政が、1年に10兆円くらいの赤字に収まるような緊縮策に向かうでしょう。いずれどうやっても、ここへ向かわざるを得ないのです。

【現在1500兆円の、世帯の金融資産の価値は、どうなるか？】

財政の破産に前後し、数年で30％の物価上昇があると、購買力は、「1500兆円×0・7＝1050兆円≒GDPの2倍」に下がります。1000万円の預金のままであっても、その商品購買力は、700万円付近に下がるということです。

世帯の金融資産額は、GDPの2倍が利払いの上限でしょう。政府負債の額も、700兆円が上限であるということです。財政破産は、こうした調整も行うのです。

以上が、国家の財政破産後の仮想風景です。所得や預金額ではどうなるのか？

①世帯所得500万円は維持されるでしょうが、その購買力は、30％は下がります。

②公務員の平均人件費1000万円は700万円に減額され、購買力は500万円に下がります。

③1000万円の預金の価値は、700万円に下がります。

④負債の価値は、物価の上昇に合わせ、30％は実質負担が下がるでしょう。

その後はどうなるか。3年の混乱期を経て、1997年の通貨危機のあとのアジアのように、再びの成長経済に戻って行く（取り戻し）でしょう。

国家の財政破産と言っても、3・11の津波のように、街やインフラの設備を一瞬で消し去るわけではない。設備は残り、街と人は残って、技術も国土も残ります。1年に40兆円から50兆円の赤字の政府財政はサステナブルではない。それが修正されるのが、国家財政の破産です。命と街を消す大地震のほうが、国家財政の破産よりはるかに怖い。それに比べれば、財政破産は恐れるに足りません。

【世代間で激しく歪んだ社会福祉は、修正が必要】

現在の社会保障費１０７・８兆円（内訳は年金53・6兆円、医療費33・6兆円、介護費等20・6兆円）は、60歳以上の世代にとっては１人あたりで４８７５万円の受益です。平均寿命を生きると、自分が負担してきた以上に、４８７５万円の受益があるということです。

一方で19歳以下の若い世代にとっては、１人あたりで４５８５万円のマイナスです。40歳代が損益分岐点ゼロです。金融資産に換算して言えば、年金と医療費によって60歳以上はゼロの金融資産でも４８７５万円を保有していることと同じです。19歳以下の世代（２０００万人）は、４８７５万円を貯めても、生涯で言えばゼロと同じです。

社会保障（年金、医療費、介護費）の負担での、世代間の巨大な不公平は、このままの制度を続けることはできないことを示します。政府財政の破産とともにこれを修正すべきです。知ればだれでも驚く、世代別の社会保障の受益と損の金額は以下です（内閣府：06年）。

・60歳以上　４８７５万円の受益
・50歳から59歳　１５８９万円の受益
・40歳から49歳　±ゼロ
・30歳から39歳　マイナス１２０２万円
・20歳から29歳　マイナス１６６０万円

・19歳以下　　マイナス4585万円

われわれは、とても歪んだ社会福祉の制度を容認してしまいました。高齢者が多く、しかも選挙での投票率が高いことが原因です。30歳以下の若い世代は、選挙に行ってもその人口数が少ない。政党は、高齢者のための政党でした。国家財政の破産は世代間の無理な所得移転も修正を迫ります。40歳未満の世代（5581万人：総人口の44％）には、今後も所得の増加はなく、負担だけが増える将来では、まるで希望がない。自分が4500万円の増加負担を強いられる20歳と想像してください。30代は1人1202万円、20代は1660万円、10代以下は4585万円もの、自分のものではない負債を負っていることと変わりません。以上を知れば、馬鹿馬鹿しくなるはずです。この無茶を政府が続けるなら、30代以下は日本を脱出したほうがいいくらいです。

ロンドン・オリンピックで史上最高数のメダルをとり、活躍した世代です。この仕組みは、国家の財政破産とは無関係に、変えねばなりません。方法は、4つしかない。

①1人当たり年金支給額の30％削減、同時に公務員報酬の30％削減と医療費では30％の自己負担増加です。これを行わないと、どうなるか？

②政府の赤字を、日銀のマネタイゼーション（毎年40兆円の国債買い切り）で補うことになるので、数年後からの、物価上昇に向かうインフレです。なおインフレは、国債の金利を上げるので、政府財政は破産し、銀行も同時破産します。円は、暴落します。

③あとは、名目GDPの年率4％以上での成長です（実質成長2％＋インフレ2％）。この方法は、第3章で示しました。

④4番目は、①の削減、②のインフレ、③の成長を行えないことによる、政府の財政破産での、強制的な修正、つまり「払えないものは、払えない」です。

（注）なお以上は、すぐのことではありません。危険は2015年に高まります。

4．国家の財政を破産させないための、政府紙幣の発行はどうか？

第3章で述べたように、ジョン・ローは、税収の20年分（現在時価で90兆円）の、ルイ王朝の国債で破産していたフランス財政に対し、王立銀行を使って「政府紙幣」の発行を行いました。帰結は、書いたとおりです。最初、経済を活性化させました。3年で紙幣の価値が下がり、インフレを招くだけの結果でした。

日本の政府債務1099兆円は、国家（中央政府）の税収の25年分、地方税を合わせた総税収（約80兆円）の14年分です。年金や医療費などの、社会保障の掛け金（55兆円）も税収と見れば、合計で135兆円ですから、8年分に相当します（2011年）。ルイ王朝ほどは、ひどくない。

政府紙幣は、国債と違い利払いは要りません。日銀ではなく、財務省が円紙幣を発行します。日銀券ではなく、財務券です。法の制定で、実行することができます。財政赤字に対応して、毎年、40兆円くらいを発行することになるでしょう。大和朝廷の和同開珎と同じものです。西郷札も同じです。

公務員の給料、年金、医療費等は、政府が印刷する政府紙幣で払うことになるでしょう。米国でも南北戦争のころ、政府が、戦費調達のため政府紙幣を発行しました。

いずれの結果も、政府紙幣の通例で「乱発」になって、ドルに対しての価値が下がり、1837年には発行停止に追い込まれています。ケネディ大統領も、FRBのドルではなく、米国政府の政府紙幣であるドルを発行していますが（1963年）、半年後に、なにゆえか暗殺されています（1963年）。米国の法では50年後の2013年に、現在は機密の報告書が公開されるはずですが、どうでしょうか？

日本でも、1997年の消費税増税（3%→5%）のころ、政府紙幣の発行の議論が起こったことがあります。日本政府から招へいを受けたスティグリッツも、国債ではなく、金利のつかない政府紙幣の発行が解決策であると提言しています。みんなの党の渡辺喜美氏（元金融庁大臣）も、提案しました。イメージとしては地域振興券のような感じです（『政府通貨で日本の経済が蘇る』：小野盛司：2003年）。

100兆円くらいの発行限度が設けられるかぎり、政府紙幣は有効でしょう。しかしいずれインフレ（通貨価値下落）の要素になります。発行限度が守られないと、国民と世界が「円の通貨価値の下落」を直感しますから、円売り・ドル買いと海外の通貨買いになって、国内の円の増加にならず、円安だけを生むことになるでしょう。開放経済での政府通貨の発行は通貨安を怖れた売りで、大きな円安になるからです。

【政府紙幣への結論】

政府紙幣は確かに、緊急的な解決策（ほぼ2年）にはなります。しかし長期的には、日銀の、国債買い受けによるマネー増発とおなじ結果を生みます。国債の利払いと償還に政府紙幣を使うと、国債の信用が低下し、財政破産のときとおなじように国債価格が下がって、金利は高騰します。円も暴落します。政府紙幣の発行に対し、ＢＩＳ（国際決済銀行）はどんな態度をとるか。予測されるのは、「禁止」です。日銀は、日本政府ではなく、世界の政府から独立したＢＩＳの政策に支配されています。

終章

金融資産の防衛

1. 運用の前提になること

「お金は明々白々だから、不思議なのか？」と書き起こしました。終章は、金融資産の防衛に考えを進めます。防衛は利回りの高さを求めることではない。20％の期待利回りは、20％の下落リスクです。高い利回りを得て、長期で続けることができる確率は低い。ヘッジ・ファンドの運用結果の、2％程度しかなかった利回りから立証した通りです。

防衛は、資産の実質価値を減らさないことです。世界で膨らんでいる金融資産は運用で増やすことではなく、現在価値の防衛を目的とすべきものに変わっていると感じます。

自分の純金融資産はすくないかもしれない。しかし世界では、経済規模に対し多すぎます。幾度か述べたように、世界の金融資産は、GDPの3倍の1京5000兆円です。負債も、世界の世帯と企業の所得を足したものの3倍です。

この金融資産と負債の大きさは、政府の財政破産が起こらないかぎり、相当に長期間（10年以上）、運用金利（名目金利）が上がることができないことを示しています。

（注）財政の破産は、国債の名目金利を20％や30％、あるいはそれ以上に高騰させます。しかし他方では、その国の通貨の下落と物価上昇が伴います。政府が財政破産すると、預金の名目金利から通貨の下落と物価上昇を引いた実質実効利回りは（後述）、大きくマイナスになります。

【デフォルトするのは、高い名目利回りの証券】

世界の名目長期金利は、０・８％から2％と低い。サブプライム・ローンから作った合成証券の名目利回りは、魔術的に高かった。借り手が、払えない高い金利でした。払えないから、世帯のデフォルトが増え、ローンの回収権を証券にしていたＭＢＳ（不動産ローン担保証券）は60％も下落し、ＡＡＡ格でもマイナス40％の利回りになったのです。ＭＢＳはローンの元本返済と契約金利の回収をする権利を、数千本も買い取って証券化し、細切れにして売ったものです（第6章）。住宅価格が下落し、ローンのデフォルト率が証券をつくったときの想定（予想リスク率）より上がると、ＭＢＳ証券の市場価格は40％から60％も暴落します（これがサブプライム・ローンの危機です）。

ＰＩＩＧＳ債も同じです。南欧債は同じユーロ建てでも、ドイツ債、フランス債より利回りが高かった。08年からの米国を追った南欧不動産の値下がりを主因に、利払いも返済も困難になってきた。このために起こったのが、南欧債の下落です。

日本政府にも、１０９９兆円の負債があります。その国の金利は、国債の利回りを基礎にして決まります。財政破産がないとすれば、金融資産の名目利回りが2％を超えることができない（数カ月間の短期では別です）。国債の名目利回りが３％に上がると、政府財政は破産に向かうため、国債の価格は下落します。

何回も述べたように、金融資産は同額が別の人の負債です。ＧＤＰの3倍の総負債に対し、借り手の政府も企業も、３％から４％以上の金利を払うことは、不可能です。世界の中央銀行は、デフォルトを防ぐために、マネー量の緩和と、低金利策を続けざるを得ない。

デフォルトの可能性が減る唯一のものは、どの国でもGDPの名目成長率が、実質成長率2％と物価上昇率2％等によって4％や5％と高くなることです。その結果、企業と世帯の所得が増える率が高くなり、政府の税収も増えることが期待されることです。物価の上昇だけで名目成長が高くなるのは、物価の後を追って金利も上がるのでダメです。実質成長がともなわねばならない。

先進国10億人は、日本のほぼ10年遅れで、高齢化に突入しているため、日本のようにこれからの実質成長率は低くなります。中国を含む新興国（30億人）の経済成長は、先進国への輸出主導型です。先進国の経済成長が低くなると2000年代は高かった成長率が、低下します。二桁付近だった中国の実質経済成長の低下が、その典型です。

そして、世界の金融資産に対し3重にかかっている銀行間デリバティブ5京円の要因から、周期的に（3ヵ月サイクルでしょうか）、どこかで金融危機を繰り返します。デリバティブの価格は、金融の原資産から得られる期待キャッシュフローを、期待金利と予想リスク率で割り引いたものです。また先物、オプション、CDSなどのデリバティブでは、レバレッジがかかるため、その投資元本に対しては原資産の変動率の10〜30倍での損益になります。先物取引での差金決済を思い起こすといいでしょう。

国債、金利、通貨、株などの原資産の変動率を10倍、30倍に拡大するデリバティブの価値変動は、金融危機の引き金になります。

08年の危機ではサブプライム・ローンにかかったMBSの下落と、CDSの高騰でした。PIIGS危機でも、同様に、PIIGS債の下落と、保証保険のCDSの高騰です。この危機に3ヵ月サイクルが多いのは、デリバティブの清算日や限月は、3ヵ月後の決算期（3月、6月、9月、12月）に集中しているからです。

（注）政府の財政破産、つまり国債の償還と利払いのデフォルトの可能性が高まった国では、中央銀行がマネーの増発をして当面のデフォルトを回避しても、金利は10～30％以上に高騰します。また、当然に、その国の通貨も2分の1以下に暴落します。

なお政府の財政が危機ではあってもデフォルトがない、言い換えれば、中央銀行がどこまでもマネーを刷るという前提では、その通貨の下落の要素が、名目金利よりはるかに大きく、金融資産運用の成果を決めます。通貨は1年に10～20％（金利の15年分）くらいも、その相対価値が変化するからです。

じゃ、いったいどうしたらいいのかと思われることでしょう。

事実、2008年以降、ヘッジ・ファンドは預託金の運用に困っています。中央銀行のマネー増発の発表（12年9月はECBによる南欧債の買い取り、FRBのQE3）を機会と見て、下がっていた通貨、株、資源、金を買い、1・5ヵ月や3ヵ月くらいは危機を脱したとして上がる相場で、高い間に売り抜け、なんとかプラスの利回りを出しているだけです。この4年、マイナスにならないだけが幸いといったものにすぎません。個人は、株であれ何であれヘッジ・ファンドのような短期売買はさけるべきです。

ヘッジ・ファンドは、預託者がどんなに損をしても、2％の預かり手数料を得ます。運用利益が出ればその20％を得ます。この2％&20％が確実な利益です。預託運用資金はヘッジ・ファンド6

０００本の総額で＄２兆（１６０兆円）です。手数料の２％は、１年で３・２兆円にも相当します。国債金利が１％から２％台のなか２％の確実な利益は大きなものです。

以上の環境条件のなかで、注目すべきは、資産防衛のための実質実効利回りです。

２．今後の運用で肝心になる「実質実効利回り（金利）」という視点

実質実効利回りは、**「その国の名目金利％±通貨の変動率％±物価の変動率％」**です。表面の名目金利が５％であっても、通貨の下落率が４％、物価の上昇率が４％なら、その証券の実質実効利回りはマイナス３％であり、損失です。名目金利は、長期国債の利回り（日米欧では０・８～２％程度）です。

金融資産の防衛は、この実質実効利回りを、マイナスにならないように、可能ならプラスになるように運用することです。

今後の金融資産運用は、表面の単独通貨の名目金利ではなく、通貨と物価の変動を入れた実質実効利回りで考えるべきものです。金利よりはるかに、外為市場での通貨変動のほうが大きくなっているからです。例えばドルが円に対し１ヵ月で５％上がるとします。円に対しては年間換算ではその12倍60％もの利回りになります。５％下がればマイナス60％です。金利はまるで問題にならないくらい通貨の変動が大きい。

この観点で通貨の選択から見てゆきます。マネーの移動は、80年代までの規制がなく自由です。

少額でも多額でも、自分で通貨選択ができます。念のために言いますが、以下は、当然に個人的な見解と予想です。ただし繁雑にならない限り、数値根拠をつけています。通貨の価格も投資家の心理で決まりますが、その心理を生むのは、通貨間と国内の資金循環からの、マクロ金融の数値だからです。

3．各国の通貨は各国のマクロ経済とマネーの動きから見てどうなるか

【まずは円】

２０１２年８月末現在、１ドルは78円、ユーロは98円の円高です。ドルとユーロとの関係で言えば、歴史上で最高の円高です。これは続くのか、あるいはドルとユーロに対しもっと高くなるのか？　安くなるのか？　買い越しの通貨が上がり、売り越しの通貨が下がります。

図４に、日本、米国、ＥＵ27ヵ国の、マクロ経済の主要データを示しています。円が、２０１０年から急激に上がった理由（20％の円高）は３項にまとめられます。この間、わが国の経常収支（第７章）は減ったのですが、それ以上に円買い（＝ドル売り・ユーロ売り）があったからです。

(1)08年からの世界金融危機の後、日銀の信用創造（円増発）は、１０７兆円（08年９月）から１４８兆円（12年８月）であり、41兆円の増加と少ないこと。

他方、米国ＦＲＢは＄８９００億（71兆円：08年９月）から＄２・86兆（２２９兆円：12年８月）に、１５８兆円のドルを増発したこと。欧州ＥＣＢも、ＰＩＩＧＳ債の危機から３・２兆ユーロ（３倍）

図４：円、ドル、ユーロ、スイス・フランの比較：データは英エコノミスト誌等から集計：今後の傾向は筆者

名目GDP 2011年度	各指標の名目GDP比 実質GDP成長率2012年度予想	失業率12年6月	経常収支11年度	政府部門の債務11年度	中央銀行の総信用12年8月	政府財政赤字12年度	対外純債権または債務	物価上昇率12年6月	10年もの国債の金利12年8月	株価（11年12月末から12年8月までの8ヵ月間）
日本 475兆円	+2.3% 3.11の復旧需要	4.3% 横ばい	+1.6% 減少傾向	230% 増加	31% 小さな増加	−9.3% 横ばい	+56% 増加傾向	−0.6% プラス傾向	0.83% 上昇傾向	+5.6% (注)を参照
米国 $14.5兆	+2.2% 低下傾向	8.3% 横ばい	−3.2% 赤字の増加傾向	103% 増加	19% 大きな増加	−7.6% 増加	−17% 負債の増加	+1.4% 横ばい	1.8% 上昇傾向	+7.8%
EU 27ヵ国 €12.6兆	−0.4% 低下傾向	11.2% 増加傾向	−0.5% 赤字の増加傾向	90% 増加	25% 大きな増加	−3.4% 増加	Na 負債の増加	+2.4% プラス傾向	1.55% 上昇傾向	+9.9%
スイス SF5000億	+2.0% 横ばい	2.0% 横ばい	+13.4% 横ばい	50% 減少傾向	Na スイスフラン売り	+0.3% 減少	+170% 債権の増加	−0.7% 横ばい	0.65% 横ばい	+9.7%
摘要	米国が成長力が高い	EUが最悪	米国が最悪	日本が最悪	日本が最大、ユーロが追う	日本が最悪	スイスが最大	EUが高インフレ	スイスが最低金利	現地通貨ベース

（注）　株価の傾向を言えば、中央銀行のマネー増発を機に短期的に世界同時に上がるが、1.5〜3ヶ月後は上がる前の価格に戻る。
次期純益予想に対する予想PERは12倍で平均化の傾向。

に拡大し、約２００兆円のユーロを増発したこと。

　中央銀行のマネー増発は、短期では金融危機の回避として好感されますが、長期では通貨の下落要素です。マネー増発は金融危機を先送りしますが、本当は、その国の通貨価値を下げているからです。中央銀行の資産におけるシーニョレッジの発生が、国民の金融資産からの掠奪《りゃくだつ》であることによって立証しました。

（注）図表に見るように、日銀の総信用がＧＤＰ比で31％と大きい理由には、買い物での現金が多い日本特有の事情もあります。米国では、食品スーパーでもクレジット・カードで買い、ドル札はカードが使えない貧困者以外はほとんど使いません。むしろ米国外がドル札を使います。08年以降、フル増刷のＦＲＢとＥＣＢに比べ、日銀はマネー増発が少ない。

(2)２０１０年以前は円国債を買っていなかった英国のヘッジ・ファンドとアジアの中央銀行が、ユーロ債を売って、２０１０年、２０１１年と、20兆円から30兆円のペースで円の短期国債の買い越しを続けていること（日本証券業協会投資家別売買）。２０１１年、12年の円高の要素では、海外からの円国債の買い越しが、もっとも大きなものでしょう。

　とくに、英国のヘッジ・ファンドの買い越しは、何が目的か、異常に大きく12年の第１四半期では＄２１００億（16・8兆円）もあります。円国債の長期保有は、目的ではない。英国が２年間買い越してきた円の短期債をいつ売り越すか、円の価格はこれにかかっています（重要）。

(3)日本の消費税は５％であり、政府財政の赤字はＧＤＰ比で９・３％と大きい。しかし米国の売上税８％（州によって異なる）や、欧州の付加価値税（ＶＡＴ）の約20％に比べ、増税の余地があると見

――られていたこと。

【向こう3年を見れば、円は下落する可能性が高い】

現在の円高78円や80円は、今後も続くのかどうか？　これは、シティのヘッジ・ファンドが、2010年、11年に、ユーロ債を売って、代わりに買い込んだ円の短期国債を、いつ売り越しに転じるかにかかっています。年率ベースで$8000億（64兆円）も短期債を買い越している英国ヘッジ・ファンドは、円国債の安定保有者ではあり得ません。どう考えても、売る機会をねらっているとしか思えないのです。

重大な変化なのに新聞報道はありませんが、2010年までは増える企業預金を使った長短国債の買い手であった日本の都市銀行は、2011年から14・9兆円、2012年の1月から7月は7・6兆円（年率換算13兆円）の売り越しに転じています。3月、6月、9月、12月の四半期決算月は、自己資本比率を上げる目的で買い越しますが、それ以外の月は、一貫した売り越しの傾向です。（日本証券業協会：投資家別公社債の売買：http://www.jsda.or.jp/shiryo/toukei/toushika/index.html）

単純化して言えば、2011年からの円国債は、海外ヘッジ・ファンドと中国等の中央銀行からの買い越しと、都市銀行の売り越しです。その中で、英国のヘッジ・ファンドの買い越しが突出しています。2012年後半から2013年にかけての、円国債にとって危険な兆候です。

ヘッジ・ファンドが売り越しになると、円安と国債金利の上昇です。この売りに対抗し、日銀は、国債買い切りの増枠をせざるを得なくなります。即刻の、金利高騰による政府財政の破産にまではなりませんが、円安と、短期０・３％、長期０・８％付近ときわめて低い国債金利の上昇に向かうでしょう。

【消費税の増税という要素を考える】

消費税の法案は12年８月に参院も通り、14年に８％へ、15年に10％に上がります。５％の増税による政府の税収増は、13・５兆円とされています。これが、現在の政府赤字40兆円から50兆円を、10兆円規模で減らすことになるのかどうか？

（注）消費税の増税の実行には、条件として景気条項がついています。景気が悪いようなら増税の発動は見送るということです。このため政府は増税前後に、政府の財政の拡張を行う予定です。

自民党は、増税後に大幅な名目ＧＤＰの低下（マイナス５％等）が予想されることから、総額で２００兆円の「国土強靱化計画」をつくっています。新党の維新が50から80議席に躍進し、民主党が分解する結果の、野合的な小党連立政権でどう変わっても、ほぼおなじと見ます。

12年８月末には南海トラフの大地震（マグニチュード９・２）で、最大32メートル（ビルの11階分）の津波が襲い、犠牲者は32万人に及ぶという政府発表がありました（前述）。

これはあからさまに、向こう10年間で２００兆円の「国土強靱化計画（土木・建設）」を実行するための世論の準備です。１年で20兆円です。消費税の増税があっても、政権と政府は税収の増加以上に、国債を発行して日銀に買わせて財政を拡大します。これは、３年スパンで見たときの、円安の要素になります。

【黒字を続けてきた、日本の経常収支という要素】

１９８０年代から30年間、日本は経常収支で、1年に少ないときでも15兆円、大きな年度は30兆円（07年）の黒字を続けていました。経常収支は、貿易収支に貿易外の金利・配当収支を加えたものです。経常収支の大きさは、基軸通貨であるドルの、受け取り超過を示します。これが、赤字のドルに対し円が恒常的に上がってきた基礎の要因でした。

しかし日本の経常収支は、２０１１年度に７・８兆円と、前年の16・６兆円から半減しています。貿易収支だけを見ると、輸出の急減と輸入資源の高騰によって、２０１１年度は５・３兆円の赤字に転落しています。

今後も、団塊シニアがつぎつぎに65歳を超えて年金を受ける世代になり、1年に60万円の預金を取り崩します。世帯の貯蓄率は毎年下がるため、日本の経常収支が２００７年までのように回復することはありません。２００７年は、退職金の増加で一時的に貯蓄率が上がったように見えていたのです。

国全体を見たマクロ経済では、〔国民の貯蓄額－投資額＝経常収支の黒字額＝対外資産の増加額〕です。90年代の日本は、世帯の貯蓄の増加が1年に40兆円、企業の貯蓄増が20兆円くらいありました。合計で60兆円の貯蓄の増加があり、政府が赤字国債で、公共投資を1年に40兆円行っても、20兆円は経常収支が黒字になって、対外資産が1年に20兆円も増え続ける構造があったのです。

２０００年代には、世帯の貯蓄の増加（＝金融資産の増加）が、ほとんどなくなっています。世帯の貯蓄率は、１９９８年からの約60万円の所得の減少と、65歳以上の退職者の増加によって、急激に低くなったからです。

世帯所得に占める貯蓄率は、１９８０年代が15~18%でした。90年代は８%から15%の幅に低下しています。00年代は、３%から５%の幅しかありません（内閣府：国民経済計算）。

世帯の貯蓄率の減少は、２０１０年代には上がるという性格のものではありません。２０１１年から、65歳を迎えている団塊の世代の、退職金をもらったあとの預金取り崩し（世帯平均で1年に60万円）によって、さらに低下します。「わが国は、貯蓄率が高い。このため、貿易収支の黒字が大きく、経常収支の黒字も大きい」というのは、すでに過去の常識です。わが国の貯蓄額の急激な減少は、経常収支の黒字額の縮小（5兆円レベル）を意味します。ドルに対する恒常的な円高の要素が消えたことを意味します。なお、２０１１年からデパート等で高額品やブランド品の売上が増えたのは、団塊シニアの退職金によるものです。

【再びの巨大公共事業】

２０１４年からの消費税の上げを見越し、10年間で２００兆円の「国土強靱化計画」が、内容の変化はあっても実行されると、その1年間の財源は、「消費税増税分約10兆円＋国債の増発分10兆円＝20兆円」となるため、経常収支は逆に5兆円の赤字に転落する可能性が高い。この結果は、相当な円安の進行です。ほぼ30年来の経常収支赤字です。円安は、国民の金融資産の、実質額の減少を意味します（実質実効利回りのマイナス）。

【資産防衛のためのスイス・フランという選択肢】

どうすべきか？　図4に、スイスのマクロ経済指標も示しました。1年や2年の短期では、円に対しスイス・フランが下がることもあるでしょう。しかし3年以上という期間を考えると、スイス・フランまたはスイス国債の買いが、自分の金融資産を防衛するのに必要と思えます。世界の富裕者の金融資産は、ますますスイスに集まることも想定できます。これもスイス・フラン買いであり、スイス・フラン高の要素です。

短期的に言えば（2012年、2013年）、米ドルが、スイス・フランより高くなることもあるでしょう。しかし米ドルは、1年に100兆円規模の、連邦政府の恒常的な赤字による新規国債の50%を、海外からの買いに依存するという構造のため、海外からの買いが減ると、急に弱くなる通貨です。

100%の確率で、財政破産を起こさない国は、スイスとドイツです。ユーロのPIIGS、米国、英国、フランス、日本はそれぞれ確度のちがいはあっても、財政破産に向かうこともあります。財政破産を起こした国の通貨は、先進国であっても2分の1、あるいはそれ以下に暴落します。ドイツはユーロに属しているので、ドイツ債（ユーロ建て）を買うことは、金融資産の防衛のための選択肢にはなりません。ユーロが下落すれば、ドイツ債も下がるからです。金利より、通貨変動のほうがはるかに大きいのです。

以上から、スイス・フランでの外貨預金、スイス・フラン債の保有が、名目金利はほぼゼロであっても、自分の金融資産の、防衛の選択肢になると言えるでしょう。実質実効利回りのプラスです。仮に、日本政府が財政破産に近づくと、円は大きく下がります。他方で、そのときはスイス・フランは、円に対して現在の2倍（1フラン164円）にはなるでしょう。

スイスの金融に多いヘッジ・ファンドのオフショアは、最初に若干の金額が必要ですが、「金融資産を増やすのではなく防衛」という目的では、選択肢になります。日本にもち帰ったときは、利益に課税があります。

（注）2011年から、ユーロから逃げるマネーのスイス・フラン買いが急増してスイス・フランが高騰したため、スイス政府は「スイス・フラン売りの無制限介入」をし、スイス・フランの高騰をおさえています。このため現在は、スイス・フランはユーロと似た動きです。介入はいつまでも続けることはできない。介入がはずれると、スイス・フランは、世界からの買いの勢いが続くので高騰するでしょう。

スイスの長期金利は、日本より低い0・65％です。物価も日本よりすこし大きく0・7％下落しています。通貨が買われて高くなる国は、こうなるのです。国債の名目金利は0％台で低くても、実質実効金利は高い。現在、実質実効金利が高いのはスイスと日本だけです。このため、低い金利の円国債が買われて円高になっています（2012年8月）。

ただし日本は2014年ころを起点に、経常収支の黒字国から脱落する可能性があると見ています。日本が経常収支の黒字を失い、過去30年も行ってきたドル債の増加買いができなくなると、米ドルは円とともに下落することが想定できます。

世界経済が高い成長率のときは、世界の貿易量は経済成長率のほぼ2倍の速度で増えます。貿易通貨（基軸通貨のドル）に対する世界の需要も増えていきます。しかし、少なくとも向こう3年は、世界経済の成長率は低下します。このためドル需要も増えないのです。現在78円のドルにも、ドル安の傾向が生じるでしょう。

米国は50兆円の新規国債を、毎年、海外に売らねばならないからです。そして米国でも戦後ベビー・ブーマー世代が65歳を超えるため、2012年から医療費（$2兆：160兆円と日本の5倍）と年金支払いが増加します。ベビー・ブーマー世代に対する社会保障費は、1年に20兆円も増加し続けます。この世代の米国の人口は7820万人（1946年～1959年生まれ：14年間）と巨大であり、その人口は日本の8倍です。米国は2011年から2025年までの14年間、毎年560万人（1人平均で医療費200万円と年金150万円）もが、65歳を超えます。米国の65歳以上の1人あたり医療費は1年に200万円で、日本（65歳以上で1人平均75万円／年の医療費）の2・6倍です。人は65歳を超えるころから急に、慢性の生活習慣病が増えるからです。これにはどうにも対策がない。ベビー・ブーマーの高齢化による社会福祉費の増加は、米国と欧州も日本と同じです。

●米ドルの金本位制への回帰はあるのか？

米ドルの、金本位への復帰を言う人を見かけます。金本位は、正確に言えば米国ＦＲＢによる金準備制度であり、米ドルに対し、1944年のブレトン・ウッズ協定（第5章）のように、米ドルと金の交換率を一定額に決めるものです。

現在の金価格は、消費税抜きで1グラム4200円くらいです（12年8月末）。地上の金は、総量で16・5万トン（690兆円分）であり、埋蔵量は約5万トン（120兆円）とされます（ＷＧＣ）。このうち、米国FRBがもつのは、世界の金の総量の、わずか20分の1の8150トン（公称：34兆円）です。12年8月時点での、FRBのドル発行は、＄2・8兆（224兆円）です。FRBの保有する金（8150トン：時価34兆円）で金準備制度にするには、準備率は「34兆円÷224兆円＝15％」になります。実際に、この金本位を実行するとどうなるか？

世界の中央銀行がもつ外貨準備は、総額で約1000兆円に増えています。このうち60％が米ドルですから、海外がもつドルでの準備額は600兆円です。仮にFRBが金準備制度を敷けば、海外の中央銀行は600兆円のドル（ドル紙幣＋ドル国債）を差し出し、FRBに金との交換を要求します。これは確実です。

（注）なお米国の国債残は＄16兆（1280兆円）でGDPの1・1倍です。1年にほぼ100兆円増えます。

そうするとFRBの金は、またたく間に海外に流失します。つまりFRBは、現在のドルを金本位に復帰させることは、不可能です。米国にとって金本位への復帰のメリットは何もない。現在のドルが金本位に復帰することは、天地がひっくり返ってもあり得ません。

では、金本位の新ドル発行ならどうか？　現在のドルを旧ドルとし、新ドルとの交換比率を例えば2：1とします。旧2ドルを新1ドルとします。そして、新1ドルを金と交換可能とする、激烈な方法です。1985年のプラザ合意のような、ドル切り下げです。

海外が外貨準備としてもつドルは、旧ドルになりますから、600兆円が300兆円の価値に下がります。日本の官民がもつ対外資産582兆円（11年12月末：財務省）も半分の291兆円に下がって、日本は激しい金融危機になります。政府の外貨準備100兆円も50兆円に下がって、財政破産でしょ

——う。

しかし、これでも新ドル換算の300兆円で、世界の中央銀行が金との交換をFRBに要求しますから、FRBの保有金8150トンは、やはり即刻に海外に流失します。新ドル発行も、FRBが実行できる策ではありません。

こうしたドルの2分の1への切り下げは、海外からの負債が$22兆（1760兆円：2012年度米国経済白書）もある米国にとって、実質的な負債が半分の$11兆になるため、魅力的ではあります。しかし金本位としながら、新ドルを発行することは、不可能です。

米国FRBがあるいは政府が、世界の金のうち総量（16・5万トン：690兆円分）を集めているという非現実的な仮定をし、旧ドルに対し新ドルを2：1や3：1として、旧ドルを切り下げても、米ドルが、今後、金本位に復帰することはないと想定します。

海外がもつドルの金融資産（＝米国の対外負債）が$22兆（1760兆円）と大きすぎるため、2分の1に切り下げても、金と交換されて、ゴールドの現物が全部、速やかに流失してしまうからです。金とドルの交換を一定額に制限するなら、もうそれはドルの金本位ではありません。現在とおなじです。

（注）第5章で述べたように1970年代からの、米国FRBの金に対する価格高騰をおさえる戦い、言い換えれば金の放出によって、FRBは、本当は8150トンの金はもってはない可能性が高いと見ています。FRBがフォートノックスに保管する金は、実は他国（欧州、ドイツ、日本、中国の中央銀行）からの保護預かり分、つまりカストディ勘定でしかないように感じています。

短く結論を言えば、米国のような貿易赤字国の通貨を、金本位にすることは不可能です。金との交換を求められたとき、すぐに金がなくなるからです。金本位制は、貿易が黒字の通貨でしか実行できません。

●ユーロは、どうなるか？

2010年以降、ユーロ内のPIIGS債のデフォルトは、欧州ECBのマネー印刷によってのみ、回避されています。PIIGSは、国債だけでも400兆円の負債（GDPの約1年分）があり、その負債の50％は対外借入です。PIIGSは、国債の平均の満期期間は、短縮化していますから5年と仮定します。1年に80兆円の元本償還が必要で、これに6％に近い利払い（年間24兆円）が加わります。

つまり、PIIGS諸国は合計で1年に104兆円、3ヵ月で26兆円の資金（ユーロ）が必要です。これがないと、PIIGSはデフォルトになります。以上は、国債だけのことです。

他に欧州全体では、約1000兆円の、米国とほぼ同じ額の住宅ローン残があります。PIIGS諸国の住宅ローン額は、EU当局は数値を出しません。推計すれば400兆円でしょう。

このうち100兆円（25％）くらいは、すでに支払いができない不良ローンになっていると見ます。南欧の不動産は、すこし落ち着いた米国（まだ底打ちはしていません）とはちがい、2012年現在、大きな下落のただ中です。つまり、スペイン、ポルトガル、イタリア、ギリシャの不動産のローンは、これから不良債権が増えてゆきます。イタリアとスペインの商業用不動産の下落率は、住宅より大きなものです。

09年以降、とくに2010年5月以降、欧州ECBがユーロを増発し、欧州のPIIGS債をもつ金融機関（主要19行）と、PIIGSの政府に貸付を続けています。その総額は、今のところ約200兆円枠です。2012年末までに、支援必要額はあと50兆円にはなるでしょう。2013年にはまた追加で100兆円です。

前述したように、「中央銀行の通貨増発は、3ヵ月内の短期的には金融危機を回避したと好感されますが、長期的には、ユーロの実質実効レートの下落」と市場から認識されてゆきます。このためユーロは、PIIGS諸国の実質GDPが自力回復し、政府、企業、世帯の負債の返済と利払いができるようになるまで、通貨としては弱含みで推移します。

前述したように**【GDP＝労働人口（有職人口）×1人あたりの生産性】**です。20％から25％レベルの失業率が下がるまでは、PIIGS諸国のGDPが回復することはない。PIIGS諸国が、債務を自力で返済し、利払いできるまで、ユーロの危機は続きます。このためユーロという選択肢は、金融資産の防衛、つまり［実質実効利回り＝名目金利％±通貨の変動率％±物価の変動率％］という観点では、除外されます。

ECBが支援金額を増やしたときは、ごく短期ではユーロとユーロ株は上がりますが、つぎの3ヵ月目に向かっては、下がることを繰り返すからです。

【PIIGS債の問題の解決法】

最終的には、「PIIGS諸国は、GDP比3％以内という加盟条件を満たす見込みは薄い。統一通貨のユーロからの離脱を求める」ことが解決策です。ユーロに属するかぎり、ＰＩＩＧＳだけの通貨切り下げという方法はなく、危機は、先送りされながら続くからです。

じゃ実際にユーロからスペインが離脱するとどうなるか？　最初のレートを「1ユーロ＝2新ペソ」と仮定します。スペインの賃金は、ユーロ（ドイツやフランス）や米国、日本から見て、2分の1に下がります。物価も不動産価格も、2分の1に下がります。これはスペインへの観光、物価、住宅、賃金が、円・ユーロ・ドルから見て現在の半分に下がることです。観光、工場やリゾート投資、輸出は、２０００年代初頭のように再び増えます。

実質ＧＤＰは、ユーロから見れば、いったん半分に下がったあと、自力回復に向かいます。日本からも、風光明媚《めいび》で温暖なスペインへの退職者の移住が、１９８０年代のように起こるでしょう。住宅費と生活費が半分に下がるからです。スペインは景観と文化遺産の国です。

問題は、ユーロ建ての対外債務（1兆ユーロ：ＧＤＰの1年分）です。ペソがユーロに対し2分の1に下がると、実質債務が2倍の2兆ペソに増えたように上がります。これでは、返済と利払いができず、デフォルトは確実になります。方法は、スペインの対外債務のうち５０００億ユーロ（50％）をバッド・ローンとして、切り離すことです。１００兆円の民間債務を含むと、合計では1兆ユーロの債務カットが必要です。

27兆円の負債をかかえていた国鉄から借金を切り離し、「国鉄清算事業団：１９９８年」をつくったこととおなじです。これ以外に、方法はない。そしてユーロ内では５０００億ユーロを負担するのは、ドイツしかない。ＧＤＰが２００兆円（日本の42％）の大国イタリアも、スペインの解決策と同じでしょう。これに向かって進んでいないのは、ドイツがＰＩＩＧＳの債務カットに抵抗しているからです。

南欧は、ユーロに属したことで、賃金、物価、不動産が2倍に上がったようになったのです。800円だったスパゲティが1600円になってしまったのです。これが無理だったのです。ドイツのねらいはドル経済圏からの離脱でした。貿易黒字を貯めても、周期的なドル切り下げで金融資産（対外債権）の価値が下がったからです。ＥＵの域内貿易でユーロを使えば、ドル切り下げの損をさけることができるということでした。

20年も準備した統一通貨のプロジェクトは、ＰＩＩＧＳ諸国の、政府負債と経済指標の偽装から失敗しました。現在は、債権国であるドイツが、ＰＩＩＧＳ経済と銀行を監視する仕組みをつくろうとしていますが、これも無理なことだったとなるでしょう。緊縮財政と賃金の切り下げを求められる約1億5000万人が、抵抗するからです。1998年に、ＩＭＦが韓国に対して行った金融経済改革のような抵抗を受けます。それでなくてもイタリアやギリシャには、ＧＤＰの30％と言われる、課税を逃れたアングラ経済（マネーの抜け道）があります。常識であり特別な知識ではありません。世界の銀行資産の50％があると言われるオフショア金融に、アングラマネーが絡むと、もうだれもわからない。あのベネチアはオフショアです。

【秘密裏に運ぶべきが、通貨の切り下げ】

ユーロ離脱のような通貨切り下げのときは、「秘密で行って、ある日突然、実行すること」が必要です。離脱計画が漏れれば、ユーロである間に国民が銀行で取りつけをし、たとえばスペインのマネーは、引き出せる預金のほぼ全部が、タンス預金やドイツやスイスが本拠の銀行にユーロとして預金されるからです。

したがって、その日まで、当局は「スペインには、ECBがいくらでも貸すから大丈夫、デフォルトはしない」と強調して言い続けます。これは、破産の2週間前に、「当行は史上最大の利益を上げた」と言っていたリーマン・ブラザーズと同じです。政府と銀行は、前もって危機とは言えないし言わない。例えばある銀行が自行は危機と言ったら、預金の取りつけが起こって、瞬間につぶれます。

日本の財務省がみずから「財政の危機」を言っている理由は、消費税を上げることが目的であり、財務省は、本当のところはまだ、国債が売られる危機は先のことと考えているからです。

一転して政府が「財政危機ではない。これだけのマネーが特別会計にある。予算の削減も可能」と強調したとき、市場の国債の売り越しで危ないのが金融です。借金の増加が必要な会社も、「再建計画は実行できる」としか言いません。これが、返せないくらい大きくなった借金の哀しい性格です。

●米ドルは選択肢になるか

向こう3年の期間を見たとき、消費税引き上げ前後の経済と、1年に20兆円規模の公共事業の増発から、現在の円高は、大きく修正に向かうことが想定できます。この結果は、円ベースで見たとき、1500兆円の金融資産や預金の額は同じでも、［実質実効金利＝名目金利％±通貨の変動率％±物価の変動率％］ではマイナスになって、金融資産の実質価値が減るということです。円安はドル高のことです。このため米ドル預金や米国の債券買いで、金融資産の保全を図ることはありそうに思えます。

【基軸通貨の特権が変化する兆候】

米ドルの強さの根源は、世界から基軸通貨と認められている点にあります。基軸通貨の意味は、どの国も、ドルで代金支払いをすれば、受け取るということです（イラン等の一部を除く）。貿易収支、経常収支で、30年も続けて赤字国の通貨が、なぜ、基軸通貨であり得るのか？

世界の貿易総額は、2001年が489兆円でした。2011年は655兆円へと34％増えています（財務省貿易統計）。これは円ベース換算です。ドル・ベースでは、この20％増くらいです。貿易の増加は、貿易に使う通貨（米ドル）の需要が増えることも意味します。

2008年で、世界の、政府・中央銀行がもつ外貨準備は$7・2兆（576兆円）です。4年後の2012年時点では、少なくとも$10兆（800兆円）には増えているでしょう。この意味は、米国FRBがドル札を、米国政府が国債を、米国企業が社債を発行したとき、海外が買う分が増えてきたということです。

政府・中央銀行と民間がもつ外貨資産の合計は、日本だけでも582兆円（11年12月末：財務省）です。中国では、人民銀行（中国の中央銀行）がもつ外貨準備だけでも、$3・3兆（264兆円：12

年3月）です。以上のように、経常収支の黒字国が受け取った米ドルを保管し、使っていないため、ドルの価値が維持されてきたと言えます。世界の外貨資産のうち、60％が米ドルです。

しかし中国もここへ来て、260兆円も貯めてきた米ドルの価値下落を恐れています。このため、まだ少額ですが、名目金利は低くても実質実効金利が高い円国債への振り替えも見えるのです（2011年から）。ドル債の増加で2番手だった日本は、2011年からの、急激な経常収支の黒字減少（17兆円→7兆円）のため、ドル債を買い支える資金がすくなくなっています。

①中国の、まだ部分的ではありますが「ドル債の売りの傾向があること」と、
②日本がドル債を買い支える経済力を失いつつあるため、米ドルも弱体化する傾向にあると見ます。

この意味は、円の、世界の通貨に対する実効レートの低下が、ドルの実効レートの低下と比例する可能性が高いということです。以上から、金融資産を防衛する通貨としては、米ドルは［実質実効利回り＝名目金利％±通貨の変動率％±物価の変動率％］の面で弱いと見ます。円が下落した場合、米ドルも連れて下がるだろうからです。

確定したことを言えば、FRBは2015年まで、金利ゼロを続けると言明しています。12年9月には、QE3（量的緩和第3弾）として、流通市場が消えているMBS（住宅ローン担保証券）を期間無制限で、毎月＄400億（3・2兆円）買い取ることも明らかにしました。この意味は、2015年まで米ドルの利回りは低く、ドル安の傾向を示すということです。

4. 株式という選択肢

ここで言う株価は、個別銘柄ではなく、平均の株価指数です。市場の時価総額と言っても同じです。

日経平均、TOPIX、米国ダウ、米国ナスダック、米国S&P500、ユーロファースト300、FTSE100などです。株価の理論値は、毎年の予想純益を、期待金利と利益のリスク率で割って、現在化（NPV：Net Present Value）にしたものです。

具体的に言えば、次年度に、10億円の税後の純利益が期待される会社の株式があるとします。その国の期待金利を3%、その会社の利益リスク率を5%とすれば、時価総額の理論値は、［10億円÷（3%＋5%）＝125億円］であるということです。

期待金利は、現在の金利ではなく、将来の予想金利です。リスク率は、会社利益の変動幅、つまり、ボラティリティです。なお、実際の株価は、理論値の周辺で、ボラティリティの幅（価格変動の幅の平均：株価の標準偏差÷平均価格）で変動しています。ときには、理論値を大きく離れるバブル相場、あるいはマイナスのパニック相場になります。理論値（現在はPER12倍付近）で1000円が妥当な株価が、1500円や700円になることです。

上記の会社は時価総額125億円、PER倍率で言えば、12・5倍になります。この株式の期待益回りは、［1÷12・5倍＝8%］です。期待金利が3%なのに、株式益回りが8%（イールドが5%）

なのは、企業の利益には将来リスクがあるからです。イールドがリスク率です。この点が、名目利回りが固定している債券（国債、社債）と異なる点です。株式の理論価格は、将来の、企業純益のリスク率（上記では5％と仮定）の分、国債や、確定名目金利の社債よりは安くなります。

主要国の株価の、ほぼ3ヵ月決算での、年間換算PERを示すと、日本13・7倍、米国ダウ13・9倍、米国S＆P500　15・1倍、英国11・7倍、ドイツ12・1倍、フランス13・6倍、スイス17・3倍、イタリア14・8倍、オランダ13・7倍、中国7・1倍、インド16・6倍、ロシア5・7倍、オーストラリア14・9倍、カナダ15・2倍、ブラジル12・3倍、ギリシャ10・5倍、マレーシア15・7倍、シンガポール10・8倍、韓国13・0倍、台湾17・0倍、タイ15・6倍、メキシコ18・4倍、スペイン12・0倍、トルコ11・2倍、イスラエル10・5倍などです（Financial Times紙：12年8月30日：会社の75％をカバー）。

世界の株価は、実績PERで12倍（益回り8・3％）くらいを中点に、リスクの高い国は低く、リスクの低い国は高くなっています。おどろくべき「価格の平均化」です。

この理由は、ヘッジ・ファンドによるグローバルな分散投資によって、各国の株価が平均化に向かったからです。PERが低い国があると、そこに買いを入れ、高い国があると売りを入れるからです（第6章）。

こうした平均株価の上昇率（または下落率）は、各国のGDPの上昇率（または下落率）よりは、はるかに大きく（約2から3倍）、変動する性質をもっています。

——具体的には、名目GDPの期待増加が3％のときは、平均株価は6〜10％の上昇をするということです。逆に、名目GDPの期待上昇率が低くなると、平均株価はそれ以上に大きく下がります。企業純益は、GDPの増減よりはるかに大きな変動をします。なお平均株価は、インフレの際は上昇しますから、インフレ・ヘッジにはなります。

株価については数年先までは、わかりません。企業利益の変化は、GDPの変化よりはるかに激しいからです。2013年をメドに言えば、2012年から2013年にかけて世界経済は、低成長になります。このため平均株価の上昇の可能性はきわめて低いでしょう。ただし短期では、ECBやFRB、および日銀のマネー供給によって上昇しますが、それはほぼ3ヵ月しか続きません。株価は、実体経済の景気の動き（GDP統計）より、ほぼ半年は先に動きます。GDP統計は、3ヵ月は遅れるからです。他方、企業純益では、上場会社は半年先の予想を出すことが慣習になっているからです。

向こう1年で見た場合、株価という選択肢は、自分の金融資産防衛という観点では、ないように思えます。2013年の、世界のGDPの増加が低いからです。世界の株式取引の、同時の薄商い（前年比マイナス30％：12年8月）はこれを象徴しているのでしょう。売りも買いも、減っています。

中国も、不動産バブルの崩壊と対ユーロおよび米国輸出の急激なブレーキで、GDP成長率は低下します。中国株のPERの7・1倍という低さは、中国GDPの増加率の低下を半年先に折り込んだものでしょう。インドのPER16・6倍は、危険に高いように思えます。

【QE3に見る、中央銀行のマネー印刷効果】

２０１２年内には、米国ＦＲＢによるＱＥ３（量的緩和第3弾）が実行されるでしょう。今度は、①海外の買いが鈍っている米国債と、②流通市場が消えたままの住宅証券のＭＢＳをＦＲＢが買います。そのマネーは金融機関に行きます。現金には金利がつかないため、そのドルは運用されます。ＱＥ３が実行されると、２０１２年の３月のように、そのマネーを得たヘッジ・ファンドや銀行が株を先行して買うため米国の株価は上昇します。このときはマスコミ論調も、「危機は脱した」と言います。

しかし長期で言えば、ＱＥ３のマネーは米国の金融機関に、ＰＩＩＧＳ債のＣＤＳと、住宅証券で生じている損を清算させず（清算すれば金融危機）、先送りするものです。

したがって、また数ヵ月後に襲う、デリバティブの清算期に、利益を出した株、国債、商品先物が売られて下落します。08年の世界金融危機のあと、ＰＩＩＧＳ債が加わった２０１０年ころからは、日米欧の中央銀行のマネー供給による底上げ効果は３ヵ月くらいしか続かなくなっています。

【2008年以来、根にある巨大不良債権】

根底の理由は、第6章で示した原資産5京円にかかるデリバティブに、損失が確定されていない潜在損が大きく残っていて（推計１０００兆円：原資産の2%）、つぎつぎに、契約上の清算日が襲うからです。いつまで先送りするのでしょうか。先送りできるのでしょうか。

結論を言えば、世界合計での名目ＧＤＰ（実質ＧＤＰ＋物価上昇率）の増加率が、ほぼ５％を超えないと、このデリバティブの潜在危機が落ち着くことはありません。
たとえは変ですが、10から30倍のレバレッジがかかるデリバティブの潜在危機は、表面は安全で塗り固められた原発の危機にも似ています。

CDSは、安全のために買うものですが、それが、CDSを引き受けたカウンター・パーティー（別の銀行）の、破産の危機のもとになっているからです。元本5京円の、銀行間（OTC）デリバティブ証券の多くは、銀行の公表バランス・シートにはあらわれてはないオフ・バランス勘定です。これをCEOすら知らない。取引はコンピュータ通信、そして1秒に1000回の売買もできるロボット・トレーディングです（第6章）。

5．資源とゴールドの価格

【資源価格】

端的に言えば、資源（鉱物エネルギー、金属、穀物）の相場価格は、中国の経済成長で決まります。
先進国10億人では、2000年代から資源消費は増えていません。

前述のように中国経済は、2012年後半から2013年にかけて減速します。12年8月現在、中国経済の減速（12年4月～7月：実質GDP＋7・6％）は、生産に使う電力使用量、鉱工業生産、コンテナの運送価格の低下に見ることができます。2000年代の10年とまるで違う様相があります。

中国のGDPは毎回早すぎる集計が出て、あてになりませんが、今後、減速を示したものになるでしょう。これは鉄を含む資源価格全般が、２０１２年、２０１３年は弱含みになるということです。米国の干ばつによるトウモロコシで30％減産（２０１２年）がある穀物価格は別です。

短期の価格を大きく変化（50％部分）させているヘッジ・ファンドによる先物売買は仮需要です。ヘッジ・ファンドが、原油を自分で燃やして使うわけではない。買いが超過し、価格が上がったあとは、おなじ量の清算売りをしなければならない。

ヘッジ・ファンドの先物買いが、資源価格を上げるというのは長期では誤りです。それは数ヵ月内の、短期の仮需にすぎません。資源を米国についで最大に使う中国経済が減速すれば実需が減るため、ヘッジ・ファンドが先物やオプションによる仮需で買い上げることはむずかしくなります。資源は使うのを待つ実物資産だからです。この点が、株価や金価格とちがいます。

（注）中国の粗鉄鋼生産は６・８億トンと巨大で、世界の43％、日本の６・４倍もあります。

代表的資源である原油について、言います。２０００年の価格は、１バーレル（159リットル）が＄30でした。07年のピークには、＄１４０まで４・７倍に上がりました（ＷＴＩ）。この間、原油は、ゴールドとほぼ同じ率で上がり続けました。２００７年に、原油アナリストはどう言っていたか？「鉄や原油資源をもっとも使う近代化途上の中国が、二桁の経済成長をする。このため、資源価格はもっと上がる」。これは、＄１００～＄１４０だった原油先物に投機買いをしていたヘッジ・ファンドが書かせた「ポジション・トーク」でした。買い手が続かないと損をするからです。当時のメール・マガジン（『ビジネス知識源』：有料版）に詳しく書いたので、記憶しています。ヘッジ・ファンドが高値で仕込んだ先物を、売り抜けるための論だったのです。

その後、08年からの米国発の金融危機で、09年には＄40の底値をつけて（格言通りの半値・八掛け・二割引）、２０１２年８月現在は＄90から＄１００の範囲です（ＷＴＩ：原油先物）。これでも高すぎるように思えます。３・11以降の、世界の原発離れ（火力発電の増加）を想定した相場でしょう。

ドイツとイタリアは原発離脱を表明し、米国では「廃炉、事故処理、使用済み核燃料の最終処理を含めば、原発は、火力発電よりはるかに高いコストである」という論を、原子炉の製造元であるＧＥ自身が出しています。なお米国はスリーマイルの事故（１９７９年）以降、新しい原発はつくっていませんが、最近34年ぶりにボーグル原発を二基つくると表明しました。建設には、日本の東芝が参加しています。

発電では重油より、ＬＮＧ（液化天然ガス）のほうが増えます。日本の電力会社は、どういうわけかこのＬＮＧを、１００万ＢＴＵ（ＬＮＧの単位）あたりで＄15から＄16という高い価格で輸入契約しています。火力は原子力より高いということを言うためと、発電原価を電気代にできる「総括原価方式」があるからです。日本はＬＮＧを６０００万トンくらい輸入しています（２０１１年）。

２００７年から掘削の技術開発が進み、米国で大量生産されるようになったＬＮＧは、米国内の価格では１００万ＢＴＵわずか＄２です。原油資源が枯渇した米国は、ＬＮＧの生産国になります。米国の「脱原発（まだ表明はない）」の傾向もこのＬＮＧのためでしょう。

中東に依存する原油からどう抜けるかが米国の国策でもあります。今後、米国は、このＬＮＧによって、資源の輸出国にもなると見ます。これは原油需要の、減少の要素です。カナダにも大量のシェールガスの埋蔵があります。

（注）シェールガスでは、副産物のメタンガス（地球温暖化の原因）の発生をどうおさえるかが重要なポイントです。

中東の原油生産の副産物であったＬＮＧ（砂岩に含まれる）の時代は、終わったのかもしれません。シェールガスは、油田以外に広く分布し、泥と砂の層状に積み重なった堆積岩である頁岩層《けつがんそう》にあるからです。

シェールガスの、世界の推定埋蔵量は、現在の天然ガス需要量の60年分とされています。開発が始まっている国で多い順に言えば、中国（1275兆立方フィート）、米国（同862兆）、アルゼンチン（同774兆）、南アフリカ（同485兆）、ポーランド（同187兆）などです。

現在の原油、１バーレル＄１００は、原発の振り替わりによる鉱物エネルギーの需要増を期待したものに思えます。１年や２年ではなく、３年以上の長期で見たとき、資源価格は下がると思えます。21世紀の10年代以降は、10年間の資源価格高騰が終わる時代でしょう。肉食の増加によって上がる穀物は別ですが。

近い将来で言えば、イランの核兵器開発によるイスラエル・イラン戦争の可能性が高まっています。オバマ大統領は、「２０１２年11月の大統領選挙後まで待ってくれ」と言い、はやるイスラエルをとめています。このため、イランは地下に原発はつくっても核兵器の開発はしていないという西側マスコミの論になっています。イランが言うように本当に発電のためなら、原油が豊富なイランは高いコストの原発の必要はない。原発の推進は原油価格を下げる要素だからです。

共和党（ミット・ロムニー大統領候補）は言うまでもなく、03年のイラク戦争を仕掛けたように中東介入派です。イラン（アフマディネジャド大統領）は、年来、「イスラエルを世界地図から消す」と過激です。イランが独自に核ミサイルをもつ寸前には、中東の危機は極点まで行きます。イスラエルは、核兵器を持っています。

激しさを増すシリアの内戦は、次第に、イラン（シーア派とアラウィ派：ロシアにつながる）とサウジアラビア（スンニ派：英米につながる）から武器を提供する代理戦争の趣きを見せています。

イスラエルによるイラン空爆の可能性は、2013年の年初から、現在よりはるかに高まるでしょう。戦争中に、狭いホルムズ海峡を原油を満載したタンカーが通るのはむずかしくなるため、原油の途絶から再びの原油高騰の可能性があります（ただし短期です）。原油とマネーは古来、戦争の血の色を帯びたものです。ホルムズ海峡には、米国の航空母艦が集結しています。

【ゴールド価格】

ゴールドの価格は、2000年代に5倍に上がりました。FRBを中心とした中央銀行が、1971年に、ドル・金本位を停止したあとの1999年までの28年間、金価格をおさえようと放出し続けた「金戦争」は、第5章に書きました。年表を読みイマジネーションを膨らませると、基軸通貨の秘密もわかるでしょう。

米国FRBが世界の中央銀行に呼びかけ、金を市場に放出しながら、金価格と戦った理由は、金・ドル交換停止以降、ペーパー・マネーになった基軸通貨を、「それでも価値がある通貨」として世界の貿易に使ってもらうためです。

なぜ中央銀行は、1999年以降、みずからにゴールドの放出制限を課しているのか？　憶測ですが、放出できる金現物は、1999年でなくなっているのではないかということです。現物があるとすれば、保護預かり勘定（カストディ）であり、本当の所有者は別の主体でしょう。

金価格は、短期では資源と同じように、ヘッジ・ファンドによる先物の投機買いやオプションでの買い、あるいは先物売りやオプションの売りで動きます。ただし、ヘッジ・ファンドの売買は、基本が裁定売買（ヘッジ）であり、資源と同じ仮需です。

金価格が下がるときは、ヘッジ・ファンドが他の証券や資源で損をし、投資家に対する3ヵ月サイクルの決算報告で利益が出ているものの、換金売りを迫られたときです。ヘッジ・ファンドも銀行と同じように損をすれば、投資の引き揚げが起こるからです。短期で上がるのは、その逆です。

2008年以降、次第に、「ゴールドは、価値を下げる米ドルの反通貨」と認識されるように変わっています。このため、米ドルが上がるときは下がり、ドルが下がるときは金が上がる逆傾向を示しています。世界の準備通貨になっているのは、基軸通貨のドルです。中国を含む新興国の中央銀行には、価値を下げる米ドルの代わりに、ゴールドを買い増しする動きがあります。

ここまで示せば十分でしょう。中期（3年スパン）で言えば、金価格はスイス・フランと同様に上昇するでしょう。短期では価格騰落を繰り返します。投資でいい方法は、買って忘れることです。そして毎月上がっても下がっても、可能な一定額を買い続ける定期積み立ての方法です。こうした投資は、失っても惜しくないマネーで行うことです。惜しくなると少し利益が出ると途中で売りたくなって、損をすれば抱え続けます（行動経済学）。そして結局、短期の相場変動で損をすることがはるかに多い。

スイス銀行などに属し、短期売買をする金投資のプロフェッショナルも、55勝45敗なら大勝利です。1年の成績が45勝55敗なら首切りにあいます。これが金を含むあらゆる相場での投資・投機の真実です。例外はない。

最近の講演では、自分が行ってきたデリバティブ推進の誤りを認めた発言もする前ＦＲＢ議長グリーンスパンは、金は価値を掠奪されず、人々を自由にさせてくれる通貨であると若き日に書いています（『ゴールドと経済的自由』（１９６７））。金は通貨ではありませんが、政府と中央銀行の掠奪からの自由を与える資産でしょう。

http://www.thefinancialpanner.com/wp-content-uploads/2009/11/AlanGreenspan-GoldEconomicFreedom.pdf
通貨である金融資産の価値は、中央銀行が続けるマネー増発で下がりますが、「名目金利％±通貨の変動率％±物価の変動率％」の実質実効利回りによって、価値を保つ方法はあります。短期での売買はさけることです。それは、ヘッジ・ファンドを儲けさせることにしかならない。すべての金融市場は、売りと買いの戦いです。２５０ページの予定で書きはじめた本書も、すべてに根拠を示して書くことを意識したため４００ページになりました。ここらあたりで終わります。後半部は、すこし走って圧縮した記述になりました。

おわりに

わかりやすく書くことに留意しました。わかりやすさは、根拠を示すこと、論理性をもって記述することだと考えます。書いている最中に、自分にとってもはっきりしていなかったことが、明確な像を結ぶことを経験しました。直接の参考は、文中に示しています。他に参考にした専門誌や書籍は多数です。原典を忘れ自分の考えになったように思い込んでいるものも多数あるでしょう。創造とは原典を忘れることだとも言いますが、まさにその通りです。知識と情報の組み合わせと、論理展開のみが、自分のものでしょう。

【参考書籍（順不同）】

『雇用、利子、貨幣の一般理論』J・M・ケインズ：間宮陽介訳と、その原書

『雇用、利子、お金の一般理論』J・M・ケインズ：山形浩生訳

『貨幣論：Ⅰ・Ⅱ』J・M・ケインズ：小泉明：長澤惟恭訳

『資本主義と自由』ミルトン・フリードマン：村井章子訳

『大収縮』ミルトン・フリードマン&アンナ・シュウォーツ：久保恵美子訳

『貨幣の悪戯』ミルトン・フリードマン：斎藤精一郎訳

『マクロ経済学：第2版』J・E・スティグリッツ：藪下史郎、秋山太郎、金子能宏、小立力、清野一治訳

『資本論』マルクス著：エンゲルス編：向坂逸郎訳

『行動ファイナンス』ヨアヒム・ゴールドベルグ：リョディガー・F・ニーチェ：真壁昭夫監訳

『フリー・フォール』J・E・スティグリッツ：楡井浩一、峰村利哉訳

『信用恐慌の謎』ラース・トゥヴェーデ：赤羽隆夫訳
『相場の心理学』ラース・トゥヴェーデ：赤羽隆夫訳
『マネジメント、課題、責任、実践（上・中・下）』ドラッカー：上田淳生訳
『国際決済銀行の20世紀』矢後和彦著
『いまなぜ金復活なのか』フェルディナント・リップス：大橋定信による抄訳と、その原書。
『ロスチャイルド、通貨強奪の歴史とそのシナリオ』宋鴻兵：河元佳世訳
『通貨戦争』宋鴻兵：河元佳世訳
『国債の歴史』富田俊基著
『国家債務危機』ジャック・アタリ：林昌宏訳
『金融危機後の世界』ジャック・アタリ：林昌宏訳
『国家は破綻する』カーメン・M・ラインハート&ケネス・S・ロゴフ：村井章子訳
『ブラック・スワン（上・下）』ナシーム・ニコラス・タブレ：望月衛訳
『シャドウ・マーケット』エリック・J・ウェイナー：プレシ・南日子、神田由美子訳
『タックス・ヘイブンの闇』ニコラス・シャクソン：藤井清美訳
『ウォール街のランダム・ウォーカー』バートン・マルキール：井手正介訳
『コトラーのマーケティング3・0』フィリップ・コトラー他：恩蔵直人訳
『ゴールドマン・サックス』チャールズ・エリス：斎藤聖美訳
『敗者のゲーム』チャールズ・エリス：鹿毛雄二訳
『愚者の黄金』ジリアン・テット：平尾光司、土方奈美訳
『史上最大のボロ儲け』グレゴリー・ザッカーマン：山田美明訳
『金融危機の経済学』岩田規久男著

『いまこそケインズとシュンペーターに学べ』吉川洋著
『マネーを生み出す怪物』G・エドワード・グリフィン：吉田利子訳
『バブルの歴史』エドワード・チャンセラー：山岡洋一訳
『現代思想』小林秀雄講演
『物質と記憶』アンリ・ベルクソン：合田正人、松本力訳
『龍馬がゆく（全8巻）』司馬遼太郎著
『大塩平八郎』森鷗外著
『父の肖像』辻井喬著
『ハイパー・インフレの悪夢』アダム・ファーガソン：黒輪篤嗣、桐谷知未訳
『日本中枢の崩壊』古賀茂明著
『日本のソブリン・リスク』土屋剛俊、森田長太郎著
『米国経済白書』2009〜2012年
『現代経済学辞典』伊藤光晴編
『国家破産：これから世界で起きること　ただちに日本がすべきこと』吉田繁治著
【雑誌、新聞、報告書等】
週刊エコミスト、英Economist、日経新聞、Financial Times、週刊東洋経済
『日本の財政』（財務省）
『ウィキペディア』の項目の選択的な参照
各種の政府白書と政府データ
『日本銀行100年史』
『日本統計年鑑』

著者略歴
吉田繁治（よしだ・しげはる）
1972年、東京大学仏文科卒業（専攻フランス哲学）。流通業勤務を経て、情報システムと経営のコンサルタント（システムズリサーチ　チーフ・コンサルタント）。87年に住関連業界の店舗統合管理システムと受発注ネットワークのグランドデザイン、経営の指導に従事。95～2000年は旧通産省の公募における情報システムの受託開発で連続的に4つのシステムを開発。2000年秋、インターネットで論考の提供を開始。メールマガジンの週刊『ビジネス知識源プレミアム（有料）』、『ビジネス知識源（無料）』を合計4万5000名余の読者に配信。有料のビジネス部門で12年間1位を続ける。各地・各社での講演と、流通・製造・サービス・ITの経営指導。サプライチェーン、CRM、IT、経済、金融、時事分析の論考を公開し好評を得る。月刊誌『販売革新』『商業界』等にも定期寄稿。近著に『国家破産・これから世界で起きること、ただちに日本がすべきこと』（PHP研究所）、『利益経営の技術と精神』、『ザ・プリンシプル』（以上、商業界）等がある。

写真提供／株式会社アフロ

マネーの正体

2012年11月11日　第１刷発行

著　者　吉田 繁治
発行者　唐津 隆
発行所　株式会社ビジネス社
〒162－0805　東京都 新宿区矢来町114番地　神楽坂高橋ビル5階
電話　03(5227)1602(代表)　FAX　03(5227)1603
http://www.business-sha.co.jp

カバーデザイン／上田 晃郷
組版／美研プリンティング株式会社
印刷・製本／大日本印刷株式会社
<編集担当>本田 朋子　　<営業担当>山口 健志

ISBN978－4－8284－1682－3